SV

Bodo Morshäuser

# In seinen Armen das Kind

Roman

Suhrkamp Verlag

Satz: Hümmer GmbH, Waldbüttelbrunn
Druck: sachsendruck GmbH, Plauen
Printed in Germany
Erste Auflage 2002

1 2 3 4 5 6 – 07 06 05 04 03 02

# In seinen Armen das Kind

*Für Margrit*

# ERSTES KAPITEL

## 1

Nur einem Menschen hatte sie von ihrer frühen Schande erzählt. Hermann war Heilpraktiker. In seinen hellen Räumen am Hagenplatz bot er Meditationskurse an. Hin und wieder gab er offene Abende, an denen seine Gäste in einem Wintergartenoval herumhängen durften. Für sie und ihre Freundinnen war er der einzige erwachsene Mann, von dem sie sich etwas sagen ließen. Ihm erzählte sie, was niemand erfahren durfte. Sie wollte ihm ihre Besserung präsentieren.

Im Kamin glühten kleine Scheite, eine Schallplatte mit Liedern von *Moody Blues* drehte sich, die Luft getränkt von Sandelholzduft. Auf Bastmatten begaben sie sich in den Lotussitz. Hermann schenkte dünnen Kräutertee ein. Sie erzählte, daß sie inzwischen mit Udo war und sie eine Wohnung miteinander teilten, die ihnen den Raum gab, an sich zu arbeiten. Hermann erkundigte sich nach ihrem Tageslauf. Sie stehe um vier Uhr früh auf, mache ihre Übungen und richte ihren Tag nach den Übungen ein.

»Du bist weitergekommen.«

Sie verehrte diesen sanften, viel älteren Mann. In seinen hellen Räumen ging es ihr gut. Er hatte ihr das Meditieren beigebracht.

»Da *ist* noch etwas«, sagte Hermann. Er äußerte den Wunsch, sie in Hypnose zu versetzen. Sie war begeistert.

Sie sieht sich in einem Indianerstamm, umgeben von unruhigen, wie durch einen Befehl gestoppten oder auf einen

Befehl wartenden Männern. Sie ist die einzige Frau dort, und ihr ist, als sähe sie alles in Braun. Im Gesicht des Anführers, der vor ihr auf einem Quader steht, erkennt sie Udos Gesicht, das immer finsterer wird. Der Häuptling steigt von seiner Quadererhebung herab und schreitet auf sie zu. Die Männer verstummen. Ein langer Dolch wird in ihren Hals versenkt, erzählt sie. Sie sieht den Dolch auf sich zukommen, wenn sie die Augen niederschlägt. Wenn sie die Augen aufschlägt, sieht sie sich dastehen als Person, der ein Dolch im Hals steckt, sagt sie, als sie wieder mit Hermann spricht.

»Ich bin letzte Woche vor Udo weggelaufen, weil er so auf meinen Hals gestarrt hat ... Na gut, wir waren auf LSD.«

Er lächelte knapp.

»Da ist immer noch etwas.«

Udo und Vera wollten anders werden als die Mehrheit, die sich falsch bewegte und falsche Gedanken hatte, sich entgegen der Natur ernährte, sich schädigte, Schindluder mit sich und der Welt der ungeborenen Kinder trieb. Der Gestank! Der Lärm! Die giftige Nahrung, die verlogene Werbung! Udo und Vera schauten sich um. Unbegreiflich war ihnen, daß nur sie und ihresgleichen so deutlich sahen. Sie lebten mit dem Gefühl, sich in einer Katastrophe zu befinden, von der niemand etwas wissen wollte. So hat Maik mir erzählt. Abends fuhren Udo und Vera ins *Marrakesch*, zogen die Schuhe aus, gingen in die Knie. Sie löffelten Quarkspeisen und flüsterten in dem Zirkel aus Naturheilkundlern, Mönchen, Möchtegernmönchen und sonstigen streunenden Wahrheitsverantwortlichen von ihren Erfahrungen. Vera habe die Rolle der berlinernden, manchmal vorlauten Musterschülerin gespielt, die lernbereit war, sich aber niemals kommandieren ließ. Eine Kreuzberger Göre mit Ambitionen.

Udo, in der Wohnung in der Einflugschneise, an seinem Tischchen, einer Glasplatte auf vier weißen Bausteinen, saß unter dem Chinaballon und zeichnete winzige Figuren in eine bierdeckelgroße Hügellandschaft. Vera kam nach Hause und ließ die Tasche von sich abgleiten. Sie rutschte in einen Lehnstuhl mit abgesägten Beinen, so daß ihre Knie unweigerlich in den Schneidersitz ausklappten.

»Ich stolpere in der Küche über Bierflaschen, im Kühlschrank finde ich Fleischsalat, sag mal, haste sie noch alle?«

Er gab ihr Feuer, lächelte und zeichnete weiter. Vera ging auf den Balkon und zupfte vertrocknete Blätter und Stengel aus den Kräuterbeeten. Trotz ihres Kopfschüttelns fand Udo, der sie durch die Balkontür betrachtete, daß ein besonderer Glanz von ihr ausging. Den vorwurfsvollen Mund, mit dem sie, Büschel Grünzeug in den Händen, durchs Zimmer ging, hätte er am liebsten sofort geküßt.

»Wann bist du heute morgen nach Hause gekommen?«

Mit der Klinge eines Taschenmessers pulte Udo nach Nagelschmutz und lächelte sein sanftes Lächeln. Vera stand auf und verließ das Zimmer zum ersten Mal ohne ein Wort. Sie nahm ihre Sachen aus dem Kühlschrank und stellte sie in die alte, lange nicht mehr benutzte Speisekammer.

Dieser Strom, der war das Leben. Sie ging eine Straße, einen Bahndamm oder einen Waldweg entlang, konnte nicht anders als lächeln und dachte: Dieser Strom, der ist das Leben. Nach drei, vier Wochen kontrollierter Ernährung und regelmäßiger Übungen empfand sie sich federleicht und die anderen ihr zugewandt. Sie war mit jeglichem im Einklang. Ihr Gang war ein spielerisch unterdrückter Tanz. Sie lächelte fremde Menschen an und forderte Gespräche heraus. »Du Glückspilz!« sagte jemand zu ihr. Immer zögernder trennten die Fremden sich von der Glanzvollen. Sie nahm sie für sich ein. Männer hörten auf sie. Sie kannte den Ton, ihre Ausdrücke. Einmal erwischte sie sich dabei, daß sie nur darauf aus war, festzustellen, ob sie diesen oder jenen an sich binden konnte. Sie konnte. Alles war möglich. An einem Tag, als sie vor Wohlgefühl nur so strotzte, es ihr fast zuviel wurde, rief sie Hermann an. Er hatte Zeit für sie, wenn auch zwei Stunden später.

Wieder brannten die Scheite, das Sitarspiel und die anrufenden Gesänge von *Quintessence*, wieder dieser Duft, der ihr behagte, und auf den Fensterbrettern schlanke Ständer mit frisch angezündeten schmalen Kerzen.

»Was kann da noch sein?« fragte sie, als sie nach der Schilderung ihrer Schwierigkeiten mit Udo beschloß, das Thema zu wechseln.

»Ich kann es dir nicht sagen, aber ich kann dir helfen, es herauszufinden.«

Sie liegt in ihrem Kinderbett, sagte sie, und drüben sind Stimmen, mal laut, mal leise. Die Stimmen werden laut, weil eine Tür aufgeht, ein Lichtschein fällt ins Zimmer, und leise, weil die Tür zugeht und es wieder dunkel wird. Sie liegt im Bett und hört den Stimmen zu und vorneweg der des Onkels, des lieben. Aber sie kneift die Augen zu. Die Augen tun ihr weh vom Zukneifen. Sie faßt an ihren Bauch, wo was ist, und hat Glibber in der Hand. Die Augen gehen auf, sie schreit, die Stimmen der anderen werden lauter. Sie sieht sich im Licht liegen. Sie wacht auf und wischt es ab, weg, doch es bleibt, wird immer mehr. Alle reden auf sie ein. Sie schreit nach der Mutter, die Mutter ist nicht da. Ihr Vater schreit noch lauter und sperrt das Mädchen in dem Zimmer ein. Sie weint.

Weinend wandte sie sich an Hermann, der ihr aufmerksam zuhörte.

»Schlaf jetzt mit mir«, sagte sie.

## 2

Vera ging allein aus. Udo schaffte es höchstens bis zu dem Quarkspeisenladen, weiter schaffte er es nicht. Sie trug eine Wildlederjacke mit Fransen, dazu Stiefel und ein Stirnband, alles in Braun. Das Halstuch war dunkelrot. Sog sie die Backen nach innen und die Backenknochen traten hervor, meinte sie im Spiegel eine Indianerin zu sehen. Gefiel ihr ein Lied, dann tanzte sie so, wie sie sich eine tanzende Indianerin vorstellte. Ungefragt erzählte sie anderen von ihrer Herkunft, manchen von ihren früheren Leben. Nach wenigen Wochen kannten die meisten im *Golem* Veras Geschichte, allerdings nicht ihre wirkliche. Wenn der Rothaarige an der Kasse stand, der in einem früheren Leben Amerika entdeckt hatte, wurde sie umsonst in den Laden gelassen.

»Noch bevor ich sie kannte, hat Hermann ihr eine Adresse in Mariendorf verraten«, sagte Maik zu mir.

Hermann fügte hinzu, er gebe sie nicht jedermann, es sei eine besondere Adresse. Vera hatte von anderen gehört, die in Mariendorf gewesen waren. Sie schwärmten davon, was sie erfahren hatten, ohne es allerdings ausdrücken zu können – was die Sache noch interessanter machte. Man traf sich am Freitagabend und hatte die Möglichkeit, bis zum Montagmorgen zu bleiben. Vera kam in eine besondere Stimmung bereits auf dem Weg dorthin.

Sie stand vor einer mächtigen Villa und schaute auf das Türschild: Matthias Welke und Hedi Finckenstein. Sie ging in die Halle, von der aus man in einen Wohnraum und auf eine Tür- und Fensterwand schauen konnte, hinter der sich ein Garten befand. Im Wohnraum saßen einzelne und Paare, die Tee schlürften. Im Hintergrund sphärische Musik. Die meisten nickten Vera zu. Sie setzte sich neben Linda, die einen Joint hielt und an Vera weitergab.

Sie reichte den Joint an einen Kleinwüchsigen neben ihr weiter und lächelte gütig in die Runde. Die Treppe herunter kam Matthias, der zehn Jahre älter war. Wer zehn Jahre älter war, hatte ein Leben. Sie suchte eines. Er holte aus einem Nebenraum zehn Matten und legte sie in die Mitte des Raums. Danach kam Hedi dieselbe Treppe herunter. Sie befahl einem Jungen, die Matten nebeneinander in einer Reihe auszulegen. Die Musik wurde sonorer, Hedi hatte sie lauter gestellt. Matthias in weißer Hose und weißem Hemd begann mit gewollter Monotonie aus einem Buch vorzulesen. Ab und zu machte er mit der rechten Hand die immer gleiche Geste zu einem Gast hin und zeigte mit einem Schlußschwung auf eine der Matten. Nach ein paar Minuten lagen alle, die eben noch kiffend in den Ledermöbeln gefläzt hatten, vor und unter dem Hausherrn, die Handflächen flach auf dem Boden.

Später hielt Hedi einen Vortrag über Sexualität und Gesundheit. Die These war, daß krank wird, wer seine sexuellen Spannungen nicht sich entladen läßt. Vera hörte anfangs skeptisch zu. Während des Vortrags wurde sie immer erregter. Zum Schluß wünschte sie sich, an diesem

Abend noch Sex zu haben. In ihrem Selbstgespräch nannte sie das »in die Mitte genommen werden«. Hedi beendete ihren Vortrag mit der flammend vorgetragenen These, daß es zur Natur von Frauen gehört, sich hinzugeben, wenn dies von ihnen verlangt wird. Ein Großteil des Unglücks, auch des Beziehungsunglücks, habe die Ursache, daß Frauen nicht mehr bereit seien, sich dem Manne unterzuordnen und sich in den Dienst einer Familie zu stellen. Während sie die Türen zum Garten öffnete, fügte sie hinzu, daß sie und ihr Mann nichts dagegen hätten, wenn Drogen genommen würden, Drogen seien zur Selbsterforschung hilfreich.

Am nächsten Mittag beim gemeinsamen Frühstück in dem großen Salon blieb Vera nichts anderes übrig, als die vergangene Nacht zu rekonstruieren. Es waren weniger Leute dabei als am Abend zuvor. Nach der Purpfeife hatte sie eine Pille genommen, die Matthias vor sie auf einen Glastisch gelegt hatte. Sie war nicht die einzige. Danach mußte sie, ihrer Einschätzung nach, stundenlang im Garten gewesen sein, zusammen mit dem kleinwüchsigen Mann, der jetzt beim Frühstück fehlte. Sie sah zwei weitere Männer um sich herum. Einer war Matthias. Sie hörte sich sprechen, erklären, begründen. Matthias hatte dem Kleinwüchsigen in Aussicht gestellt, durch die Droge normale Größe zu erreichen. Vera hatte von solch einem Fall in einem esoterischen Magazin gelesen und im Garten darüber referiert.

»Dann bist du ins Haus gegangen, hast dich ausgezogen und bist zurück in den Garten gekommen«, sagte Matthias, »und du hast nur einen Wunsch gehabt. Den haben wir dir erfüllt, denn wir haben dich in die Mitte genommen. Aber du hast nicht mehr aufgehört zu erzählen. Also haben wir dir den Mund verbunden. Dann hast du um dich geschlagen. Wir mußten dich fesseln.«

Vera erinnerte sich daran, daß Ober- und Unterkiefer ihr nach dem Aufwachen taub vorgekommen waren.

»Du hast wunderschön ausgesehen, und du hast dich wunderbar hingegeben«, sagte Hedi.

Vera sah auf den meisten Gesichtern die Unterdrückung eines Grinsens; auf dem Gesicht des Jungen war es am breitesten. Alles, woran sie sich erinnern konnte, war ein Gefühl glücklicher Erschöpfung, als sie am Morgen auf einer Matte im Salon aufwachte. Aufwachte in Erinnerung an ihre Lust, bevor sie den Trip genommen hatte. Als sie dann ihren Muskelkater spürte, wußte sie, daß etwas geschehen war. Sie lächelte in sich hinein, nachdem Matthias gesagt hatte, was.

»Aus dir wird noch einmal etwas werden, das spüre ich«, sagte Hedi zu ihr.

Nach dem Wochenende in Mariendorf fühlte Vera sich erhaben über alles, was sie als das Normale ansah. Wer ihr im alltäglichen Leben auf Straßen, in Bussen, U-Bahnen und in Lokalen begegnete, provozierte ihren spöttischen Gesichtsausdruck. Zwar hätte sie gern mehr gewußt über die Stunden in Mariendorf, den Abend des Vollrausches, die Rolle des kleinwüchsigen Mannes sowie der Kinder im Haus. Aber im Vergleich zu ihrem unerklärlichen neuen Hochgefühl waren das für sie nur unbedeutende Nachfragen.

»Vera hatte das Gefühl, keine Angst mehr zu kennen. Nach der Hypnose bei Hermann hatte sie dasselbe Gefühl gehabt«, sagte Maik zu mir.

Udo saß vor dem Fernseher und schaute ein Fußballspiel an. Auf dem Tischchen zwei volle Bierflaschen, auf dem Boden zwei leere. Nach einer sachlichen Begrüßung, während der sie Udo als einen von denen wahrnahm, die sie eben auf den Straßen mit Verachtung angeschaut hatte, fragte sie mehr sich selbst als ihn, ob er bei Besinnung sei, und schaltete den Fernseher aus. Udo schaltete ihn wieder ein.

»Ich habe gedacht, ich wohne mit einem Mann zusammen, der mit mir ein alternatives Leben führt und nicht den Schwachsinn der Mehrheit nachmacht.«

Udo suchte nach einer Antwort. Er brachte es nur zu einer angestrengten Stirnfalte und zu einem Lächeln. Das Lächeln vertrocknete ihm im Mund. Eine Stirnader wie ein Kabel. Er ging in Veras Zimmer, klaubte alles zusammen, was er greifen konnte, und warf ihre Klamotten vor die Wohnungstür. Vera schrie. Für Udo waren das Anfeuerungsrufe. Vera wählte Lindas Nummer. Sie trug ihre Klamotten hinunter und packte sie in Lindas R4. Bei ihr richtete Vera sich ein kleines Zimmer ein.

Linda, groß, mit blonden langen Haaren, war eine andere Klasse. Vera hatte sie bei Lindas Mutter kennengelernt. Eines Tages hatte es geheißen, es gebe da eine alte Frau, die sitze den ganzen Tag in ihrer Wohnung, rede kluges Zeug, schreibe irgend etwas, lebe sogar davon und rauche von morgens bis abends Haschisch. Sie war mit Udo dagewesen. Die Gäste drehten ihre Joints und füllten ihre Chillums. Linda nahm Vera zur Seite. Sie wollte wissen, ob Hermann, den Vera erwähnt hatte, jener Hermann war, den Linda kannte. Linda und Vera erzählten sich ihre Hermanngeschichten. Es sprachen miteinander die Indianerin und die Gutsbesitzerin. Sie wurden sofort Freundinnen. Einerseits deswegen, andererseits trotzdem.

Die beiden teilten sich eine Stelle in dem Café einer Freundin von Linda, wo sie Touristen Bier brachten und ordentliches Trinkgeld erhielten. Hermann hatte auch Linda einmal in Hypnose versetzt, und der Abend war ähnlich weitergegangen. Auch ihre Mariendorferlebnisse ähnelten einander. Die Gleichaltrigen waren den Frauen zu naiv.

Nach einigen Monaten erzählte Linda ihr in voller Verliebtheit, sie habe einen Mann kennengelernt, der in ihrem Alter und endlich einmal nicht kindlich sei. Er heiße Udo.

## 3

Sie hatten einen Horror davor, in der Gosse zu landen, und gleichzeitig die Furcht, nie richtig oben anzukommen. Sie waren etwas zu jung, um der Generation der Straßenprotestierer anzugehören. Aber alt genug, um deren Ziele erstrebenswert zu finden. Sie rauchten französische Zigaretten und schauten immer wieder nach, wie die dicke Filterlose zwischen ihren Fingern lag. Simon hatte sich angewöhnt, sie zwischen Mittel- und Ringfinger zu klemmen. Fast jeden Abend gingen Maik und Simon in ein kleines, progressives Theater – wenn auch nicht immer in die Aufführungen. Ihnen gefielen die beiden Mädchen, die an der Theke arbeiteten. Sie waren fünf, die Theaterleute ungefähr zehn Jahre älter und das Theater ein Ärgernis in der Stadt.

Gespielt wurde ein Stück über Folter in Spanien. Ich habe das damals auch gesehen. Jeder Theaterbesucher wurde vom Foyer bis an seinen Sitzplatz in dem stockdunklen Saal geleitet. Wer zusammen gekommen war, saß getrennt. Das hatte es noch nicht gegeben. Obwohl ausverkauft, waren die ersten Aufführungen nie bis auf den letzten Platz besetzt. Jeden Abend weigerten sich einige, getrennt von ihren Partnern zu sitzen. Ausnahmen wurden nicht gemacht. Oft drangen die Stimmen der Erregten während der Vorstellung bis in den Spielraum. Da sie ihr Eintrittsgeld wiederbekamen, blieben sie halbwegs friedlich. Es dauerte eine halbe Stunde, die Zuschauer an ihre Plätze zu bringen. Eines Abends fragte der Regieassistent Simon und Maik, ob sie einige Zuschauer hineinführen würden.

»Monatelang hatten wir darauf gelauert, uns in dem Theater nützlich machen zu dürfen«, sagte Maik zu mir.

Er war stolz, daß seine Haare sich endlich auf der Schulter wellten. Er wollte Schauspieler werden. Doch er begann eine Buchhändlerlehre in einem kleinen Geschäft am Kurfürstendamm. Maik war neunzehn und hatte das Gefühl, sein Leben sei nicht sein Leben. Allzu oft kam er sich im Unterschied zu seinen Altersgenossen ohne Schnitt und Kontur vor, absichts-, meinungslos und unentschieden wie niemand Bestimmtes. Einer, aus dem erst noch einer werden mußte. Tag für Tag fuhr er morgens zur Arbeit und viermal in der Woche abends zur Schauspielschule. Das war während der paar Jahre, in denen das Wort *Beruf* einen Klang hatte wie *falsches Leben*.

Das *Golem* war gut gefüllt, doch gab es für ihn dort nur ein einziges Augenpaar. Jedenfalls sah er kein anderes mehr. Seine Augen kamen nicht von ihren, ihre nicht von seinen los. Auf der Tanzfläche beschrieb Vera Kreise, Bögen und

Kurven, niemals eine Kante oder Ecke, und alles geschah unter Maiks pausenloser Beobachtung. Die Schwünge ihres Tanzes beschworen etwas Rundes. Die Fransen ihrer knappen Wildlederweste wirbelten durch die Luft. Das hinter die Ohren geklemmte braune Haar rundete ihr Gesicht. Als Vera sich neben ihn hockte, ihre Purpfeife anzündete und sie ihm reichte, drehte Maik sich von seinem Freund Tailer weg, der eine gerollte Pappe in den Dreiblattjoint schob. Ihre Augen weiteten sich, als sie in seine schauten.

Am nächsten Tag gingen sie im nördlichen Stadtwald spazieren. Maik wollte sie kennenlernen, sie wollte sich darstellen. Es hagelte Verareden, und Maik hing an ihren Lippen. Ihr Betrachten und Bedenken des alltäglichen Kleinkrams beflügelte sie ohne sein Zutun zu Urteilen über das Großeganze, unterteilt in das Bestehende und das Wünschenswerte. Die Atemluft an der Schnellstraßenkreuzung, die Glasluken der Bewohner, die hängenden Mundwinkel der Passanten – wo Vera auch hinschaute: Alles schien ihr Hinweis auf etwas anderes zu sein. Da sie das Stadtleben haßte und die Nahrung für vergiftet hielt, war fast jedes Ding in Sichtweite zur leisen oder lauten Rede darüber dienlich, wie nicht zu leben, also wie zu leben sei. Das wollte Maik wissen. Maik hatte eine Allgemeinbildung, doch Vera besaß ein Weltbild. An Ort und Stelle entlarvte sie den praktizierten Wahnsinn der Mehrheit, über die man sagte, sie sei eine schweigende. Vera gab Maiks Unbehagen an der Normalität Wörter, Begriffe und Grund. Sie schwärmte von einer Zukunft, wie er sie wünschte, doch nicht zu beschreiben wagte. Wo andere längst abschalteten, blieb Maik Veras Zuhörer. Ihr Denken kam von selber in Fahrt und brauchte keinen, der anders dachte, als Widerspruchsfolie. Maik stimmte ihr zu. Am

Zaun der Stadtgrenze, die alle Welt Mauer nannte, schwanden ihm Zeitgefühl und Orientierungswille. Ihm war egal, wo sie ankommen würden.

»Es war mir nicht mehr möglich, mich von Vera zu verabschieden«, sagte Maik zu mir. »Ich konnte nicht gehen oder bleiben. Ich konnte nur bleiben.«

Am Abend kehrten sie in Lindas Wohnung ein, wo sie Udo antrafen, von dem Vera tagsüber erzählt hatte. Linda sah verhuscht aus. Sie schien auf dem falschen Fuß erwischt worden zu sein. Udo zeigte nicht, daß er mit Vera verstritten war; er mühte sich, innere Ruhe zu demonstrieren, indem er mit halb geschlossenen Augen im Lotussitz verharrte. Später, beim Rauchen, erzählte Maik unter den mitleidigen Blicken der anderen von seiner ungeliebten Einzimmerbucht. Die anderen erklärten diese Art zu wohnen für asozial. Udos Vorschlag, zu ihm zu ziehen, schien der beste zu sein. Linda schüttelte den Kopf.

Maik und Vera teilten sich in Udos Wohnung in der Einflugschneise ein schmales Zimmer mit Schlafmatte und einem kleinen Schrank. Hinzu kam Veras Ruhepunkt: Auf tiefrotem Samt waren eine Buddhafigur, ein tibetanisches Gesangbuch, eine Obstschale und Duftfläschchen jederzeit ordentlich aufgereiht. Wenn der Flughafen Tempelhof von Osten angeflogen wurde, zitterten diese Dinge. Vera vernichtete die Supermarkt-Lebensmittel, die Udo in der Zwischenzeit gekauft hatte. Im *Satva* deckten sie sich mit organisch-biologischen Produkten ein. Zum Fleischer gingen sie für die Katzen. Maik wollte eingeweiht werden. Von Tag zu Tag wurde er leichter. Mit der Zeit neigte er zum Hüpfen. Manchmal mußte er sich zwingen, schwer zu gehen wie jeder. Um in diese Welten auch ganztags eingeführt zu werden, ließ er sich krankschreiben.

Sie lagen auf der Schaumstoffmatte und empfanden die Stellen, an denen sie sich berührten, wie glühende Kontakte, unterbrochen von manch unkontrolliertem Zappeln, ähnlich dem unwillkürlichen Aufschrecken vor dem Schlaf, wenn die Spannung weicht. So lagen sie am Morgen, am Nachmittag und am Abend, eine Kanne mit der tageszeitgemäßen Mischung Kräutertee neben sich. Sie blieben die Tage lang damit beschäftigt, leicht zu sein und leichter zu werden. Berauscht von den erlernten Selbstversenkungsübungen, fand Maik einen Respekt vor dieser Sache und ein Maß erst, nachdem er am Ende eines Tages, an dem er nichts anderes getan hatte, als zu meditieren, aus einem gräßlich tiefen Fallen heraus mit Herzmuskelkrämpfen aufwachte.

»Abends bin ich meistens zur Schauspielschule gegangen. Es war schrecklich, denn es war das zweite Jahr. Im ersten Jahr dachte ich, ich kann alles. Im zweiten Jahr dachte ich, ich kann gar nichts mehr.«

Udo besaß zerlesene Bücher mit Titeln wie *Der Weg zum wahren Adepten,* die ihn zum Zeichnen anstifteten. Das Bild, welches im Entstehen war, zeigte ein Männlein, das er Wurzelgnom nannte, in höchster Zufriedenheit, mit der es umgebenden Natur schier verwachsen wie mit dem gezeichneten Baum, aus dem es hervorging. Udo sagte, so würde er später an seinem Baum lehnen und die Zeit vergehen lassen. An den Rand des Wäldchens hatte er mit feinsten Strichen einen Traktor gezeichnet. Wie angenehm und wünschenswert der drei Jahre ältere Udo sich von anderen Männern, von *dem* Mann unterscheidet, dachte Maik. Befragt, was schön und richtig sei, gab Udo zur Antwort: *Jetzt*. Maik fühlte eine eigene Sehnsucht benannt.

Manchmal war Hermann der Heilpraktiker bei ihnen zu Besuch. Sie fragten sich, wie man die kranke Republik umkrempeln könne und wer an dem Zustand schuld sei. Sie konnten keinen Schuldigen benennen. Hermanns Rede war, daß der Einzelne sich verändern müsse, wenn Masse oder Gegenwart nicht zurechtzubiegen seien. Vera und Udo hörten ihm ähnlich ergeben zu, dachte Maik, wie er selbst Vera. Aber natürlich, so Hermanns nächster Gedanke, könne es einem Menschen in einer großen Stadt, wo das falsche Leben sozusagen zu Hause sei, kaum gelingen, sich im Unterschied zur Mehrheit zu verändern.

»Ich bewunderte Hermann. Früher hatte ich den zehn Jahre älteren Theaterleuten nachgeeifert. Ich wollte ähnlich wie sie werden. Nun strebte ich nach der Klugheit und Weltabgeklärtheit, wie Hermann sie zu haben schien. Doch ist Hermann einer der Menschen gewesen, bei denen ich von Anfang an gemerkt habe, daß ich ihnen nie richtig nahekommen würde, daß ich sie immer aus der Ferne würde bewundern müssen. Es gab etwas, das unverrückbar zwischen uns stand.«

Je mehr Maik um Hermanns Aufmerksamkeit warb, desto härter war sein Aufprall, wenn er spürte, daß er sie nicht im gewünschten Maße bekam. Er hatte dem erfahrenen Heilpraktiker nichts zu erwidern, und wenn er einen Gedanken von Hermann für übertrieben hielt – etwa die Aussage, daß jegliche politische Betätigung einen von sich selber wegführe –, handelte er sich Widerspruch zuerst von seinen Mitbewohnern, schließlich von allen dreien ein.

Nach Wochen der Entsagung und Kontrolle hatte jeder die angestrebte Ausgeglichenheit erreicht. In ihrer Wohnung fühlten sie sich gelungen. Nur die über das Haus krachenden Linienmaschinen störten manchmal das friedliche Nest. Abends im *Marrakesch*, bei Quarkspeisen und Kräutertees, fielen ihnen, nachdem das Wünschen getan war, die Hindernisse ein, etwas zu tun. Sie wurden desto zahlreicher, je länger sie daran dachten.

»Einfach machen«, sagte Udo.

»Was einfach machen?«

»Wie machen?«

»Einfach machen! Reden tun sie alle.«

Maik wußte, daß seine Kündigung im Buchladen die richtige Entscheidung war, ohne daß er sie Außenstehenden so erklären konnte, daß sie ihn verstanden hätten. *Einfach machen*, hatte er sich gesagt. Innerhalb weniger Tage hatte er fast alle Brücken hinter sich abgebrochen. Er traf niemanden mehr von früher und war nur noch mit Veras und Udos Freunden zusammen.

Auch ich bin damals ins *Golem* gegangen, alle sind damals ins *Golem* gegangen, das *Lazy* war nach einer Razzia geschlossen worden. Es war nur eine Frage der Zeit, wann das *Golem* zugemacht werden würde, denn wie im *Lazy* legten wir dort unsere Rauchutensilien auf den Tisch und versteckten sie vor niemandem. Tailer hatte eine Art Stammtisch in einer Ecke, er saß immer mit dem Blick zur Tür und baute eine Tüte nach der anderen. Kein Wunder, daß er nie alleine war. Wir waren zu jung, um uns zu Hause vollzurauchen, wir mußten zeigen, was wir taten, wer wir waren und wer wir sein wollten. Tailer fragte mich eines Abends, wo Maik sei, am nächsten Abend wieder, dann noch einmal.

»Was soll sein, mit Maik?«

»Ist abgeschwirrt, mit so einem kleinen Bomber, und seitdem nicht wiedergekommen.«

»Verknallt?«

»Klar. Als ich letztes Mal verknallt war, hab ich auch das Rauchen vergessen.«

»Der kommt wieder.«

Es war noch nie jemand völlig weggeblieben. Sie waren immer wiedergekommen. Maik war eine Ausnahme.

Bis dahin hatte ich gar nicht viel mit Maik geredet. Wir waren allesamt Lehrlinge und saßen Abend für Abend an Tailers Tisch. Wir machten Witze oder Bemerkungen über die *Bräute*, hatten aber selten so etwas wie ein richtiges Gespräch. Ich wußte nicht, wer er war. Ich wußte auch nicht, wer Tailer war. Wir waren immer im *Jetzt*. Maik benahm sich schon ein bißchen anders als wir, aber das interessierte mich damals überhaupt nicht. Ich wußte, daß er, wenn er nicht im *Golem* war, sich im Theater herumtrieb, man merkte, daß er das gut fand, er wollte immer ein bißchen anders sein als wir, er rauchte keine Tüten mit uns, weil er meinte, Zigarettenpapier und Tabak seien giftig, und trug dafür mehrere Purpfeifen mit sich herum, er war der einzige, der immerzu einen Hut aufhatte, und genauso gehörten die weißen Hemden zu ihm. Er kannte alle neuen Filme. Er redete Zeugs, als solle man ihn für einen Kommunisten halten. Manchmal fing er beim schönsten Abhängen, Musikhören und Frauenanschauen an von Dingen zu erzählen, die er gelesen hatte. Wollte dann plötzlich, genauso stoned wie wir, uns die *Traumdeutung* erklären oder die kubanische Revolution oder das *Living Theatre*. Er war so begeistert von diesen Sachen, daß er sie uns nicht im geringsten vermitteln konnte. Dazu war er selbst zu stoned, und wenn er nicht stoned war, fing er damit gar nicht erst an.

»Wie findest du die?«

»Klasse.«

»Würdest du mich wegen der verlassen?«

»Ja.«

»Arschloch. Ich würd die da nehmen.«

»Warum tust du es nicht?«
»Die guckt nicht her.«

An dem Tag, als Udo von zwei Polizisten abgeholt wurde, um wegen einer offenen Rechnung ein paar Tage einzusitzen, erfuhr Vera, daß sie schwanger war. Maik und Vera waren begeistert von der Vorstellung, bald nicht mehr zwei, sondern drei zu sein, er etwas weniger als sie. Eine Sorge fiel ihnen zu dieser Neuigkeit nicht ein. Jedem erzählte Vera von ihrer freudigen Erwartung, Udo, aus dem Gefängnis zurück, als letztem. Sie war früher einmal von Udo schwanger gewesen und hatte eine Fehlgeburt gehabt. Udo sah den im Toilettenbecken liegenden Fötus vor sich, den er runtergespült hatte. Er verstand Veras Neuigkeit so, daß nun erst recht ein Landhaus gefunden werden müsse. Für ein paar hundert Mark kauften sie ein altes, geräumiges Auto.

Udo hatte Maik inzwischen abgewöhnt, Fragen zu stellen, wenn sie *einfach machten*. So erfuhr Maik erst in dem Cloppenburger Häuschen, daß die blasse, ihnen alles andere als wohlgesonnene Frau, die sie besuchten, eine von Udos Geliebten war. Während der Unterhaltung, bei der sie kaum einmal aufschaute und fast nichts erzählte, versuchte sie, unter dem Tisch mit einer Rasierklinge ihre Pulsadern aufzuschneiden. Ohne Erfolg, sie konnte es nicht. Doch Udo kümmerte sich um sie wie lange nicht. Vera und Maik machten einen Spaziergang, bei dem Vera Kräuter vom Landstraßenrand weg sammelte und pausenlos redete. *Einfach machen* hieß, Udos Exfreundin mit den verbundenen Handgelenken am nächsten Morgen zu verlassen und ein Haus zu suchen, mit Besitzern zu sprechen, Preise zu diskutieren, Fragen aufzuwerfen, die sich nicht stellten, in

Summen zu denken, die nicht ihre Klasse waren. Wenn ein Tag anbrach oder eine neue Absicht aufkam, taten sie, als fingen sie von vorn an – in dem kindlichen Glauben, mehrere Versuche frei zu haben. In Bremen brach die Achse des Autos. Sie riefen eine Schrotthandlung an und setzten sich in einen Zug nach Berlin.

In der Einflugschneise hatte eine Eisdiele eröffnet, deren Inhaber, Günther, ein Eingeweihter war und ein Bekannter von Hermann. Udo trug das Bild des aus seinem Baum hervorgewachsenen Wurzelgnoms zu Günther und schenkte es ihm. Der gab Udo hundert Mark und stellte das Bild an seine Registrierkasse. Inzwischen fiel es Maik schwer, sein früheres Leben nachzufühlen. Er kam nicht mal mehr in ein Kino. Alles war live geworden. Aktuelles Halbwissen, mit dem man *mitreden* konnte, über den steigenden Ölpreis vielleicht sowie über Sinn und Unsinn der autofreien Sonntage, war ihm, dem früher Diskussionsfreudigen, fern wie noch nie. Und fehlte ihm nicht. Las er in einer Zeitung, verprellten ihn die getuneten Formulierungen. Manchmal wachte er nachts auf und dankte irgend jemandem dafür, daß er einer staubigen Zukunft als Buchhändler entkommen war. Und im nächsten Moment dachte er, ohne es sich oder jemandem sonst zu gestehen, daß auch Vera nicht seine Zukunft sein würde.

»Zweimal kam ich in Udos Zimmer, und Udo sagte: ›Ich sitze hier und denke, was sich ergeben wird, und jetzt bist du reingekommen.‹ Er saß mit unter sich verknoteten Beinen neben seinem Altar und hat tatsächlich geglaubt, daß nicht ich zu ihm gekommen sei, sondern seine mentale Bereitschaft so stark gestrahlt habe, daß sie mich in sein Zimmer gezogen habe. Beim ersten Mal vergaß ich prompt, was ich gewollt hatte. Beim zweiten Mal habe ich versucht, etwas breiter zu grinsen als Udo, und bin sofort aus dem Zimmer. Ich habe Monate gebraucht, bis ich Udos gezieltem Blick standhalten konnte, wenn ich es denn überhaupt wollte.«

In den kommenden Wochen flipperten Udo und Maik schon nachmittags in der dunklen Straßenkneipe gegenüber. Manchmal kam Vera, um ihre Männer da herauszuholen, und flipperte dann mit. Wollte sie das nicht, setzte sie sich zu Günther in die Eisdiele, wo sie besser als am Flipper über Schwangerschaft und Kinder sprechen konnte. Holten Maik und Udo sie abends dort ab, blieben sie in dem dunklen Laden sitzen, nachdem Günther die Rollos heruntergelassen und, gerade erschienen, die erste Platte von *Roxy Music* aufgelegt hatte. Die Reden wiederholten sich allerdings in Endlosschleifen, ihre Vorträge wurden bitterer. Sie verachteten Geld und besaßen doch nicht genügend davon, um etwas zu verändern. Wie zum Trost saßen sie immer so, daß jeder Udos Bild an der Registrierkasse betrachten konnte. Maik erinnerte sie daran, daß sie nur Hilfsarbeiter waren. Vera verfluchte seine Schlechtrednerei. Udo lächelte streng entspannt, und Günther vermittelte zwischen allen Seiten. Wieder in der Wohnung, schimpfte jeder über das Gequatsche.

Immer öfter, wenn Maik abends in der Schauspielschule war oder Wochenendseminare besuchte, hielt Vera sich bei Hermann auf, um, wie sie Maik sagte, eine Meditationstechnik zu vertiefen. Als Maik einmal unbedacht in Udos Zimmer trat und ihn neben Linda im tiefen Fall liegen sah, stieß ihm auf, daß Vera und er längere Zeit weder zusammen meditiert noch miteinander geschlafen hatten. In diesen Tagen klingelte Fred an ihrer Tür. Udo murmelte

*Schicksal* und Vera *Das ist kein Zufall.* Obwohl Maik ihn zum ersten Mal sah, war Fred ihm wohlbekannt aus ihren Erzählungen. Seine hellen Augen, das raumgreifende Strahlelächeln schüchterten den Neuling ein. Udo lebte in Freds Nähe auf. Wenn er sein *Einfach machen* predigte, hatte er öfter von Fred gesprochen als Beispiel für einen, der mit leeren Taschen in die Provinz gezogen war und inzwischen auf einem Hof lebte, der sich selbst versorgte.

Am nächsten Morgen gingen Vera und Udo nicht zu ihren Arbeitsstellen, sondern blieben, solange Fred blieb, bei ihm. Unterwegs auf den Straßen kommentierten sie die Absonderlichkeiten des normalen Stadtlebens. Fred gab ihnen zu verstehen, daß sie mit der Stadt fester verkettet waren, als sie wahrhaben wollten. Ihnen war es wichtig, ihren Stadtekel mitzuteilen. In Freds Erzählungen kamen Städte nicht vor, und er beteiligte sich nicht im geringsten an diesen Verwünschungen. Wenn die drei ausnahmsweise einmal schwiegen, wies er sie auf Dinge und Ansichten hin, die ihm gefielen.

»Kommt doch mit!«

Die Erwartung stand Vera und Udo seit Freds Ankunft in die Gesichter geschrieben. Die Sache war sofort entschieden.

Fred wohnte in Sommersell mit zwei Männern, zwei Frauen und deren Kindern. Im einen Anbau polierten Männer alte Möbel auf. Im anderen stellten Frauen Tinkturen, Tonika und Salben aus Kräutern her. Außer ihnen war eine Berliner Mutter mit ihrem Sohn zu Gast. Der Achtjährige verprügelte die anderen Kinder. Seine Mutter, ganz in indischer Seide, redete, wenn die Kinder vom Hof schrien, auf ihr Balg so lange vernünftig ein, bis er ihr die

Zunge zeigte. Einmal schlug sie ihn, angeblich zum ersten Mal. Er schlug zurück, und sie rannte schreiend aus dem Haus und über die Felder. Am zweiten Tag ließ Fred Udo auf den Traktor. Udo lenkte ihn in eine Schlammspur. Dort sank er langsam ein, bei jedem Rettungsversuch etwas mehr, und konnte erst gegen Abend herausgeholt werden. Um eine Spur aus dem Schlamm zu befestigen, ging der halbe Holzvorrat drauf. Vera saß mit den Frauen bei den Kräutern und redete zuviel. Am dritten Tag hatte sie die Frauen mürbe gemacht. Ihr Druck, sich bis ins Kleinste zu erklären, warf bei den Frauen die Frage auf, ob sie überhaupt etwas zu sagen hatte. Maik fühlte sich dort in jedem Moment am falschen Ort und bekam von den Bewohnern nichts anderes zu verstehen. Diese Berliner waren das, was die ehemaligen Berliner am wenigsten gebrauchen konnten. Sie nahmen den Zimmern die Ruhe, sie scheuchten jede Atmosphäre auf. Die Bewohner erzählten von ihren Zwängen und Nöten. Die drei aber waren gekommen, um ihr Glück aufzuspüren. Ein Glück war außer in Freds Augen nirgends zu erkennen, jedenfalls nicht ein solch bequemes, wie die drei aus der Stadt es suchten. Man gab ihnen den Tip, es in Huisheim zu probieren.

Das Haus stand offen. Sie warteten in der Küche. Eine Katze kam, zog unter der Sitzbank eine Tüte vor, rupfte den Inhalt – fast leere Konservendosen – heraus, und der Modergeruch entwickelte sich zu einem gräßlichen Gestank. Sie gingen die Zimmer ab und fanden niemanden. Hof und Garten waren verkommen. Ein Opel Admiral stand in den Beeten. Sie gingen hinaus, auf einem Weg, der über die Felder zu einem Wäldchen führte. Am Waldrand rauchten sie eine Pfeife und sahen sich nach einer Lichtung um. Wo sie ankamen, saß ein Mann an einen Baum gelehnt und schaute in die Sonne. Vera stellte sich zehn Meter von dem Mann entfernt auf und wartete, bis er seinen Blick zu ihr gesenkt hatte. Sie lächelte. Nach ziemlich langer Zeit hatte der Mann sie wahrgenommen, ohne zu erschrecken.

»Nicht in die Sonne schauen«, sagte Vera.

Zeiten vergingen, bis er antwortete.

»Ich bin im Tunnel und komm nicht ans Ende.«

Vera behielt ihr Lächeln bei. Sie sagte noch zweimal, er solle nicht in die Sonne schauen, und setzte sich wieder zu ihren Männern.

»Da habe ich sie geliebt«, sagte Maik zu mir. »Ich wünschte sie mir weiterhin so wortkarg und bestimmt.«

Wieder im Haus, räumte eine Frau den stinkenden Müll unter die Sitzbank zurück. Nachdem die drei gesagt hatten, daß sie aus Sommersell kämen, machte die Frau eine abfällige Handbewegung, die in das Wegtreten herumliegender Bananenschalen überging, und sagte kein weiteres Wort, sah die drei nicht mal mehr an. Als sie gehen wollten, stand der Mann aus der Lichtung in der Küche.

»Ich bin kurz vorm Ende des Tunnels gewesen. Was wollt ihr hier?«

Er fluchte ihnen nach, noch als er sie nicht mehr sehen konnte.

Seit Sommersell hatte Vera Unterleibsschmerzen, war Udo stumm und Maik schlecht gelaunt. Vera wechselte von Maiks Arm in Udos und zurück. Zu Udos Enttäuschung wollte sie sich nicht an der weiteren Haussuche beteiligen, sondern in den nächsten Zug nach Berlin steigen. Udo machte ein Gesicht und blieb auf der von Minute zu Minute dunkler werdenden Landstraße stehen; Maik und Vera zwanzig Meter weiter. Sie sollten doch nach Berlin fahren, sagte Udo in einem Tonfall, der das Gegenteil meinte, er würde weiterhin Ausschau halten. Maik war einverstanden, und nach einigen Sekunden allseitigen Stillstands ging er langsam weiter.

Als er sich umschaute, sah er alle drei in ungefähr gleich großen Abständen auf dem Asphaltstreifen verteilt. Vera lamentierte unentschieden in beide Richtungen. Udo hatte kein Wort gesagt und machte dann doch die entscheidenden zwanzig Schritte zu ihr hin. Nahm sie in den Arm. Maik blieb stehen und wartete, bis sie ihn eingeholt hatten, doch er kam nicht mehr an sie heran. Nebeneinander her trödelten sie zum Bahnhof.

»Kurz vor Berlin, als ich den Speisewagen verlassen mußte und ins Abteil zurückkehrte, lagen Vera und Udo zum Anschauen schön aneinandergeschmiegt auf der Sitzbank.«

Im *Golem*, das bald durchsucht und zugemacht wurde, auch in den anschließend angesagten Läden habe ich Maik vorerst nicht mehr gesehen. Dann geschah es allerdings doch einmal, er war schon für ein halbes Jahr von der Bildfläche verschwunden. Es war unterwegs, in der U-Bahn. Wir saßen praktisch nebeneinander, aber in verschiedenen Wagen. Zwischen uns waren die Scheibe seines und die Scheibe meines Waggons. Ich sah ihn, aber Maik sah mich nicht. Er trug die Haare noch länger als früher, und eine Gesichtshälfte war völlig verdeckt. Es war eine Fahrt aus der Gegend, in der die Einflugschneise lag, in Richtung Innenstadt. Praller Berufsverkehr. Ein Haufen Leute unterwegs, nach denen man nicht gerufen. Glücklich, wer einen Sitzplatz. Maik hatte einen. Die Gänge waren so voll, daß man sein Gegenüber nicht sehen konnte, dafür aber die genauere Qualität der Stoffe der Fahrgäste, die direkt vor einem standen. Zudem herrschte wegen der kurz aufeinander folgenden Haltestellen ein unaufhörliches Hin und Her von Einsteigenden und Aussteigenden. Aber Maik, im Waggon nebenan, war die Ruhe selbst. Er hatte die Augen geschlossen. Um ihn herum die blanke Hektik, und er tief im Innern unterwegs. Das gefiel dem einen oder anderen um ihn herum nicht – so sind die Leute in dieser Stadt. Ein Mann ließ sich so auf die Sitzbank plumpsen, daß es Maik durchrüttelte. Ein anderer kantete seine Aktentasche gegen Maiks Knie. Ein Kinderwagen rollte über seine Schuhe. Maik behielt die Augen geschlossen. Daß das eine erhebliche Trotzleistung war, zeichnete sich auf seinem Gesicht ab. Es wurde hart und härter. Ich sah, wie sich die Lippen zu einem Strich verformten. Kurz bevor der Zug wieder anfuhr, öffnete Maik plötzlich die Augen und verließ wie von einer Schnur gezogen den Waggon.

»Ich hatte die Lehre gekündigt«, sagte Maik, »weil mir nach anderen Welten gewesen war, jedoch wollte ich mich ihnen nicht überlassen. Eher träumte ich von einer Verbindung der Welt, aus der ich gekommen war, mit der, in die ich mich hatte fallenlassen.«

Vera erinnerte ihn daran, daß sie ihm von der ersten Woche an ein Horoskop stellen wollte, er ihr die Stunde seiner Geburt allerdings nie gesagt und sich auch nicht darum gekümmert hatte, sie zu erfahren. Udo setzte hinzu, daß Maik an einem Intensiv-Wochenende bei Hermann nicht teilgenommen habe. Daß er sich nicht auf das neue Leben einlasse, daß er Angst habe, somit immer noch nicht einer von ihnen sei. Die Rollen wurden umbesetzt. Der Dritte war nicht mehr Udo neben zwei Liebenden. Der Dritte war Maik neben zwei Eingeweihten. Es verwirrte Vera, daß ihre neuen alten Gemeinsamkeiten mit Udo Maik nicht zu verwirren schienen. Maik sah in dem Rollenwechsel einen Teil der Freiheit, die er suchte, bloß glaubte ihm das keiner, und Vera bezichtigte ihn der Gleichgültigkeit. Ihre Blicke, wenn sie an Maik haftenblieben, wurden beobachtend. Ihren Augen war das Runde vergangen, ihren Blicken das Lassende. Sie stellte Fragen wie *Was denkst du jetzt*.

Veras tiefrotes Samttuch war im anderen Zimmer neben Udos Altar ausgebreitet. Einmal, als Vera zugeraucht war, sagte sie zu Maik, daß sie ihn gern habe, auch wenn ihre Wege zur Zeit in verschiedene Richtungen führten. Daß er sich für das Leben in ihrem Bauch nicht interessiere, beklagte sie einmal, nachdem er zu ungewohnter Zeit nach Hause kam. Udo pendelte sich auf einen mitleidigen Ton ein, besonders, wenn er Maiks Bezüge zur Welt draußen entdeckte. Sein kleines Radio zum Beispiel kommentierte er argwöhnisch, geradezu informationspolitisch subtil.

Maik suchte keine Arbeit. Er schaute sich auch nicht nach einer Anstellung am Theater um. Er kündigte die letzte Sicherheit, einen Sparvertrag, und ließ sich den Betrag auszahlen. Wollte er sich vorstellen, ab demnächst oder längst schon der Vater eines Kindes zu sein, so gelang es ihm nicht. Obwohl er kein Familienleben führen wollte, machte Maik sich den Vorwurf, in dieser Lage nicht zu tun, was von einem Mann erwartet wird. Eines Morgens, als sie gemeinsam ihre alten Arbeitsstellen aufsuchten, um Lohnreste einzusammeln, versuchte Maik davon zu sprechen.

»Das Kind ist in mir, nicht in dir. Und wenn es da ist, wird es vorerst zu mir wollen. Du bist später dran«, sagte Vera.

Die paar Bücher, die er gelesen hatte, waren Analysen des Rollenverhaltens in Familie und Erziehung. Seines Wissens war Veras Auskunft gründlich überholt. Doch fand er an ihren Worten gar nichts falsch.

Eines Abends, als Maik erschöpft vom Theaterspielen nach Hause kam, schaute Udo ein Fußballspiel an. Als gehöre das zu dem Spiel, rannte er mehrmals panisch zum Klo und zurück. Vera kaute in der Küche Schokolade und schrieb in ihr Tagebuch. Maik legte sich in seinem Zimmer auf die Matte und konnte nicht abschalten. Während er die Abendvorstellung und die Künste seiner Kollegen vor seinem inneren Auge vorüberziehen ließ, fragte Vera, ob sie sich zu ihm legen dürfe. Sie berührten sich und meditierten nach langer Zeit wieder gemeinsam. Udo sah die beiden und ließ die Wohnungstür zukrachen wie nie zuvor. Die Tatsache, daß Maik da war und Udo nicht, bedeutete, daß sie diesen Moment lang wieder das Paar waren. Dieser letzte Versuch dauerte drei Tage; so lange blieb Udo weg.

Sie waren sofort in der Lage, ein kleines perfektes Zusammenleben herzustellen. Zentrum der Übereinkunft war Veras Bauch, das Leben. Sie erzählte Unglaubliches von einer Übung bei Hermann. Wieder hörte Maik ihr zu wie am ersten Tag. Nun konnte er sich vorstellen, der Vater eines Kindes zu werden. Allerdings war es eine Vorstellung ohne Vera. Ihre ausgesucht runden Bewegungen, die extra weiche Stimme und die pfleglichen Berührungen brachten ihn auf den störenden Gedanken, sie lägen nicht aus freiem Willen, sondern in höherem Auftrag nackt beieinander. Als Maik zur Verabredung mit Simon ging, saß sie wieder in der Küche, kaute Schokolade, schrieb Tagebuch und strafte ihn mit Blicken.

»Im Treppenhaus begegnete ich einem kalten Lächeln, das Udo gehörte.«

Zum ersten Mal, seit er mit Vera war, meldete er sich bei Freund Simon. Der hatte Abitur gemacht, studierte Physik und hatte eine eigene Wohnung. Mit ein, zwei Blicken entzifferte Maik Simons Schreibtisch als seinen Thron, den Fernseher als Altar, das Telephon als Fenster, die Schreibmaschine als Überbringerin, das etwas zu deutliche An-ihm-vorbei-Lächeln als Zuwendung. Simon war gekränkt, weil Maik sich zwei Jahreszeiten lang nicht gemeldet hatte. Er hörte sich aus dem Abstand, den er brauchte, Maiks Erzählung an, ähnlich wie Maik inzwischen Udos Auslassungen nur noch mit Abstand aufnehmen konnte. Maik fiel auf, daß sie nicht mehr ein so verschworenes Duo waren wie früher. Früher machten sie alles mögliche gern gemeinsam anders als die anderen. Als sie zusammen mit Gleichaltrigen konfirmiert wurden, trugen die alle blaue Anzüge. Nur Maik trug einen braunen und Simon einen hellgrauen. Simon hörte ihm lange zu, und manchmal kam Maik sich vor wie Vera mit ihren Verareden an ihrem ersten Tag im nördlichen Stadtwald. Er merkte, daß Simon keinesfalls das hörte, was er sagte.

»Was du brauchst, ist eine neue Wohnung«, sagte Simon.

»Was ich brauche, ist, daß mir niemand sagt, was ich brauche.«

Es war ihnen eine Lust, Ruppigkeiten auszutauschen, ohne daß Erklärungen abgefragt wurden. Er saß auf einem Sessel vom Sperrmüll und schaute auf Simons großen Schreibtisch mit Bücherstapeln, aus denen Zettel heraushingen.

»Vielleicht brauchst du eine *Frau*«, sagte Maik.

Simon hielt Maik für Veras Opfer und erwiderte, mit ihm wolle er nicht tauschen. Und er nicht mit ihm, sagte Maik.

Wieder auf dem Weg in die Einflugschneise, wußte er weniger denn je, wohin er gehörte. War er der Vater eines Kindes oder der Erzeuger? War er Veras Freund oder der Lästige? War er ausgeflippt oder auf Arbeitssuche? Und war jedes »oder« wirklich ein »oder«? In der Wohnung packten Vera und Udo ihr Zeug in Kisten. Vera sagte, sie würden aufs Land ziehen. Maik glaubte ihr das nicht. Udo bemerkte Maik nur, wenn er im Weg stand. Bis auf den Altar und ein Bett war das Zimmer leer. Vera verriet ihm, daß es ein Junge werden würde. Erst jetzt, im siebten Monat, war sie bei jeder Bewegung sichtlich die Schwangere.

»Wir tun das, was für alle am besten ist«, dozierte Udo.

»Als er merkte, daß mit mir ein versöhnliches Drüberstehen zwischen Tür und Angel nicht zu haben war, brach eine häßliche, nie gesehene Wut aus ihm hervor«, sagte Maik zu mir. »Die großen Gesten innerer Ruhe sind von ihm abgefallen wie ein zu schwerer Mantel. Aus der Wut auf mich ist eine Wut auf den eigenen Wutanfall geworden. Dann ging die Tür zu.«

Maik mietete eine kleine Wohnung und beantragte sein erstes Telephon. Frankfurt rief an, und alles war gut.

## 4

Die Flughöhe von dreitausend Metern über dem Gebiet der DDR war von den Alliierten vorgeschrieben. Ein Wolkenmassiv wurde durchkreuzt und rüttelte die Passagiere durch. In Tegel hatte Maik Durst und den Wunsch, endlich auf einem Stuhl zu sitzen, der nicht wackelte. Er hätte einen Eimer Fruchtsaft in sich hineinkippen können, aber es gab nichts zu trinken. In Frankfurt hatte er ein halbes Jahr lang den jenerzeit richtigen Brecht gegeben. Dort hatte er von einer Kollegin Veras Berliner Adresse erfahren. Das Engagement in Frankfurt war beendet. Bis zu seinem ersten Filmdreh hatte er einen Monat Zeit.

Damals fühlte er sich jedes halbe Jahr komplett als ein anderer. Er verstand nicht mehr, wie es ihm passieren konnte, daß er sich auf Vera einließ. Und dann auf Vera und Udo. Es kam ihm vor, als hätte er das nicht selbst entschieden, sondern ein anderer für ihn. Immer erst hinterher, oft ein halbes Jahr später, sah er sich in der Lage, zu beurteilen, was er getan hatte. Vor einem Jahr hatte er nicht mehr verstanden, wie er diese Ausbildung zum Buchhändler hatte antreten können, wo er doch Schauspieler werden wollte. Als er im Laden begann, konnte er sich nicht mehr vorstellen, Abend für Abend mit Simon in dem kleinen Theater rumzuhängen in der Hoffnung, daß sie einmal von den Regisseuren angesprochen würden, um sich nützlich zu machen, um mitzuarbeiten und dazuzugehören. Als er mit Udo und Vera auf Haussuche war, wußte er nicht mehr, warum er Schauspieler werden wollte. Wenn ich jetzt meinen Sohn sehen will, fragte er sich, ist das wieder nur ein Spleen, über den ich in einem halben Jahr lachen werde, oder ist das meine Entscheidung?

Maik hat mir das alles bei unserem ersten Wiedersehen nach zwei Jahren erzählt, als wir uns zufällig bei einem Rockfestival in der Deutschlandhalle getroffen und uns zwischen den Auftritten von Bands wie *Family*, *Yes* und *Colosseum* miteinander unterhalten haben.

Maik reiste nicht nur wegen Vera nach Berlin. Für das halbe Jahr Frankfurt hatte er seine Wohnung einem jungen Dichter überlassen, den es auf der Flucht vor der Bundeswehr nach Westberlin verschlagen hatte, wie er sagte. Diese Gefälligkeit hatte mit dem Vater des Dichters zu tun, den jeder Schauspieler damals kannte. Als erstes klebte Oskar einen anderen Namen als den eigenen ans Türschild. Nach vier Wochen waren seine einzigen Möbelstücke immer noch ein Kühlschrank und ein Bett, das neben dem Kühlschrank stand. Die erste Miete gab er Maik in bar. Nach Frankfurt hatte er nichts mehr überwiesen.

Aus dem dritten Stockwerk schaute die Marcus herunter. Sie schüttelte den Kopf. Weißes zerstrubbeltes Haar. Als er an ihrer Wohnungstür vorüberkam, machte es klick, die Tür ging auf.

»Da haben Sie sich aber einen eingefangen.«

Er grüßte. Die Marcus hatte es nicht ertragen, wenn er nachts, und sei es barfuß, in der Wohnung umherging. Sie hörte jedes Geräusch. Sie wollte jedes hören. Maik klingelte und klopfte mit lockeren Fingerspitzen einen Rhythmus an die Tür, der signalisierte, daß niemand Außerirdisches, etwa in Verkleidung eines Gerichtsvollziehers, einzufliegen vorhabe. Oskars Haare standen zu Berge, seine Augen lagen in Tälern. Maik sah ihm an, daß er bedauerte, geöffnet zu haben. Er versuchte das Gespräch in der Küche abzuwickeln, aber Maik wollte die Wohnung sehen, das Zimmer, sein einziges Zimmer, dachte er, sagte er mir. Im Bett lag ein Mann. Neben dem Bett stand der Kühlschrank. Sonst gab es, außer einem Stuhl, über den die Kleidungsstücke des Mannes gehängt und gelegt waren, und einer auf zwei Bökken liegenden Platte mit Oskars Papieren, Briefen, Rechnungen und Kontoauszügen, kein Möbelstück. Maik schob die Kleider beiseite. Er setzte sich auf den Stuhl.

»Von Oktober bis März, so war die Abmachung. Jetzt haben wir Anfang März. Ich ziehe im April hier ein.«

Du, ich kann jetzt nicht so schnell, und du, das mußt du verstehen, das überfordert mich jetzt total, in dieser verfickten Situation eine Wohnung, eine Bleibe, verstehst du, das versteht doch jeder – dieses Programm, auf das Maik gefaßt war, wurde nicht gespielt.

»Vergiß es. Ich ziehe nicht aus.«

Das klang trocken; cool; er steckte sich eine Zigarette an und versuchte sein Zittern durch kantige Bewegungen zu verbergen. Oder kündigte sich ein Anfall an? Maik war ähnlich erregt wie er, doch erwiderte er nichts. Er zündete sich ebenso eine Zigarette an und ging schweigend auf und ab. Oskars Freund stellte sich taub oder schlafend, er war wie nicht da, er spielte Handtuch.

»Hast du mit dem Vermieter geredet?« fragte Maik.

»Ich rede mit gar keinem mehr. Ich bleibe hier. Aus.«

»Du hast seit fünf Monaten keine Miete gezahlt.«

»Ich zahle keine Miete mehr!«

Da er einige Jahre jünger war, siebzehn oder achtzehn, und Maik sich selber sah, als er ihn reden hörte, widersprach er ihm nicht. Ihm war nicht nach Diskutieren. Nicht mit einem, der darin seine Grenzen suchte. Oskar hielt einen Dolch. Mit der Spitze pulte er Fingernageldreck hervor, den er von der Klinge schnipste. Er zeigte, daß er nicht mehr zitterte. Es klingelte. Oskar ging mit dem Dolch in den Flur. Maik hörte die Stimme der Marcus. Sie fragte nach ihm. Er hob sich von dem Stuhl und hörte die Marcus überlaut schreien. Oskar hatte sich die Klinge behutsam mit der Spitze nach oben unters Kinn gepiekst. Die Marcus schrie um Hilfe und nach der Polizei. In den unteren Etagen wurden Türen geöffnet. In der Wohnung gegenüber knarrten die Dielen, doch zeigte sich niemand. Die Marcus flüchtete. Oskar machte die Tür zu und ließ endlich das Grinsen sein. Sogleich sah er verzweifelt aus.

»Steh auf, zieh dich an, schnell, die Feldjäger kommen!«

Der Mann folgte dem Befehl und sprang aus dem Bett. Oskar knüllte eine Zweitgarnitur Kleidungsstücke, mehr besaß er offenbar nicht, in einen zu kleinen Koffer, in den noch eine Dose Bier hinein paßte, die er aus dem Kühlschrank gezogen hatte. Maik ging umher und stoppte dort, wo er näher zu dem Dolch stand als Oskar. Der sollte ihn nicht noch einmal in die Hand nehmen.

»In drei Wochen komme ich wieder, mit ein paar Freunden, und dann ist die Wohnung leer«, sagte Maik. »Oder wir machen sie leer.«

Oskar schloß ab. Maik ließ die beiden vorgehen. Mit dem eigenen Schlüssel öffnete er seine Wohnung und ging noch einmal hinein. Dort stand immer noch sein erstes eigenes Telephon. Die Leitung war tot. Als er hier eingezogen war, hatte ihn sogleich Frankfurt angerufen. Nun sah er, wie er in diesem Zimmer saß, den Telephonhörer in der Hand, und wie er ja sagte zu dem Angebot, sechs Monate in Frankfurt zu spielen. Gleich danach telephonierte er bis spät oder früh in die Nacht hinein, um alle, die er kannte, teilhaben zu lassen an dem, was er vor Begeisterung nicht für sich behalten konnte – als würde sein Glück erst komplett, wenn er es weitererzählte.

Es klingelte. Er hatte das Klingeln erwartet. Auch die beiden Polizisten, dahinter die Marcus, hatte er erwartet.

»Kommen Sie herein.«

»Haben Sie die Frau mit einem Messer bedroht?«

»Nein, er war das nicht«, sagte die Marcus.

»Ist noch jemand in der Wohnung?«

»Kommen Sie herein.«

»Nein, die sind zusammen weggegangen«, sagte die Marcus.

»Haben Sie gesehen, daß die Frau mit einem Messer bedroht worden ist?«

»Ich habe gesehen, daß der Typ sich die Messerspitze ans Kinn hielt, als er mit Frau Marcus redete.«

»Kennen Sie den Namen des Mannes?«

Maik zeigte auf den Namen am Türschild. Ein Polizist notierte ihn. Der andere sagte »Überprüfen«; dann trödelten sie die Treppe hinunter. Zwei Etagen tiefer lachten sie. Die Marcus blieb im Flur stehen und zählte Oskars Quälereien auf, so wie sie Maik manchmal die Quälereien aufgezählt hatte, die angeblich von ihm ausgegangen waren. Alles, was er hörte, war ein Bitte-belästige-mich. Er schloß die Wohnungstür von außen ab, drehte sich um und schaute sie an. Da stand nicht nur dieses sabbernde Ungetüm, sondern auch eine alte Frau, für die er jetzt tiefes Verständnis hatte. Er wollte ihr etwas Gutes sagen. Aber sie ließ keine Pause dafür. Er sprang die Stufen hinunter. Sie drohte, ihm nachrufend, wieder einmal mit ihrem Sohn, der ihm eines Tages auflauern und ihn zusammenschlagen würde.

In den Kreuzberger Straßen fast nur noch Gesichter, die auf ein Unglück hinwiesen; oder auf nie geheilten Zorn; oder auf schlechte Behandlung und Bereitschaft zur Rache an jedem, der im falschen Moment den Weg kreuzte. Besiegte, Geschlagene sah er entgegenstampfen oder neben sich hergehen. Die alten Frauen, allein unterwegs, schienen die größte Gruppe zu sein. In Frankfurt liefen lange nicht so viele offensichtlich Schicksalsverunglückte umher wie in Westberlin. Die grauen Nachkriegsfassaden der Altbauten gaben an einem bedeckten Tag wie diesem die passend trostlose Hintergrundsstimmung. Es tat ihm weh.

»In Frankfurt hatte ich nach manchen Abendvorstellungen Glas um Glas getrunken und versucht herauszubekommen, was mich zu Vera und in die Welt der Esoteriker getrieben hatte«, sagte Maik zu mir. »Wieso ich mit zwei durchgeknallten Gläubigen, die nicht mal ihr kleines Leben auf die Reihe kriegten, aber die Versuchsanordnung für die große Welt zu besitzen meinten, in eine dunkle Neuköllner Wohnung direkt in der Einflugschneise gezogen war. Warum ich ausgerechnet dort meinte, tagaus, tagein meditieren zu müssen, bis ich das Geräusch des eigenen Körpers deutlicher vernahm als die krachenden 737 und DC9 über dem Haus.«

Er versuchte sich Vera vorzustellen. Sie war so weit weg. Er schlenderte zur U-Bahn. Er fühlte sich locker, fuhr fünf Stationen und tänzelte die Treppen hoch. Als er um die Ecke bog, blieb er mit einem Ruck stehen. Solch eine schwadengraue, kohlenrauchgeschwängerte Wohnstraße hatte er noch nie gesehen. Außer ihm war kein Mensch auf der Straße. Er stellte sich vor, einen Giftalarm verpaßt zu haben. Die Wohnhäuser waren von den Ruinen kaum zu unterscheiden. Aus dem Motor eines Karmann Ghia tropfte Öl in eine Konservendose. Die Haustür hing in einer Angel. Auf dem stillen Portier fand er Veras Namen nicht. Im Hof schaute er an den abgerissen aufgeblätterten Wänden hoch. Er ging die Treppenhäuser hinauf und hinunter, um zu sehen, ob ihr Name an einem der Türschilder zu finden war. Je weiter er in den Treppenhäusern aufstieg, desto schneller wurden seine Schritte und desto fester hielt er sich die Nase zu. Oben angekommen, stürzte er, ohne zu atmen, in weiten Sprüngen hinunter. Er trat auf die Straße und gab das Suchen auf. Beim letzten Sich-Umdrehen bemerkte er eine Ladenwohnung, die nur von der Straße aus zugänglich war. Er fand Veras Namen auch dort nicht. Doch war er sich sicher, daß sie da wohnte, und klingelte.

Die Tür wurde einen Spalt breit geöffnet, ohne daß sich jemand zeigte. Geruch von saurer Milch. Maik ging einen Schritt zurück, holte tief Luft und setzte einen Fuß in den Türspalt. Als er auf der anderen Seite der Türschwelle ankam, hoben sich seine Fersen. Er stand auf Zehenspitzen da. Weiter hinten hörte er Küchengeräusche. Er überlegte kurz, ob er sich mit einem Ruf zu erkennen geben sollte. Er schlich durch den finsteren Raum, der ihm wie ein Mittelding aus Abstellkammer und verlottertem Wohnzimmer vorkam.

Er bewegte sich auf eine Nische zu, in der ein schwaches Licht brannte. Anstelle einer Tür war da ein dunkler, spaltbreit offener Vorhang. In dem Spalt sah er Vera von hinten. Sie war auseinandergegangen. Sie drehte sich um und erschrak. Sie hatte jemand anderen erwartet. Aber sie wollte sich nicht erschrocken zeigen. Sie legte ein Lächeln darüber.

»In der vergangenen Nacht habe ich von dir geträumt ... Es wundert mich überhaupt nicht, daß du hier bist.«

Dieser Satz erinnerte Maik allzu deutlich an Udo. Sie machte den Weg zu einem Stuhl frei. Maik meinte ihren Angstschweiß zu riechen.

Auf dem Tisch gestapelte Kochtöpfe. Es roch nach aufgekochten und stehengelassenen Kräutersuden. Die Kühlschranktür stand offen. Der Spalt war dunkel. Maik fingerte an einem Schalter, um zu prüfen, ob sie Strom hatten. In einem Bündel aus hellblauen und rosa Decken lag auf dem Stuhl neben Vera der Säugling. Auf sein Schreien hin schob sie ihm eine Flasche zwischen die Lippen.

Vera fragte, wer ihm ihren Aufenthaltsort verraten hatte. Mehr wollte sie nicht wissen. Sie schien müde zu sein. Er gab keine Antwort. Sie lächelte. Was sonst. Sie nötigte sich den Gesichtsausdruck einer Glücklichen ab, dachte Maik, sagte er mir. Sie war eine schlechte Glücksschauspielerin, dachte er.

Ein Mann in Maiks Alter, den Vera nicht vorgestellt hatte, tapste aus dem Dunkel an den Tisch heran, grüßte stumm und stellte mehrere Koffer in der engen Nische ab. Vera nahm eine Flasche und füllte sie mit Flüssigkeit aus einem der Töpfe nach. Wahrscheinlich hätte sie es gern verheimlicht, doch konnte sie nicht verschweigen, daß sie aufs Land ziehen würde, im nächsten Moment, sofort und für immer, mit Sack und Pack und Mann und Kind. Sie sagte, es ginge nach Bayern. Er bat sie um die Adresse oder die Telephonnummer. Vera schüttelte schwach den Kopf und ließ ihn merken, daß sie es geschafft hatte, während er im kranken Großstadtgift steckenblieb. Sie schaute liebevoll zu dem Säugling, nahm die Flasche und stellte sie auf den Tisch.

»Warum nicht die Brust?«

Sie schaute Maik hochnäsig an. Manchesmal schaffte sie es, daß er sich neben ihr vorkam wie ein Depp.

»Wenn du mich nicht verfolgst, dann verfolge ich dich auch nicht.«

Sie nahm das Deckenbündel und pustete die Kerzen aus. Auf Zehenspitzen folgte Maik ihr durch das Schlafzimmer hinaus auf die Straße. Er ging ihr bis zum Auto nach, einem vollgepackten schwarzen Opel Caravan.

»Was willst du damit sagen?«

»Daß ich dich in Ruhe lasse.«

»Was heißt das?«

»Hör auf zu fragen.«

Sie stieg auf die hintere Sitzbank, nachdem jemand ihr von innen die Tür geöffnet hatte. Bevor sie die Tür zuschlug, sagte sie:

»Für mich bist du gestorben.«

Am Neuköllner Hermannplatz konnte er, in Westberlin selten, erkennen, daß Menschen unterwegs waren, um ihre Geschäfte zu erledigen. Genau das mochte der Berliner inzwischen an den westdeutschen Städten. Jedoch kannten seine Berliner Freunde diese Städte nicht. Er ging die Emser Straße hoch. Er sah sich mit Vera dort entlanggehen, zu ihrer gemeinsamen Wohnung, in der sie die Wahrheit, das Glück – darunter taten sie es nicht – gesucht hatten. Zuverlässig stand auch an diesem Märznachmittag das Mandelblütenbäumchen in seiner Nische am Gehwegrand. In der Bäckerei warteten dieselben Verkäuferinnen hinter aufgeschichteten Kuchen- und Tortenblechen auf Käufer. Maik ließ sich ein Stück Apfelstreusel wie immer auf die Hand geben. Draußen blieb er stehen, aß das Stück Kuchen und freute sich. In Neukölln hatte sich nicht das geringste verändert. Im Treppenhaus entdeckte er kein neues Namensschild.

Udo war nicht im Telephonbuch verzeichnet. Maik hatte sich nicht anmelden können. Er war auf alles gefaßt. Udo, vollbärtig, in verschmierten Klamotten, zwei Pinsel in einer Hand, lächelte genau so, wie Maik es in Erinnerung hatte: mehr mit den Augenfältchen als mit den Mundwinkeln.

Die Wohnung war zu einem Atelier, einer Werkstatt,

einem Arbeitsplatz geworden. An allen Wänden lehnten frische Werke. Manche kleinere Formate waren ihm noch aus ihrem berauschten halben Jahr bekannt. Udo malte nun größer, gröber und schriller. Seine feinen Striche, die Kleinstornamente, die Maik einst bewunderte, pflegte er weiterhin in Zeichnungen im Malblockformat. Nun wollte er auf anderes hinaus.

»Vor einem Jahr hätte ich dich erschlagen können. Vielleicht war es besser, daß ich bei der Geburt dabei war und nicht du. Ich kenne Vera länger als du. Ihr hast du zu verdanken, daß ich dir nicht hinterhergekommen bin. Keine Spur von Verantwortung, nichts, nur immer Sonnenschein. Schauspieler! Schöngeist! Stellt sich mit seinem erlebnisarmen Kindergesicht in die Disko und wartet, bis die Weiber auf ihn fliegen. Einer, dem alles zufliegt, bist du für mich gewesen. Mir ist nichts zugeflogen. Du machst Karriere und ich die Dreckarbeit, habe ich gedacht.«

Er goß eine Ladung ölige Flüssigkeit in einen Schwenker. Er roch lange daran, bevor er sie in sich hinein kippte.

»Mir ging dein Gurugehabe auf die Nerven«, antwortete Maik. »Ich glaube, manchmal hast du dich für einen Gott gehalten. Übrigens hatte ich schon länger den Eindruck, daß du zu Vera zurückwolltest. Völlig klar, daß ihr miteinander vertrauter wart, als ich es mit Vera sein konnte. Eigentlich logisch, daß sie während der ersten Krise, die wir hatten, dazu noch hochschwanger, Schutz bei dir gesucht hat und nicht bei mir.«

»Ich kannte sie fünf Jahre, du fünf Monate.«

Er goß sich noch einmal nach. Wieder lächelte er wie zu Anfang an der Tür. Zum ersten Mal konnte Maik ihm unverkrampft in die Augen schauen.

»Erzähl was von Vera«, sagte Udo.

»Ich hab sie heute morgen kurz gesehen. Bevor sie mit einem Auto voller Koffer aufs Land fuhr. Für immer, hat sie gesagt.«

»Was sind das für Leute, mit denen sie zusammen ist?«

»Esoteriker.«

»Vera kannte nur Esoteriker. Wie sehen die aus?«

»Älter. Vera ist die jüngste. Wenn die bei uns waren, hatte ich nichts mehr zu tun. Vera auch nicht. Die haben sich immer um den Jungen gekümmert, auch wenn es nur um frische Windeln ging. Anfang Februar ist sie mit dem Jungen zu denen gezogen, nach Moabit. Ich hab sie gelassen. Es ist nicht mein Kind, sondern eures. Seit ich Tag und Nacht schufte, kann ich mich immer weniger an früher erinnern. Es ist, als würde ich im Moment alles, was früher war, wegpinseln.«

»Kennst du denn niemanden von diesen Leuten von früher, aus dem *Satva* oder dem *Marrakesch*? Aus den zwei drei Buchläden? Sind das denn Unbekannte?«

»Das sind keine Freaks. Die sagen nicht viel, die lachen wenig, und wenn sie was sagen, klingt es wie Hochesoterik, und immer irgendwie so, daß nur sie selber verstehen, wovon sie reden.«

»Hochesoterik ... Wie du das sagst ...«

»Ich bin aus dem Training.«

»Hat Vera den Jungen gestillt? Hat sie ihm die Brust gegeben?«

»Wieso fragst du danach?«

»Heute morgen gab sie ihm die Flasche. Meine Frage, warum nicht die Brust, hat sie überhört.«

»Sie ist der Ansicht, Muttermilch ist giftig; jedenfalls schädlicher als Getränke, die man selber herstellen kann.

Ich habe einen Leitz-Ordner mit den Artikeln, die sie darüber gesammelt hat.«

»Und? Hat sie dich überzeugen können?«

»Nein. Nie. Ich empfand das alles als ferngesteuert.«

Udo zog an seiner Zigarette wie einer, der lange keine Luft bekommen hat.

»Bis wann hat sie ihm die Brust gegeben?«

»Bis sie diese Leute kennenlernte. Wenn die bei uns waren, dann war ich wie nicht da. Das dämmert mir erst jetzt. Als wenn es System gehabt hätte. Du kennst doch Vera. Die läßt sich auf alles ein, wenn es dem Ziel dient.«

»Dem Ziel?«

»Na: Identität! Oder wie sie das nennen, das Ziel.«

Er spuckte einen Tabakkrümel, nein, er rotzte ihn aus.

»Du hast gar kein Gefühl für deinen Sohn, was?«

»Nein, habe ich nicht.«

»Wie ist das? Blöde Frage.«

»Entzieht sich.«

Maik stand auf und fragte nach seiner Telephonnummer. Sie tauschten.

»Ich lade dich zur Eröffnung meiner Ausstellung ein. In drei Wochen.«

Er gab ihm eine Karte. Dritter April, las Maik. Er ging zu der Brücke vor, die den sogenannten Güterbahnhof Neukölln überquerte, wo zwölf Gleisstränge verliefen und weder eine Bahn noch ein Güterzug fuhr. Er wollte abschalten und mußte an Vera denken.

»Ich war für sie gestorben und sollte ihr nicht folgen«, sagte Maik zu mir. »Folgen würde ich ihr nicht, aber warum sollte ich für sie gestorben sein? Ich verstand nicht, was ich zwölf Monate vorher von Vera gewollt hatte. Erst wollte ich etwas, dachte ich, dann wollte ich es loswerden. Nun war ich sie los. Nichts war mir fremder als das vergangene Jahr. Wieso sprang ich damals auf dieses Mädchen an, wieso gab ich meine Wohnung auf? Warum meine Einwilligung, mit ihr und ihrem Exfreund in einer Zweizimmerbude zu hausen? Ich hatte das nicht nötig und wäre in der Lage gewesen, die dreifache Miete zu zahlen. Die Abteilung Wahrheit und letzte Weisheit hat mich immer schon scharf gemacht. All die politisch motivierten Weltverbesserungsanstrengungen, mit denen meine Regisseure auf dem Rükken von unsereinem sich profilieren wollten und in die ich mich hineinzufinden hatte, erschienen mir als begrenzt. Ich war vor allem ansprechbar auf eine unbeschriebene, unbespielte, undiskutierte Dimension. Die wurde von Vera verkörpert, vom ersten Abend an, als wir kaum sprachen, aber viel lachten und tanzten, bis zum zweiten Tag, als sie mir ihre Welt erklärte. Ich war verführt. Warum?«

## ZWEITES KAPITEL

Treppen hoch zu gehen erschöpft mich mehr, als Treppen hoch zu rennen. Tailer trug eine schwarze Sporthose mit weißen Streifen. Ich ging zum Fenster vor. Obwohl er es wußte, fragte er, was er für mich tun könne. Er zeigte auf den Chinaballon und brummte, so einen Kopf habe er heute. Zerkaute zwei Aspirin und spülte sie mit Malzbier runter. Rieb die Augen, streifte übers Gesicht, wie um es zu entknautschen. Ich setzte mich auf das Sofa. Der niedrige Tisch und die Sessel standen noch im Schatten. Mir brannte die Sonne in den Nacken. Vergangene Nacht sei er volltrunken zu einer Freundin gefahren, und die, auch voll, habe ihn nicht reingelassen.

»Dann haben wir durch die Tür hindurch diskutiert«, sagte er. Rülpste. Nach der Razzia am Tag zuvor waren sie alle ohne Arbeit: Fink, Toto und der Bär. Tailer streifte mit den Handrücken unter seinen Nasenlöchern entlang. Zog hoch. Unter seiner Knolle trug er ein Bärtchen. Wie in Beulen standen seine Haare vom Hinterkopf ab. Er drückte die Fäuste gegen die Schläfen. Schlurfte zum Fenster. Blieb hinter mir stehen. Es brannte nicht mehr. Er spuckte aus dem Fenster, ließ Malzbier in sich hineinlaufen und verschwand im Bad.

Zehn Jahre früher sah Tailer schmächtig aus. Durch Bier und Körpertraining war er gleichmäßig angeschwollen. Dreimal in der Woche traf er sich mit seinen Rausschmeißerfreunden in einer Sportschule. Er war nicht so ein Brokken wie der Bär und kein Riesenbaby wie Toto. Seine Kraft erschien nicht gleichsam einen Schritt vor ihm, wenn er irgendwo eintrat. Toto konnte vor Masse, ob Fett oder Muskeln, kaum seinen Körper bewegen. Wollte er den Kopf etwas drehen, mußten Oberkörper und die schwer hängenden Arme die Bewegung mitmachen. Wendigkeit war nicht sein Gebiet, aber meistens genügte ein Schlag.

Früher hatten wir im Nebenzimmer auf Tailers Matratze gesessen. Seit er mit seiner Freundin zusammenlebte, benutzte er als Geschäftsraum das vorher unbewohnte Berliner Zimmer mit Tisch und Polstermöbeln, einem verlassenen Hochbett über der Tür und einem verschlossenen Schrank mit Abenteuerliteratur. Die Sonnenstrahlen fielen auf den Tisch, auf dem ich Krümel zusammenscharrte, Tabak darüber streute und beide Mengen zu einer knetete. Dies war einmal Harris Raum gewesen. Der Schichtarbeiter zog ein Zimmer weiter. Nachmittags, wenn Tailers Besuch eintröpfelte, schlief er noch. Manchmal kam er ins Zimmer getorkelt und nahm einen Zug, um nicht wach zu werden. Ich lehnte mich zurück und bekam wieder einen warmen Nacken. Ich mag unbewohnte Zimmer. Tailer, aus dem Bad zurück, trug einen gelben Trainingsanzug. Es klingelte, und er öffnete. Toto. Das Riesenbaby sah noch wie zwanzig aus. Seine Masse drückte derart ins Couchpolster, daß ich höher saß, nachdem er neben mich plumpste.

»Die haben das Barhockerbein gefunden«, sagte Tailer.

»Na und«, sagte Toto.

Ich zog so tief ich konnte und gab an Tailer weiter. Nachdem er gezogen hatte, mußte er aushusten und bekam einen knallroten Kopf. Toto zog und dehnte den Brustkorb. Blies sich auf. Gab mir die Zigarette. Erst als ich beim Ausatmen war, prustete Toto den Rauch aus sich heraus. Sank zurück. Legte die schweren Hände in den Schoß.

»Der kann uns gar nichts.«

Tailer legte das Backgammonbrett auf den Tisch. Seit ich sie kenne, liegt dieses Brett zwischen den beiden.

»Du klingst verschnupft«, sagte Toto und lachte.

Im Türrahmen stand Harri und brachte das Kunststück fertig, uns zu grüßen und gleichzeitig sein Gesicht hinter den Händen zu verbergen. Tailer gab ihm die Zigarette. Harri mußte seine zugewachsenen Augen zeigen. Er zog sich die Backen voll und ging. Toto zog bis zum Filter und atmete nicht aus, hatte alles runtergeschluckt. Das Spiel war aufgebaut. Sie begannen mit dem Steineschieben.

Schon in den Jugendheimen hatte Tailer immer etwas zu rauchen. Wir waren in verschiedenen Cliquen. Er war bei den stärkeren Jungs. Damals fand ich es blöd, den Mädchen unter die Röcke zu fassen. Immer noch fand ich es blöd, Bodybuilding zu machen oder Backgammon zu spielen. Weder kannte ich früher die Jungs um Tailer, noch kannte ich inzwischen Toto oder den Bärn. Über Toto wußte ich nur, daß er einmal morgens nach Kneipenschluß die Karosserieteile seines Autos in eine Baugrube geworfen und auf dem Fahrgestell einige Ehrenrunden gedreht hatte.

Tailer schrie ins Telephon: »Kannst kommen.«

Flink schoben sie wieder Steine. Es war ihre Art, sich zu unterhalten. Sie gingen den vorletzten Abend durch. Sprachen ab, was sie gesehen hatten und was nicht. Wer ein Spiel verlor, mußte eine Tüte drehen. Tailer zerkaute noch ein Aspirin.

»Du läßt nach.«

»Habe den falschen Kopf heute«, sagte Tailer und erzählte ein zweites Mal, wie er vergangene Nacht abgewiesen worden war.

»Na eintreten«, sagte Toto, »nicht abwimmeln lassen.«

Tailer schaute durch seine hinabgezogenen Augenbrauenhärchen hindurch.

»Da war eine Tür«, sagte Toto, »die mußtest du aufmachen.«

»Die Tür war zu.«

»Genau deswegen hättest du sie öffnen müssen.«

»War ich zu voll zu.«

Toto, der oft klingt, als habe ihm jemand widersprochen, begann das nächste Spiel. Den Hosenbund über den Bauch ziehend tauchte Harri wieder im Türrahmen auf. Sein Blick galt dem Joint, aber der Joint war ein Häuflein Asche.

»Bau einen Nachbrenner«, sagte Tailer.

»Einen Hauptbrenner«, rief Toto.

»Wieso«, fragte Tailer.

»War doch nur der Vorbrenner eben.«

»Der braucht einen Niederbrenner, mach mal«, sagte Tailer und gab Harri ein Stück.

Harri sprach seit Jahren kaum noch etwas. Erzählen tat er nur, wenn er einen Schwips hatte. Dann trat seine Anstrengung mächtig vors Gesagte. Wenn Tailer zu Hause aß, hatte Harri gekocht. Harris schlesischer Akzent ist tränenrührend. Eine Frau hatte dort nie gewohnt. Es waren selten Frauen dort. So war das auch bei Tailers Clique im Jugendheim. Nach wie vor brannte mir die Hitze im Nacken. Von der Sonne beschienen wurden auch der Bücherschrank und eine Hälfte des Backgammonbretts. Harri baute wie für einen Schönheitspreis und erntete Beifall. Er zündete sein Bauwerk an und überreichte es Tailer. Der zog daran und hustete wieder. Harri fragte Tailer, wie es dazu gekommen sei, daß der Franzose das Messer zog.

»Zwei Weiber«, sagte Toto, »kommen immer sonntags, stehen unter unserem Schutz.«

»Weil sie die Beine breit gemacht haben«, sagte Tailer.

»Das wäre noch kein Grund«, sagte Toto, »es war freiwillig«, und grinste.

»Die Franzosen haben an denen rumgefummelt, auch nachdem wir es ihnen verboten haben«, sagte Tailer.

»Alles wegen Weiber«, sagte Toto.

Es klingelte. Harri machte auf.

Der Bär. Er war schlanker als Toto, trug einen schwarzen Vollbart und hatte einen Gang, als habe er früher zuviel gehoben und sich nie davon erholt. Der Bär sackte mir gegenüber in den Sessel, öffnete seine Lederjacke und schaute mich merkwürdig an. Tailer brachte Bier aus der Küche. Den Joint im Aschenbecher, der für ihn bereitlag, rührte der Bär nicht an.

»Der Lieferwagen steht auch schon tagelang vor der Tür«, sagte er.

»Ist nur ein Lieferwagen«, sagte Tailer. »Ein Polizist war hier«, fügte er hinzu.

Wenn der Bär nicht seine Fingernägel betrachtete, schaute er mich an.

»Bei uns ist der Vogel auch gewesen«, sagte er, »aber ich war nicht da.«

»Wie wars bei Ekelfritz«, sagte Toto.

»Ekel will uns nicht. ›Weißt du, ihr seid mir zu bekannt in der Stadt‹, hat er gesagt«, sagte der Bär.

Wir nahmen unsere Flaschen und tranken. Tailer trank am längsten. Seine Flasche war leer.

»Weller die Sau«, sagte der Bär und legte drei Hunderter auf den Tisch. »Wir müßten dem Weller eins draufhauen.«

»Der kennt das harte Brot noch nicht«, sagte Toto.

Der Bär warf sein Feuerzeug hoch, fing es, schaute drauf

und sagte: »Vielleicht. Zweihundert Anzeigen in einem Jahr, das ist schlapp. Am nächsten Tag kann sich jeder beschweren.«

»Damals im *Trick* hatten wir hundert Anzeigen pro Woche«, sagte Tailer.

»Der versteht nix«, sagte der Bär.

»Genau«, sagte Toto, »nur noch hartes Brot versteht der.«

Tailer schob dem Bärn einen Klumpen rüber und steckte die drei Hunderter zu seinem Bündel. Als ich die ersten Male etwas von Tailer kaufte, im *Cale*, standen Toto und der Bär dort an der Tür. Toto war zwanzig und hatte das Gesicht eines Zwölfjährigen. War er böse, so wurde er rot und bekam einen stechenden Blick. Unzertrennlich standen der Bär und Toto an der Tür des *Cale*, einzeln kontrollierten sie die dunklen Ecken. Trugen sie jemanden raus, taten sie ihm nicht weh. Der Bär schaute mir in die Augen, als überlegte er, woher er mich kannte. Toto telephonierte. Die Dielen knarrten. Er hatte nur drei Wörter benötigt: »Alles klar? Sofort.« Tailer brachte ihn raus. Dann erklärte er dem Bärn, was er mit Toto abgesprochen hatte wegen vorgestern. Ich sollte nicht alles hören. Der Bär zog seine Uhr auf. In der Küche klapperte Geschirr. Tailer wieselte ins Nebenzimmer und schloß die Tür hinter sich. Der Bär verschwand in der Küche. Ich öffnete das Fenster und betrachtete den stehenden Berufsverkehr. Auf einem riesigen Parkplatz verdienten sich einige Jungs durch Einweisen der Autos ihre Groschen. Mit einem Beutel in der Hand huschte Tailer aus dem Nebenzimmer. Ich hörte das Scharren der Schritte des Bärn.

»Ist ein Kunde von mir«, sagte Tailer zum Bärn, »mach dir keinen Kopf, was ist los?«

Tailer brachte den Bärn, der im Flur gewartet und mich von hinten fixiert hatte, zur Tür. Der Rauchschwaden zog an mir vorüber aus dem Zimmer.

Tailer brachte eine Kugel mit einem Durchmesser von etwa fünfzehn Zentimetern. Er warf sie mir zu. Ich fing mit einer Hand und mußte mit der anderen nachfassen. Ob sie als Äpfel transportiert wurden.

»Vielleicht als Paprika.«

Einmal hatte er Schwarzen, der zu kleinen Kugeln gepreßt war. Eine halbe Stunde lang, bis ich eine essen wollte, sah ich in der Schale auf dem Tisch dunkelblaue Weintrauben liegen. Ich warf ihm die Kugel zurück. Er legte sie auf den Tisch. Sie rollte immer weg, und immer in eine andere Richtung. Tailer hielt eine Messerklinge in die Kerzenflamme. Einen oder zwei Zentimeter tief grub die heiße Klinge sich in die Kugel ein.

»So was kriegste nicht auf der Straße«, sagte er, als wüßte ich das nicht.

Wenn er sich aufs Messer stemmte, quollen die Halsschlagadern. Er massierte sich den Nacken und erhob sich.

»Humboldt, kennst du Humboldt von damals?«

Ich kannte Humboldt nicht.

»Es ist lange her«, sagte Tailer, setzte sich wieder hin, hielt die Klinge erneut in die Flamme und erzählte:

»Humboldt war unser Schuldealer in Spandau. Hat nur in den Pausen getickt, feste Uhrzeiten. Manche haben aber rausgekriegt, wo er sich abends rumgetrieben hat. Steh ich nachts mit ihm an der Theke, kommen zwei Oberschüler rein, schnurstracks auf Humboldt zu und sagen, ›Du hast doch Trips‹. Humboldt: ›Habe ich Trips?‹ Die Schüler: ›Du hast Trips, ganz klar.‹ Humboldt daraufhin: ›Wenn ich Trips habe, dann müßt ihr mal zehn Minuten warten. Ist schließlich eine Großbestellung.‹ Sie wollten hundert Stück, für eine Klassenreise, angeblich. Humboldt geht aufs Klo und schneidet aus dem Filzboden einen schmalen Streifen heraus. Zerkleinert den in genau hundert Teile. Darauf haben wir dann erstmal bis morgens um sieben getrunken.«

Tailer versuchte sein ganzes Körpergewicht auf die heißgemachte Klinge zu bringen und schaffte es bis zur Mitte.

»Humboldt hat westdeutschen Schulklassen seine Schuhsohlen als Dope verkauft, wenn er wollte. Damals hatte doch keiner eine Ahnung, wie das Zeug noch aussehen könnte oder wie es niemals aussehen darf.«

Ich freute mich auf Maik. Ich wartete auf ihn. Nach fast sieben Jahren hatte er sich endlich einmal gemeldet, ich war nicht da, aber er erzählte meinem Tonband, wo er sich an diesem Nachmittag zwischen fünf und sechs Uhr aufhalten würde. Ich hätte an diesem Tag gar nicht zu Tailer gehen müssen. Ich brauchte kein Haschisch, ich hatte noch welches. Aber ich wollte Maik wiedersehen und schauen, wie er aussah. Er war ja ziemlich bekannt inzwischen. Aus lauter Vorfreude bin ich etwas zu früh losgegangen.

Nach wie vor stemmte Tailer sein Gewicht auf die Klinge, die mitten in der Kugel steckte. Mit einemmal brach die Kugel. In jeder Hand hielt er eine Hälfte. Er nahm einen großen Schluck Bier und rülpste, so laut und lange er konnte. Die abgefallenen Krümel kehrte er mit der Handkante zusammen. Auf Tailers Tischen herrschte Sauberkeit. Wer einen Joint gebaut hatte, mußte die Reste zusammenkehren. Wer den Joint anrauchte, mußte den Aschenbecher nehmen wegen möglicherweise abfallender, sich in den

Teppich brennender Glutstückchen. Wenn Tailer und Harri zugleich am Tisch saßen, lag darauf kein Krümel ohne Bestimmung. Er zeigte mir die Innenseiten der beiden Kugelteile und ließ mich an ihnen riechen. Es klingelte.

Ein Mann, den ich nicht kannte, mit einem Stapel Hefte unter dem Arm. Ich grüßte stumm. Er ging zum Fenster vor. Eher als den Straßenverkehr betrachtete er die Wolken. Wenn er das Standbein wechselte, knarrten die Dielen. Er stellte den Turm Hefte auf den Tisch und setzte sich aufs Sofa. Tailer baute den Turm ab. Der Mann sagte, in welcher Reihenfolge Tailer die Hefte lesen solle.

»Ab Nummer fünf ist er auf Sirius«, sagte der Mann.

In meinen Fingerspitzen, die auf der Tischplatte ruhten, spürte ich die Resonanz seiner Stimme. Zügig überflog der Mann die Titelbilder. Hinten hingen seine Haare in Strähnen hinunter. Vorn und an den Seiten waren sie streichholzkurz.

»Ihr kennt euch, glaub ich, nicht«, sagte Tailer, »das ist Peter, unser Regierungsrat, wenn ich das so sagen darf.«

»Wir sind nämlich an der Regierung«, rief Harri aus der Küche herüber.

Tailer gab Peter den Peter-Joint, den er vorher fertiggestellt hatte.

»Deine Mischung.«

Peter zündete ihn mit einer Feuerzeugflamme an und zog, so tief er konnte. Die Tür zum Nebenzimmer wurde geöffnet. In einem bunten Badeanzug und ein Handtuch vor sich haltend, ohne etwas zu bedecken, schlurfte die Blondine, Tailers Freundin, in den Flur hinaus. Tailer sagte den Namen Schnuckel. Schnuckel solle nicht so ein Gesicht machen. Nachdem die Badezimmertür geschlossen war, sagte Tailer zu mir:

»Komm ich von der Ollen zurück heut nacht, breit, sitzt Schnuckel hier heulend vor der Tür, mindestens genauso blau, und sagt: ›Wir waren mal verabredet, aber ich habe inzwischen geschlafen.‹ ›Wo‹, frage ich, ›hier‹, sagt sie, ›im Hausflur‹. War sie stinksauer. Hat sieben Stunden gewartet.«

»Vielleicht seid ihr doch ein Paar«, sagte Peter.

Ich zog einmal und legte die Tüte auf den Aschenbecherrand. Tailer pfiff. Aus der Badezimmertür drehte sich die Blonde, Schnuckel. Sie kam langsam her, das Handtuch um den Kopf gewickelt. Sie schien alle Kraft darein zu legen, niemanden anzuschauen. Die Tür zum Nebenzimmer machte sie, nachdem sie hinter ihr verschwunden war, nicht zu. Wir sprachen nicht über sie.

Peter der Regierungsrat machte eher den Eindruck, als sei er in freien Geschäften tätig. Auch ich hätte Regierungsrat geworden sein können, wenn ich die Berufsausbildung ernst genommen und abgeschlossen hätte, dachte ich. Mit den Tausenden Minimalregeln, die die Ausführung der Maximalregel waren, konnte ich meine Tage nicht zubringen. Damals wußte ich, daß es gegen meine Natur ist, in einem Büro zu leben, das nicht mir gehört. Es fiel mir schwer, Peter in einer Runde mit dickbäuchigen, lebensmüden Gleichrangigen zu sehen. Beruf und Erscheinung klafften auseinander. Ich schaute auf seine rechte Hand, sah aber keinen Ring. Das Beamtenleben kann nicht so spurlos an ihm vorübergegangen sein, wie es den Anschein hat, dachte ich.

»Wie machst du das mit dem Rauchen«, fragte Tailer ihn in einem seiner rührseligen Versuche, ein Gespräch zu beginnen.

»Diese Mischung«, sagte Peter, »mindestens nach dem

Mittagessen. Manchmal auch nach dem Frühstück. Und abends.«

In dem unbequemen, niedrigen Sessel versuchte er sich in eine aufrechte Position zu heben und sagte:

»Manche knallen sich den ganzen Tag lang halb zu. Ich nur zwei, drei Male, dann aber, wie es sich gehört: voll.«

Tailer zog, und der Tailerhusten brach aus ihm hervor. Sein Kopf nahm die Farbe einer Erdbeere an. So groß das Kissen auch war, das er sich vor den Rachen hielt: Alle sahen seine glühende Birne.

»Du solltest essen und nicht rauchen, wenn du so abkotzen mußt«, sagte Peter.

»Nach der fünften Tüte huste ich viel weniger als nach der ersten«, sagte Tailer.

»Paar Wochen aussetzen«, sagte Peter, »das kommt gut. Da geht ein ganz anderer Turn los, wenn ich aufstehe und frühstücke und nicht rauche und zu Mittag esse und nicht rauche. Die schönsten Tage«, sagte er, nachdem er ausgeblasen hatte, »sind die ersten Tage. Der erste Tag, an dem du nach einer Pause wieder rauchst, und der erste Tag, an dem du nach einer Rauchzeit mit der Pause beginnst. Das tägliche Rauchen ist so wenig aufregend wie das tägliche Nichtrauchen.«

Ich nickte, während ich einen vollen Zug nahm und den Rauch hinunterpreßte. Anschließend stieg das Zeug auf, direkt in den Kopf. Worüber hatten wir eben gesprochen?

»Wir haben uns gemäßigt«, sagte Peter, »wir rauchen zwar vollere Tüten, aber uns passieren kaum noch diese Geschichten, die typisch für Raucher sind: Diese Verwirrungen, die erst hinterher schön sind.«

Tailer erzählte, wie er seinen ersten Joint geraucht hatte. Seine Erzählung langweilte mich aus irgendeinem Grund,

und ich dachte an meinen ersten Joint: Mit dem Geheimnis in der Tasche ging ich an der offenstehenden Wohnzimmertür vorüber ins Kinderzimmer. Das Stückchen, kaum größer als ein Streichholzkopf, war steinhart. Ich versuchte es ins Ende einer Filterzigarette zu stopfen und saß lange wie der M.-C.-Escher-Mann vor dem unmöglichen Würfel. Mit einem Bleistift popelte ich etwas Tabak aus einer Filterzigarette. Aus Versehen und Unbeholfenheit riß ich das Papier auf. Ich stopfte das, was wir damals *Shit* nannten, in die Lücke. Die Zigarette sah aus, als hätte sie ein Geschwür. Ich legte das Werk aufs Fensterbrett und trocknete die Finger ab. Ich zündete die Zigarette an. Ziemlich schnell verpuffte alles und war das Ding aufgeraucht. Ich forschte nach einer Veränderung in mir oder um mich herum, suchte die Unterschiede und fand sie nicht. Alles war wie immer, nur ich war so aufgeregt wie selten gewesen. Auch Tailer, soviel bekam ich von seiner Erzählung mit, hat beim ersten Mal keine Wirkung gespürt. Aus der Küche kam Essensgeruch, Blumenkohl.

Harri tauchte in dem Moment im Türrahmen auf, als Peter den Joint ausdrückte, und sagte nach langer Zeit wieder einmal etwas:

»Ich werde nie vergessen, meine erste Nepalpfeife. Bin obergut drauf. Will Kippen kaufen. Im Laden sehe ich, zackzackzack, wie ich vier Mark in den Spielautomaten drücke. Denke, bist du stoned! Sage der Verkäuferin, daß ich da aus Versehen Geld reingesteckt habe und das Geld wiederhaben will. Die guckt mich an und lacht wie blöde, die anderen im Laden gucken mich genauso blöd an und lachen genauso blöd und wedeln mit ihren Lottoscheinen. Ich kriege Paranoia und renne aus dem Tabakladen raus, ohne Kippen.«

»In der Pause zwischen Haushaltsrecht und Strafrecht«, sagte Peter, »wir ziehen Rohopium durch, goldgelb, vom Feinsten, da kommt der Breitmaulfrosch mit seinen Gesetzesbüchern unterm Arm, und ich muß lachen, und dann müssen alle lachen, und wir können nicht mehr aufhören, während der da vorn seinen Treu- und Glaubensstuß absondert, der Breitmaul, wie heißt der doch gleich.«

»Klose heißt er«, sagte ich.

Peter schlug sich gegen den Kopf.

»Stimmt!«

»Oder brasilianisches Gras«, sagte Harri. »Im Kino geht das los, glüht so richtig von innen durch, ich rufe, Schärfer!, Schärfer!, Ist so verschwommen!, und von hinten ruft einer, Schwarzweiß!, Schwarzweiß!«

Harri war der einzige, der darüber lachen konnte. Er verschwand in der Küche.

»Woher kennst du Klose«, fragte Peter.

Ich hatte die Ausbildung nach zwei Jahreszeiten abgebrochen. Er nannte Namen, und wir merkten, daß wir dieselben Lehrer hatten.

»Jetzt unterrichte ich selber und sehe das von der anderen Seite«, sagte er.

Die Oberschenkel standen von ihm ab wie ein V. Um seine Augen hatten sich rötliche Höfe mit dunkelgrauen Schatten gebildet. Es hätte mich gelangweilt zu hören, er sitze im Sowieso-Amt, schiebe eine ruhige Kugel, sei Funktionär bei einer Gewerkschaft und flott hochbefördert worden. Doch wird es so gewesen sein. Zwar kann er sich auch hochgemogelt haben, doch hat er immer hingehen müssen, fünfzehn Jahre lang, dachte ich, während die Büros mir nach zwei Jahreszeiten die Luft genommen hatten, und das trennt uns, dachte ich. Er beugte sich wieder vor, nahm eine der Halbkugeln und roch an ihr. Tailer stellte drei Flaschen Bier auf den Tisch und fragte Peter, was er für ihn tun könne. Der blätterte fünf Scheine auseinander und überreichte sie Tailer ohne ein Wort. Jetzt bereite er seinen Absprung aus der Verwaltung vor, in zehn Jahren werde er draußen sein, und dann ab nach Thailand, sagte Peter.

Mit siebzehn wußte ich, daß ich nicht vierzig Stunden in der Woche arbeiten will, jedenfalls nicht in fremdem Auftrag. Entweder hundert oder gar keine. Eine Freiheit, so dachte ich, die kann man nicht vertagen oder sich ersitzen, eine Freiheit, dachte ich mit achtzehn oder zwanzig, die muß man sich nehmen, und zwar immer. Peter dagegen hat gearbeitet, gewartet, gespart und ist nicht abgeschlafft. Ich hatte nie länger außer Haus gearbeitet und mir damit eine Freiheit geschaffen. Peter hatte fünfzehn Jahre regelmäßig gearbeitet und sich ebenso eine Freiheit geschaffen dadurch. Niemals hätte ich seine Weitsicht haben können. Tailer warf drei große Stücke in ein Tütchen und gab es Peter. Der nahm eines wieder heraus, brach eine Ecke ab und zerbröselte sie. Tailer schob ihm Blättchen hin und ging nach nebenan. Ich hörte heraus, daß die Blondine nebenan, also Schnuckel, immer noch sauer war wegen der Verabredung letzte Nacht.

Schnuckel kannte ich ungefähr ebenso lange vom Hin- und Wegschauen wie Tailer. Manche bleiben ja fünfzehn, zwanzig Jahre lang an den Plätzen. Wenn ich lange nicht weg gewesen war nachts, dann sah ich auf dem ersten Rundgang Menschen und Gesichter, die genauso aussahen oder dastanden wie vor der Pause. Manche sitzen oder stehen jahrzehntelang in einer einzigen typischen Haltung am immer selben Ort. Das Gesicht der Blonden war durch jede meiner Nachtlebensphasen gehuscht. Peter hatte den Joint schon fertiggedreht, ging zum Punchingball und versuchte, ihn mit den Handkanten zu bearbeiten, doch hing er zu tief.

»Erstaunlich«, sagte er zu Tailer und sah mich an, »wie unbehelligt du hier deine Arbeit machen kannst seit Jahren.«

»So eine Arbeit«, sagte Tailer und sah mich an, »kannst du nur mit den richtigen Leuten machen.«

Peter setzte sich hin und zündete den Joint an.

»Ich lasse nicht jeden rein«, sagte Tailer, »das habe ich nicht nötig.«

Er übertrieb, wenn er sagte, er lasse nur Leute herein, mit denen er gern rauche.

»Wenn sie das Bargeld haben«, witzelte Peter.

»Das haben sie.«

Es klingelte. Harri öffnete.

Herein hetzte eine ausgemergelte Figur, deren Gesicht ich kannte. Er kniete sich an den Tischrand, außer Atem. Tailer war unfreundlich zu ihm. Beide kamen gleich zur Sache.

»Wieviel kostet das Gramm?«

»Wieviel willst du haben?«

»Wieviel kostet das Gramm?«

»Wieviel willst du haben, muß ich wissen.«

»Fünf Gramm.«

»Sechzig«, sagte Tailer.

Aus irgendeinem Grund, den er mit seinem darauffolgenden langen Text nur vernebelte, hatte er siebzig einzelne Markstücke in der Hosentasche. Mühsam nickte Tailer. Der Spacke legte die Stücke einzeln auf dem Tisch aus. Tailer schlug vor, Zehnerhäufchen zu machen. Schnuckel trat aus dem Nebenzimmer und verdrehte die Augen. Peter grinste. Tailer hielt sich wieder den Kopf. Als er ihm das Fünfgrammstück gab, hielt der andere es an die Nase. Er hörte sofort auf, hektisch zu atmen, und bekam einen entspannten Gesichtsausdruck.

»Günstige Videorekorder«, sagte er dann.

»Ich will kein geklautes Zeug in meiner Bude«, sagte Tailer. Er stand so auf, daß der andere ihm folgte.

Als Tailer von der Tür zurück war, sagte er:

»Dem bin ich am Abgewöhnen, weiterhin mein Kunde zu sein. Der rennt mir zu viel auf der Scene rum.«

Schnuckel gähnte und ging nach nebenan. Peter drückte den Joint aus und stand auf. Wir schauten uns an, und er ging weg.

Lange schon wollte ich aufstehen. Hatte es immer verpaßt. Der Nachmittag war vorüber, im Flur brannten die Lampen. Tailer und Harri machten Krach in der Küche. Schnuckel schaute nebenan die Nachrichten. Das Fernsehlicht warf Streifen. Auf dem Tisch glänzte die Messerklinge. Daneben lag eine der Halbkugeln. Die andere hatte er ins Nebenzimmer gebracht.

Wurde Tailer sentimental, rang er uns, seinen Kunden, Versicherungen ab, daß er alles auf dem Tisch liegen lassen könne, wenn er rausgehe, undsoweiter. Wie bei dem schweigenden Schuldner, wie bei der Frage nach der Qualität seiner Ware, wurde er hier prinzipiell. Ab und zu brauchte er Antworten auf sein Handwerk und wollte Anerkennung hören. Für uns war selbstverständlich, daß wir zu ihm gingen, uns hinsetzten, rauchten, kauften und verschwanden, und wir vergaßen, was wir Tailer zu verdanken hatten. Da wir es ihm nicht von selbst sagten, legte er es uns manchmal in den Mund. Er schaltete das gelbe Licht des Chinaballons ein und setzte sich neben mich.

»Was kann ich für dich tun«, fragte er.

»Für zweihundert«, sagte ich.

Das Stück kam mir klein vor.

»Damals«, sagte ich.

»Damals«, sagte er, »habe ich angefangen mit fünfundsiebzig Gramm für hundert Mark.«

Es klingelte, und Maik kam herein. Der Schlaks war nicht mehr spack, sondern hatte überall ein wenig zugelegt. Aus dem Jungen war ein Mann geworden. Er blieb knapp im Türrahmen stehen und verbeugte sich wie vor einem Publikum. Tailer nannte Maik nicht immer beim Namen, sondern oft auch *Der Schauspieler*, vor allem zu den anderen hin, die bei ihm saßen. So auch an diesem Tag. Manchen von Tailers Kunden war Maiks Name oder Gesicht sogar bekannt. Sie waren wirklich sein Publikum. Einige Jahre zuvor wurde in den Zeitungen von einem Skandal berichtet. Maik war in einer modernistischen Adaption eines klassischen Stoffes eine Minute lang nackt auf der Bühne zu sehen gewesen. Alle Boulevardzeitungen und auch die vornehmen Feuilletons druckten das Bühnennacktphoto. Angeblich hatte es so etwas im deutschen Theater bis dahin nicht gegeben. Das Stück war ein Erfolg, und Maiks Körper, so nicht nur die Frauen, äußerst sehenswert.

»Du siehst gut aus«, sagte Tailer.

»Es ist doch sein Beruf, gut auszusehen«, sagte Harri.

»Nicht immer«, sagte Maik, »manchmal muß ich auch scheiße aussehen.«

»Aber nur, wenn es ausdrücklich gewünscht wird«, sagte Tailer.

»Ja, nur wenn ich wirklich total scheiße aussehen soll.«

Wir kannten Maik schon aus Jugendheimzeiten. Und wenn ich ihn wiedergesehen hatte, dann meistens bei Tailer. Ab und zu kreuzte Maik in dem früheren kleinen Zimmer

Tailers auf und kaufte dort nicht die Kleinmengen wie unsereins, sondern Stoff für einen oder mehrere Monate.

Kurz vor jenem Theaterskandal rief Maik mich damals an. Um *Guten Tag* zu sagen, wie er sagte. Sein Engagement in Frankfurt war beendet. Er hatte einen Hinweis, wo Vera, die er ebenso hatte vergessen wollen wie den ganzen Lebensabschnitt in der Einflugschneise, in Berlin wohnte. Da er sie nicht vergessen konnte, machte er sich auf die Reise. Danach, bei dem Rockfestival in der Deutschlandhalle, erzählte er mir von seiner Visite.

Von Anfang an verband uns eine stille Zuneigung, die so still war, daß wir nicht vorhatten, Freunde zu werden. Wir mochten es, uns anzuschauen und einander zuzuhören. Vermutlich sah einer im anderen sich selbst. Ich schrieb damals Gedichte und hatte von Theater keine Ahnung, war aber neugierig. Er war neugierig auf mein Schreiben, aber ich konnte ihm nicht viel darüber sagen und gab ihm hin und wieder neue Gedichte, auch, um sie von Maik, als einem ersten Leser, testen zu lassen. Meine Neugierde reichte allerdings nie so weit, daß ich mir die Frankfurter oder eine andere Aufführung angesehen hätte. Und die Filmangebote gab es noch nicht, als wir uns zuletzt gesehen hatten.

»Wo kommst du her?« fragte ich ihn.

»Das würde ich auch gern wissen.«

Es klingelte. Toto keuchte vom Treppensteigen und sagte, er wolle ein Bier. Auch Tailer nahm sich eines. Toto war eine Strähne auf die Stirn gefallen. Zu seinem aufgepumpten Oberkörper sah das beängstigend aus. Er plumpste neben mich, so daß ich mit meinem Polster wieder ein wenig stieg.

»Jetzt bin ich diesem Kerl in die Arme gelaufen, diesem Wester«, legte Toto los. »Sitze da mit Jane im *Trick*.«

»Ausgerechnet mit Jane«, sagte Tailer, »die war doch dabei.«

»Kann ich was dafür«, brüllte Toto, und es war still. Nur die Nachrichten waren leise zu hören.

»Der saß schon im *Trick*, bevor ich gekommen bin. Ich riech ihn aber erst, als er neben mir steht. Jane kapiert gar nichts. Und was macht der Wester? Der knallt das Messer auf den Tisch! Vor allen Leuten! Kaum komisch. Fängt er an, Fragen zu stellen. Kann er Antworten haben; aber kaum komisch. Ist nicht weiter schlimm, nur hätte ich es gern woanders gehabt als im *Trick.*»

»Was wollte er wissen?« fragte Tailer.

»Wo das Barhockerbein ist, das fehlt. ›Gibt so viele Barhockerbeine, hätte auch eines mitbringen können‹, sag ich zu ihm.«

»Er weiß, daß er nichts machen kann, deswegen springt er im Quadrat«, sagte Tailer.

Sie tranken die Bierflaschen leer. Toto strich die Haare nach hinten und zog ein großes Stofftaschentuch aus den Jeans. Er wischte Stirn, Mund und Hals ab, wie es alte Männer tun. Dann schneuzte er in einen Zipfel und knüllte das Tuch in die enge Tasche. Tailer fragte barsch, ob er etwas kaufen wolle. Toto lachte ihn aus und zeigte auf das Backgammonbrett. Tailer lugte unter einer faltenzerknautschten Stirn ins Nebenzimmer.

»Wester fuchtelt mit dem Messer rum, weil er an nichts anderes rankommt«, sagte Tailer, »das ist sein Strohhalm.«

»Alles, was er machen kann, ist Wind«, sagte Toto.

Ich fand nicht, daß Maik, der mir gegenüber im Polster versank, so außerordentlich gut aussah, wie Tailer und Harri sagten. Wahrscheinlich war er vor kurzem aufgestanden, hatte geduscht und frische Sachen angezogen. Sein Blick jedoch war unruhig, die Gesellschaft ihm offenbar nicht die angenehmste. Er wirkte wie jemand, der gar nicht dort sein wollte, wo er dann länger blieb, als er vorhatte.

Toto knallte das Backgammonbrett auf den Tisch. Tailer klappte das Brett wieder zusammen und sagte, das Essen sei gleich fertig. Der Fernseher nebenan war lauter geworden. Tailer ging zu ihr hin. Auf Anhieb stritten sie.

»Ich kann ja gehen!«

»Ja, du kannst gehen!«

Trotzdem waren sie sich nicht einig. Harri kam mit fünf Tellern aus der Küche. Toto glotzte vor sich hin. Tailer knallte die Tür nach nebenan zu und setzte die Flasche an, bis sie leer war.

Seit es draußen dunkel war, wurde drinnen geschrien. Toto wollte mit mir einen Pakt gegen Frauen schließen. Ich versuchte seinen Grimassen auszuweichen. Ich ging aufs Klo. Unser Leben lang, dachte ich dort, sind wir zufrieden oder traurig, wie die Kinder, und ich frage mich, ob das nicht bald ein Ende haben kann, zufrieden oder traurig zu sein wie die Kinder. Sind wir mit einem traurigen Kind zusammen, so wollen wir es trösten, oder zumindest stumm Beistand leisten. Sind wir selber traurig, so wollen wir, wie als Kind, selber Trost oder Beistand. Manchmal werden wir, um dies zu erreichen, rasch zum Kind. Ist ein Kind zufrieden oder glücklich, dann lassen wir es, weil das zufriedene nichts braucht. Ebenso wollen wir gelassen werden, wenn nichts drückt, dachte ich. Dieses Hin und Her ging mir auf die Nerven. Zwar bin ich auch zufrieden oder traurig, doch spüre ich mehr und mehr die Kraft, die sich weder in Zufriedenheit noch in Traurigkeit trennen und verkleinern läßt, dachte ich.

Im Flur stieß ich mit Harri zusammen. Es gab Blumenkohl, Kartoffeln und Fleisch. Die Töpfe dampften, wir füllten die Teller, Harri stellte sich einen Stuhl an die Seite. Schnuckel setzte sich auf den Sessel neben Tailer. Plötzlich war sie im Zimmer, ich hatte sie nicht kommen gesehen. Tailer warf eine Illustrierte zur Seite und sagte:

»In Amerika, bei der Todesstrafe durch Injektion, spritzen drei Ärzte, nur einer hat das Gift in der Kanüle, und der weiß nichts davon.«

»Ist ein übles Abkratzen mit der Spritze«, sagte Toto.

»Guillotine«, sagte Tailer mit vollem Mund, »nur Guillotine!«

»Warum denn überhaupt?« fragte Schnuckel.

»Todesstrafe ist korrekt«, sagte Tailer, »keine Frage. Wenn einer einen umlegen will, soll er wissen, daß er selber dran sein kann. Sonst laufen zu viele Irre durch die Gegend.«

»Ist doch nur korrekt, völlig korrekt«, sagte Toto, »laufen sowieso genug Angeschossene rum.«

Schnuckel machte als einzige hin und wieder eine Pause beim Essen. Die anderen mampften, und zwischendurch kippten sie Bier.

»Hast du fein gekocht, meine Liebe«, sagte Tailer.

»Freut mich, daß es dir schmeckt, mein Dicker«, sagte Harri.

»Selbst elektrischer Stuhl dauert viel zu lange«, sagte Toto.

»Da drücken auch drei den Knopf«, sagte Harri.

»Guillotine«, sagte Tailer, »Kopf ab, da ist der Fall klar, da ist das, was du bist, weg.«

Schnuckel weinte. Sie saß mir gegenüber. Ich war der einzige, der es sah. Den anderen zeigte sie nur ihr ins Gesicht gefallenes Haar. In zwei Bahnen rollten still die Tränen hinab und tropften auf den dampfenden Teller. Sie zwang sich zu essen.

»Nicht Todesstrafe«, sagte sie leise, »sondern Lebensstrafe.«

»Guillotine«, sagte Tailer.

»Das schlimmste ist doch«, sagte Toto, »mit schlechten Träumen abzugehen.«

»Wenn die Guillotine zuschnappt, ist restlos ausgeträumt«, sagte Tailer.

Schnuckel weinte nun laut. Schob den Teller weg, nahm das Haar, warf es aus dem Gesicht und schluchzte.

»Scheißinstitut, die lassen mich keine Umfragen mehr machen«, sagte sie und zog einen Zettel aus der Hose. Sie las vor, eine Überprüfung habe ergeben, daß manche ihrer Fragebögen entgegen den Anweisungen nicht mit dem Interviewten allein, sondern mindestens in einer Kleingruppe ausgefüllt worden seien. Daher sei sie für eine weitere Mitarbeit am Institut nicht geeignet.

»Mich läßt das völlig kalt. Überhaupt läßt mich diese Tränendrüsentour völlig kalt«, sagte Tailer.

Mit voller Kraft rammte sie ihren Kopf gegen seinen Arm. Tailers Gabel platschte auf Harris Hose. Sie stand mit einem Ruck und ohne ein Wort auf und war fort. Der Punchingball schwang hin und her.

»Furios«, sagte Harri.

Mit dem Handtuch, das sie liegengelassen hatte, wischte er die Hose ab. Toto aß in aller Ruhe weiter.

»Die kommt nicht mehr wieder«, sagte Tailer.

Er steckte eine Zigarette an, blies den Rauch auf Totos Teller und sagte, nun freundlicher:

»Die kommt nicht mehr wieder.«

Toto hatte aufgegessen und strich sich über den Bauch.

»Was kann ich für dich tun, Maik«, sagte Tailer.

»Was hast du da?«

»Vom Feinsten einmal, und dann noch vom Allerfeinsten.«

»Zeig mal.«

Tailer warf ihm zwei Stücke zu. Maik wog sie in den Handflächen ab. Er bog sie so weit sie sich biegen ließen und roch an ihnen.

»Von jedem für hundert«, sagte Maik und schaute mich dabei an.

»Sag doch mal: Wo kommst du her«, sagte ich.

»Geht gleich los«, sagte Tailer.

»Frag mich lieber, wo ich hingehe«, sagte Maik.

Es klingelte.

Tailer kam, vor Biggi, schimpfend von der Tür zurück.

»Du sollst anrufen, wenn du kommen willst«, sagte er.

»Du bist doch immer da.«

»Aber nicht für jeden.«

»Die anderen rufen ja auch nicht an.«

»Wer kommen kann, ohne anzurufen, und wer vorher anruft, das bestimme ich.«

Biggi setzte sich auf den Boden.

»Was willst du eigentlich«, fragte Tailer

»Ich will was zu rauchen, für fünfzig Mark«, sagte sie.

Tailer wiederholte es.

»Dafür soll ich mich bewegen?«

Sie kniete sich hin, streckte ihren Arm und strich ihm übers Haar. Er schien zu explodieren unter ihrer Hand und schüttelte sich frei. Auch Harri war mit dem Essen fertig. Tailer ließ den Rest stehen. Harri trug die Teller in die Küche.

»Jetzt rollen wir einen Nachbrenner«, sagte Toto, »sonst hätten wir gar nicht essen brauchen.«

Ein kleines Teil von Tailers Waage, der Ring, war unter den Tisch gefallen. Wir suchten. Toto fand. Biggi kam wieder zurück.

»Ich weiß schon, warum ich das sage«, sagte Tailer zu ihr. »Seit du hier bist, klappt nichts mehr. Jetzt geht auch noch die Waage kaputt.«

Tailer bastelte sie, auf Biggi fluchend, wieder zusammen. Biggi, diejenige dort in der Wohnung, die Tailer am längsten kannte, wußte alles von ihm. Bei ihr schüttete er sich aus, wie schon damals auf dem Spielplatz, wenn die anderen Jungs nicht dabeiwaren.

»Ich bin froh, daß der Laden jetzt zu ist«, sagte Toto, »ich komme auch ohne Geld klar, und so brauch ich mich nicht rumzuprügeln.«

Toto streute den Tabak über das Bröselhäufchen und knetete beides zusammen, bevor er es aufs große Blättchen legte und rollte. Tailer schob Biggi das kleine Stück hinüber. Sie gab ihm fünf Zehner.

»Endlich mal Kleingeld«, sagte er. Toto zündete die Tüte an.

Tailer setzte sich auf den Boden zu Biggi.

»Ihr Weiber macht mich fertig«, sagte er.

Harri stellte eine Kanne Kaffee auf den Tisch und fünf Becher. Er setzte sich in Tailers Sessel, schenkte Tailer und Biggi ein und reichte ihnen die Becher. Seit Tailer unten bei Biggi saß, sah er anders aus. Er legte nicht mehr die Stirn in Falten und zog auch nicht den Nasenschleim ununterbrochen hoch. Er hatte sich an Biggi angelehnt. Auf dem Boden hatte ich Tailer noch nie sitzen gesehen. Überhaupt sah es aus wie im Morgengrauen nach einer Party. Am Tisch saßen allein Harri, Maik und ich, links unten Biggi und Tailer. Toto war zwischenzeitlich mit dem Polster verschmolzen. Ein Bild aus den späten Sechzigern, fand ich, Anfang der Achtziger. Ich zog den Rauch tief ein, gab an Maik weiter und sah uns mit immer größer werdender Gewißheit dort in den späten Sechzigern sitzen. Dicht hing der Rauch im Zimmer. Lange schon war kein Fenster mehr offen. Tief herunter die Gesprächstemperatur. Wir waren nicht dümmer als heute, und wir sind nicht klüger als damals.

Harri kam mit Lutter rein, der in dem Laden die Musik machte und stadtbekannt war dafür, dort die Musik aufzulegen, wo man hinging. Sein Gesicht in der Diskothek war oft schon die halbe Miete. Ein übernächtigtes Häuflein Elend setzte sich mir gegenüber. Nicht Lutter, der öffentliche Tausendsassa, sondern Lutter, der private Griesgram, war gekommen. Haut und Haar waren müde. Er sollte eine Pause machen, dachte ich. Aber er war der einzige von der alten Mannschaft, der in einem anderen Laden, ab sofort schon, weiterarbeitete.

»War so ein Inspektor bei mir, der war ja komisch. Typ Verunsicherer. Hab ihm gesagt, daß ich nur mit der Musik zu tun hatte.«

»Stimmt ja gar nicht«, sagte Tailer, »du hattest die Alte doch schon halb ausgezogen hinter den Tellern.«

»Hab ich einen Kopf.«

»Ich erst. Was kann ich für dich tun?«

»Hundert Mark hab ich hier«, sagte Lutter, »hundert kann ich morgen bringen.«

»Das heißt, hundert auf Kriegste.«

»Ja. Habt ihr wieder Kanaken rausgeschmissen?«

»Französische Bimbos, oder wo kamen die her«, sagte Toto, »so eine Schlachterklinge haben die rausgezogen.

Der Inspektor hat das Ding unterm Arm gehabt, als wär es nichts.«

»Dann haben wir sie erledigt«, sagte Tailer, gab Lutter das Stück und nahm zwei Fünfziger. »Ich hab gar nichts gegen die«, sagte Tailer, »aber wenn Weller sagt: Amerikaner, Engländer, Franzosen ja, und Türken, Libanesen und Pakistani nein, dann halten wir uns daran.«

Lutter hatte den Joint in der Hand behalten, zu Ende geraucht und ausgedrückt. Dunkel erinnere ich mich, daß ich das Gefühl hatte, wir säßen dort wie in den späten Sechzigern. Weil wir schwiegen. Sobald wir sprachen, waren wir in der Gegenwart. Unsere Bewegungen waren von damals. Ich hatte das Gefühl, ernst und hellhörig zu werden. Wir gehörten zu keinem Befreiungsgeschwader und würden nie wieder Gelegenheit haben, mit Kragen und Krawatte zur Universität zu gehen. Eine Zeitlang ließen wir uns gern mit Agenten der Bewußtseinserweiterung verwechseln. Vielleicht waren wir das sogar. Wenn, dann wahrscheinlich so lange, wie das Wir eine Gültigkeit hatte. Wir waren in alle Winde Verstreute, die eben noch bei Tailer gewesen waren und sich den Stoff abholten, mit dem sie ihr Ich bauten. Vermessen, Wir zu sagen. Tailer wog ab und gab Lutter ein Stück und Maik die zwei Stücke. Nacheinander segelten die Scheine auf den Tisch.

»Ich fang nicht mehr an, nirgends«, sagte Tailer, »ich fühl mich zu alt, um kleine Jungs zu verprügeln, die sich gar nicht mehr schlagen wollen, sondern einfach am Abzug rumfingern.«

»Und wovon lebst du«, sagte Toto.

»Siehst du doch. Vielleicht mach ich Hausdealer in einem von Wellers Läden.«

»Bei dem Schwein.«

»An dem Schwein kommst du nicht vorbei.«

»Weller hat das Ballhaus gekauft«, sagte Biggi.

Woher sie das wisse, Toto. Was sie mit dem habe, Tailer.

»Tu mir einen Gefallen«, sagte Tailer, »erwähne diesen Namen hier nicht mehr.«

»Hab ich einen Hals auf den«, sagte Toto.

»Das waren keine Franzosen, wie ihr gesagt habt, das waren Nigerianer, die ihr krankenhausreif geschlagen habt«, sagte Biggi.

»Die Hautfarbe spielt keine Rolle«, sagte Toto. »Wer sich nicht an die Hausordnung hält, fliegt raus.«

»Die haben Französisch gesprochen.«

Er legte Toto Krümel und Blättchen hin. Der begann mit dem Zerbröseln.

»Was heißt Nigerianer«, fragte Tailer, »es hätten auch Kirgisen, Argentinier oder Spandauer gewesen sein können.«

»Aber es waren Bimbos, ich hör euch doch noch reden«, sagte Biggi.

»Na und, Bimbo ist Bimbo«, sagte Toto, »Frau ist Frau, könnte man auch sagen«, sagte er, »da kann ich auch nichts für. Was hast du mit Weller laufen?«

»Ich kenne eine, die ihn kennt.«

Tailer brachte zwei Bier. Irgendwie war es still. Biggi trank weiterhin lauwarmen Kaffee.

»Was willst du uns erzählen«, sagte Tailer. »Das waren französisch sprechende Neger, die wir *die Franzosen* genannt haben. Die haben an zwei Frauen rumgefummelt und nach der dritten Aufforderung, das sein zu lassen, nicht damit aufgehört. Dann haben sie von uns den Platzverweis erhalten. Die rote Karte. Dann hat einer von denen dieses Messer gezogen. Dann haben wir sie plattgemacht, mit Hilfe sämtlicher Gegenstände, die uns in die Pfoten gekommen sind. Was heißt hier, das waren keine Franzosen, sondern Nigerianer. Du könntest auch sagen, die waren verheiratet. Was heißt hier Nigerianer? Auf welcher Welle reitest du, wenn du das sagst? Wieso bist du da drauf jetzt so scharf?«

»Wieso bist *du* da drauf jetzt so scharf?«

»Weil ich wissen will, was du meinst.«

»Sie will sagen«, sagte Toto, »daß es uns mehr Spaß macht, zwei Bimbos vor die Tür zu tragen als sagen wir zwei Spandauer. Und sie liegt völlig richtig mit ihrer Vermutung. Nur ist sie zu feige, das zu sagen.«

Toto nahm einen langen Zug und legte die Tüte in die Aschenbecherrinne.

»Ja, für mich seid ihr Rassisten«, sagte Biggi, »das ist ja nicht der erste Vorfall, meistens sind es Türken gewesen.«

»Wir haben Anweisungen«, sagte Tailer.

»Rassisten – nicht meine Welt, dieses Wort«, sagte Toto, »ich bin eher für ein geordnetes Nebeneinander, aber ich verstehe, was du meinst: Wenn es kein Deutscher ist, hauen wir einmal mehr drauf. Stimmt das?«

»Ja, das stimmt«, brummte Tailer.

»Na also«, sagte Toto, »ich erkenne keine Meinungsverschiedenheit.«

Tailer trank und schluckte.

»Das meine ich«, sagte Biggi.

»Du redest scheißgutes Zeug, wenn es nicht so gut gemeint wäre, sollte man dich bestrafen«, sagte Toto, »wo lebst du denn, was bist denn du für eine Tunixfotze, daß du so redest! Die Typen haben zwei Frauen belästigt, und wer Frauen belästigt, der wird zur Ordnung gerufen, und wenn er nicht hört, dann fliegt er raus. Und das muß ich dir erklären? Was bist denn du für eine ...«

»Laß Biggi in Ruhe!« sagte Tailer.

Pause. Biggi hatte sich an Tailers Seite angeschmiegt, und Tailer umarmte sie. Toto lehnte sich zurück und schüttelte den Kopf.

Manchmal bei Tailer fragte ich mich, warum ich seit Jahren zu ihm ging und das Zeug kaufte. Wir hatten neunzehnhundertachtzig. Immer mehr, die sich vom Kiffen distanzierten. In Mode war Kokain. Alles, was schnell machte. Auch Bier kam wieder in Mode, bei den Punks, die wir nicht verstanden. Wir lächelten immer noch.

»Lächeln ist nicht mehr in, Rauchen ist nicht mehr in, was ist nur mit uns los«, sagte ich.

»Du zweifelst«, sagte Tailers Geschäftssinn.

Mit der freien Hand holte er ein Stück Schwarzen aus der Trainingshosentasche.

»Hier, dreh noch einen, du mußt wieder mal verwöhnt werden.«

Vielleicht nur um Tailer zu ärgern, sagte ich, man sollte einfach mal aufhören mit dem Rauchen und weitersehen. Tailer faßte sich an den Kopf, verdrehte die Augen, fand kein Wort.

»Der ist in der Krise«, rutschte ihm raus.

Ich schaute im selben Moment auf die Uhr wie Maik.

Sehen, gehen; wiedersehen, wieder gehen ... In den fast sieben Jahren, da wir nichts voneinander hörten, habe ich mich oft gefragt, was er wohl tut. Ich ahnte, eines Tages sähen wir uns wieder und er würde Neues zu erzählen haben.

Wir landeten in einer vollbefahrenen krachendlauten Großstraße und suchten sofort die Kleinststraßen: Kindergesichter, Duft frischer Brötchen, Wohnungssuche auf der Baumrinde, und alle Telephonnummernschnipsel abgerissen. Es war selbstverständlich, daß er Zeit hatte. Daß ich Zeit hatte. Daß wir uns hier und da hinsetzten, oder stehenblieben und die Rede somit unterstrichen. Was der eine auch tat: Es war dem anderen genehm.

Das *Golem* gab es schon lange nicht mehr. In den Laden war ein Supermarkt eingezogen. Im ehemaligen *Marrakesch* konnte man nun Fahrräder kaufen. Es gab auch all die im Räucherstäbchenduft versunkenen Kneipen und Teestuben von früher nicht mehr. Unmerklich hatte sich das Angebot umgeschichtet und erweitert, in jedem Bezirk waren Hard- oder Softrock-Cafés. Und das *Satva* war längst nicht mehr der einzige Laden in der Stadt, der organisch-biologische Produkte verkaufte. Ich schrieb eine traurige Erzählung mit dem Titel *Wir haben gewonnen* und bekam einen Preis dafür.

Alle paar Jahre habe ich Maik Steiner wiedergetroffen, oft bei Tailer. Wenn wir uns anschauten, schien es mir, als schaute die Zeit uns an, die inzwischen vergangen war. Meistens, wenn man sich nach zu langer Zeit wiedersah, ging man, vom Schock geritten, aneinander vorbei und weiter seines Weges. Man grübelte eine kurze Zeit lang übers Altwerden und vergaß das Ganze wieder. Mit Maik bin ich immer ins Gespräch gekommen. Wir berichteten einander, was in der Zwischenzeit geschehen war, doch hatte nur er aufregend Neues zu erzählen, wie ich fand. Irgendwann begann er mich aufzufordern, ich solle dieses oder jenes, das er mir berichtete, aufschreiben. Obgleich er sein Selbsterlebtes kennen mußte, war er während seines Erzählens mindestens so überrascht von den eigenen Geschichten wie ich.

»Das liegt an dir, das liegt daran, wie du zuhörst.«

»Nein. Das liegt an deinen Geschichten und daran, wie du sie erzählst.«

Wir streiften durch unaufgeräumte Schöneberger Straßen, in denen die Luft voll von kaltem Brandgeruch war. Jeden Abend fand dort das Räuber-und-Gendarm-Spiel statt. In den Morgenstunden wurde gelöscht. Tagsüber kühlten alle ihre Wunden.

Hier der erste nackte Mann auf einer deutschen Bühne, dort zwei Rollen pro Jahr bei seinem Regisseurfreund, das war nicht alles. Es kam das Entscheidende hinzu, das, weswegen jemand wirklich bekannt oder berühmt ist und in den Köpfen der Leute bleibt. Von manchen Zuschauern wird er dafür wohl nie vergessen werden: Maik spielte eine der beiden Hauptrollen in einem Kultfilm. Vielleicht war es der erste Kultfilm, der Kultfilm genannt wurde. Er hatte so gut wie keine Handlung und dauerte dreieinhalb Stunden. Das war Kult. Alle zehn Minuten entschlüpfte jemandem ein Satz, auf den geantwortet wurde, wenn man den Satz vergessen hatte. Dafür wurde man im Zweiminutenrhythmus mit Bildern von sehnsüchtig in die Ferne schauenden jungen Männern versorgt, die sich gerade aufmachten zu ihrer unglücklichen Liebe (so ahnte man jedenfalls, nichts wurde genau gezeigt, alles blieb Andeutung, Kult). Der Sinn ist ein Kaugummi, vielleicht war das die Botschaft des Films, das Tempo bestimmen jetzt wir, vielleicht war das die Botschaft des Films. Die Botschaft, die keiner recht nacherzählen konnte, kam jedenfalls an, und Maiks verhalten unbeholfene Art kam an bei den Zuschauern.

In Schöneberg kannte man ihn. Immer wieder drehten sie die Köpfe nach ihm, tuschelten etwas, zeigten gar mit dem Finger oder grüßten ihn offen heraus. Der Kultfilm war zwar schon einige Jahre alt, aber in Schöneberg schien das nichts zu bedeuten, oder es machte keinen Unterschied, war eben Kult.

Maik hat nicht von Anfang an gesagt, daß ich das aufschreiben soll. Und zum Ende unserer Geschichte hin wollte er davon sowieso nichts mehr wissen. Allein in der Zwischenzeit, als wir uns ungefähr im Fünfjahresrhythmus wiedertrafen, hat er mehrmals davon geredet. Mir kam seine Geschichte als eine von mir zu erzählende jedoch erst in den Sinn, als Maik davon nichts mehr wissen wollte.

Er suchte seinen Sohn. Es wurde zu seinem wichtigsten, dann bald einzigen Thema. Schließlich wurde es so etwas wie sein Beruf, Sohnsucher zu sein, Verwandtschaftsfinder.

# DRITTES KAPITEL

Maik ahnte nicht im geringsten, wohin er sich bewegte. Er hatte das Gefühl, etwas zu tun, an das er sich noch Jahre später erinnern würde. Er hielt am nächsten Rastplatz und schaute in die Ferne, die aus einem Kartoffelacker bestand, dahinter ein zerschredderter Baumsaum. Er schaffte einiges Gerümpel von der Rücksitzbank in den Kofferraum und öffnete die beiden hinteren Fenster seines Viertürers so weit, daß es vorne nicht zog. Wie um das Bild zu vollenden, kämmte er die langen welligen Haare und startete das Lied *Sultans of Swing*, bevor er den Zündschlüssel drehte und dem aufgerissenen Himmel entgegenfuhr.

Eine Fernsehredaktion, die Kriminalfilme produzierte, hatte ihn nach München zu einem Casting eingeladen. Da auch seine Suche ihn in den Süden führte, saß Maik bereits zwei Tage vor dem Termin im Auto. Er fühlte sich wie im Film. Die Landschaft war zu schön, um wirklich zu sein. Er war nicht in der Lage, schnell zu fahren. Diese etwas zu eindrucksvollen Naturbilder machten ihn mißtrauisch. Er rechnete mit dem klaffenden Spalt, der sich gleich auf der Autobahn vor ihm auftun würde, wie einmal im Fernsehen gesehen, nach einem Erdbeben.

Immer und immer wieder hielt er an und schaute von Raststättenparkplätzen auf Täler oder auf kleine, in der Mittagszeit leblose Dörfer hinab. Er putzte die Autoscheiben von innen und verglich die Ortsnamen auf seinem Spickzettel mit einer Karte der Umgebung, die im Raststätteneingang neben dem Cola-Automaten aushing. Draußen auf dem Parkplatz in einem hellen Lieferwagen saßen fünf, sechs langhaarige, teils vollbärtige Gestalten, etwas älter als er, die einen Joint rauchten. Ihr Kleinbus war in Berlin gemeldet. Maik stellte sich vor, auch sie würden zu dem Bauernhof fahren, der sein Ziel war. Er setzte sich in seinen Wagen und blieb dort auf dem Parkplatz sitzen. Er versuchte sich die Gesichter zu merken. Gleichzeitig wußte er, daß sie ihm nach der ersten Autobahnkurve komplett entfallen sein würden. Die Härchen an seinen Unterarmen richteten sich auf. Er verstand nicht, warum.

Wenige Kilometer später mußte er die Autobahn verlassen. Ihm war, als werde auf der Windschutzscheibe die Wiederholung der Autobahnfahrt in Zeitlupe eingespielt. Maik bezweifelte das Grün des Grüns, das Blau des Blaus, das Gelb des Gelbs. Nahm er die Sonnenbrille ab, war er sogleich geblendet und rollte nur noch die Landstraße entlang, einen hupenden Lastwagen hinter sich, den er vorbeiließ. Mit einer Geschwindigkeit, die ihn zum Verkehrshindernis machte und ihm die bösen Finger der Normalpiloten einbrachte, rollte er durch die hügelige fränkische Landschaft. Erst als ihm die Reaktionen der anderen gleichgültig wurden, fuhr er von selbst etwas schneller. Wie die anderen beschleunigte er im Kurvenausgang und hielt die Geschwindigkeit bis zur Einfahrt in die nächste Kurve. So war die Zeit, bis er an dem Eingangsschild seines Zielortes ankam, so gut wie keine Zeit, nur einige Kurven und Überholmanöver lang. Und bevor er sich besonders umschauen konnte in dem Dorf, war er hindurch gefahren, hatte er das Ortsausgangsschild passiert – und kehrte um. Er stellte den Wagen in der Nähe der Kirche ab und ging die Straße Richtung Bahnhof. Seit Jahren war dort kein Zug mehr gefahren. Das Bahnhofshäuschen war marode, ein Unterschlupf für Landstreicher, dachte Maik.

Auf einem sonnenbeschienenen Kilometerstein am Gleisbett kauerte er wie ein Verfrorener – die Ferse des rechten Beines angehoben, das andere Bein übergeschlagen, die Arme verschränkt, den Oberkörper vorgebeugt, so daß er sein Kinn auf das linke Knie hätte legen können. Ein vom leichten Wind getriebenes Blatt machte ein Geräusch. Der Großstädter wunderte sich, wie still es sein kann. Allerdings kam ein Scharren hinzu, dann ein Quietschen. Maik sah eine barbusige Frau mit kurzen Haaren in der Tür der Ruine stehen. Sie streckte sich der Sonne entgegen und hielt die Hand wie einen Schirm, nachdem sie Maik entdeckt hatte. Sie winkte mit der anderen Hand und verschwand in der Ruine, nein, in einem Anbau der Ruine, wo alle Scheiben ganz waren und es eine Tür zum Abschließen gab, die offen stand. Maik sah Autos und Fahrräder, auch kleine Tretmobile für Kinder. Zwei Männer im Vorhof fingen an, Holz zu hacken.

»Suchst du was Bestimmtes?« fragte jemand ihn von hinten. Es war die berlinernde Stimme der jungen Frau, die eben aus der Ruinentür getreten war. Sie hatte ein langes weißes Hemd übergestreift und ging um ihn herum. Sie stand im Gegenlicht gesichtslos breitbeinig vor ihm und stemmte die Hände in die Hüften, als befände er sich auf ihrem Grundstück.

Man muß lange arbeiten, um ein solches Bild herzustellen, dachte er. Die Sonnenstrahlen, die ihn blendeten, schienen von ihrem Kopf und ihren Schultern auszugehen. Sie warf einen langen Schatten, der sich auf dem Schotterbett genau bis zu seinen Füßen hin erstreckte. Sie trug den oberen Rand der Sonne wie eine Krone. Bis auf das eben noch weiß gewesene Hemd war alles blendend schwarz. Er sah in dem sonnenbeschienenen Bahnhofshäuschen einen

Kopf, oben in einer Luke, ohne Fensterglas. Im nächsten Moment war der Kopf fort, die Luke wieder schwarz. Um die Lichtverhältnisse zu ändern, hob Maik sich von dem Kilometerstein hoch und ging ein paar Schritte zur Seite.

Sie drehte sich mit ihm mit und zeigte Maik, von Schritt zu Schritt mehr, ein Lächeln, »das sich sofort in mich einschrieb«, wie er mir am Morgen nach unserem Wiedersehen bei Tailer sagte, als er mich besuchte und wir den ganzen Tag lang in meiner Küche saßen. Es sei aussichtslos, ein Gesicht beschreiben zu wollen, zu dem man sich wie magnetisch hingezogen fühle, fuhr er fort. Nicht die benennbaren Bestandteile eines Gesichts – Augen, Nase, Mund – ließen es anziehend oder abstoßend erscheinen. Was man in Wirklichkeit immer wieder sehen wolle, wenn man von einem Gesicht nicht wegkomme, das seien die Abstände, Winkel und ungezeichneten Linien zwischen Nase, Mundwinkel und Ohrläppchen, oder zwischen Stirnwinkel, Augenbrauen und Oberlid, oder zwischen Unterlippe, Kinnspitze und Halsansatz. Man denke, man schaue ein Gesicht an, doch fahnde man immer nur nach diesen Linien.

»Wo finde ich den Ziegelhof?«

Ihre Daumen rutschten in die Jeanstaschen, sie stellte sich aufs linke Bein und spielte mit dem rechten.

»Den alten Ziegelhof am ehemaligen Bahnhof?«

»Ich suche Vera.«

Er versenkte sich wieder in die lächelnden Linien des Gesichts der Schönen. Als habe er das richtige Stichwort gegeben, drehte sie sich zu dem Bahnhofshäuschen und zeigte Maik mit einem kurzen Schwung in der Hüfte an, daß er ihr folgen solle.

Er ließ sich in einen alten Sessel fallen. Die Schöne verschwand im Haus.

Die beiden Männer hackten weiter Holz, ein Junge und ein Mädchen, mit prustenden Backen und besabbertem Mund, spielten in ihren Plastikmobilen Autofahren. Die beiden Frauen am Eßtisch schauten in dasselbe Buch und rauchten Zigaretten – und doch schienen ihn alle beiläufig gegrüßt zu haben. Aber niemand, der ihn ansprach. Die in die Holzscheite krachenden Äxte und die einander Kommandos gebenden Kinder ließen ein Gespräch aber auch nicht zu. Kaum, daß er zwei Minuten dasaß, kamen ihm alle um ihn herum bekannt vor, und er überlegte, wo er sie schon einmal gesehen hatte. Ohne Ergebnis. Dann war er der Ansicht, daß sie ihn vergessen, sich an sein Dabeisitzen fraglos gewöhnt hatten.

Die beiden Männer legten die Äxte beiseite. Sie stellten sich zu den Frauen an den Tisch, tranken Wasser und bastelten Zigaretten. Die Schöne trat aus dem Haus. Sie trug nun ein geblümtes Seidenkleid und brachte einem vielleicht achtjährigen Mädchen, das in dem Plastikmobil zu schlafen schien, einen Apfel. Als sie sich hinsetzte, verwirrte sie ihn mit einem Lächeln, direkt und überflutend. Maik dachte, sie habe sich für ihn umgezogen.

Nach dem ersten Zug an der Selbstgedrehten sagte der Mann, der das Sagen hatte, zu Maik, daß Vera nicht mehr im Ziegelhof wohne. Dann ließ er eine lange Pause. Das kam Maik bekannt vor. Die Haare wehten dem Mann vor die Augen, doch machte er keine Anstalten, sie wegzustreifen. In seiner ausgebeulten Lederhose ging er ein paar cowboyhafte Schritte zu einem mit Decken ausgelegten Einkaufswagen, der neben der Schönen stand. Er stützte sich daran mit einer Hand ab und zog, wie zum letzten Mal, an seiner

Zigarette. Mit starrem Blick in Maiks Augen sowie mit leiser, dann kantig werdender Stimme folgte eine Art Begründung.

Vera sei nicht reif gewesen für ein spirituelles Leben, sie habe nur eine Bleibe gesucht und sich nicht eingepaßt in den Arbeitsplan, sie habe meistens an sich gedacht, keinen Sinn für die Gemeinschaft gehabt und immer nur feiern wollen, auch diesen oder jenen Freund mitgebracht, die man dann allerdings nie wiedergesehen habe. Es gab eine Pause, weil niemand widersprechen oder die Worte des Chefs kommentieren wollte. Maik erinnerte dieses Theater an Udo, damals.

Er schaute in das deckenumhüllte Gestell, das neben der Schönen stand. Er wußte nicht, ob er ein Kind oder eine Puppe vor Augen hatte. Warum war der haarlose Kopf so viel größer als der eines Kleinkinds, weshalb die Augen glasig und starr? Und wieso betteten sie es in einen ausrangierten Einkaufswagen mit schwarzen und dunkelroten Samtdecken?

»Und Veras Kind?«

»Welches Kind?« fragte der, der da das Sagen hatte.

»Ihr kleiner Sohn!«

»Sie hatte höllische Angst, schwanger zu werden«, sagte die Schöne, eine Hand auf dem Einkaufswagenbettchen.

Zwar meinte Maik, daß das Puppenkind oder die Kindpuppe mit der blaßgrauen Haut und den gläsern abstrahlenden Augen ihn anschaute, wenn er sich über es beugte – aber ohne daß er einen Blick erkennen konnte. Ein Köter schlich an dem Wagenbett vorbei. Die Schöne vertrieb ihn.

Sein Anliegen war ihnen so gleichgültig, daß sie nicht einmal nachfragten, warum er Vera suchte, dachte Maik.

Und er hatte keine Lust, ihnen zu erklären, daß Vera Berlin mit ihrem Sohn verlassen hatte. Vielleicht wußten sie es sogar und sagten es nur nicht, ging ihm durch den Kopf. Er schaute wieder in den Kinderwagenersatz. Unverändert äugte dieses Wesen – wie ein Mensch, der nicht sehen kann, wie ein Blinder, der die Augen dorthin gerichtet hält, wo Stimmen herkommen, dachte Maik.

»Wie alt ist das Kleine?«

»Schon fast sechs Jahre. Man glaubt es nicht. Es hat eine Wachstumskrankheit.«

»Es wird nie groß werden«, prahlte der Junge in seinem Plastikmobil.

Das Mädchen rollte neben seinen Spielkameraden. Der Reihe nach schauten sie die Gesichter der Erwachsenen an. Die guckten alle vor sich hin, jeder in eine andere Richtung. Maik unterbrach die Stille und fragte, wo Vera jetzt wohne. Sie nannten ihm zwei Dörfer oder Gehöfte. Wie lange sie im Ziegelhof gewohnt habe, fragte er. Vier Wochen. Alle außer der Schönen verschwanden, seit Maik angefangen hatte, nach Vera zu fragen, im Haus.

Die Schöne rollte das Kinderwagengestell in den Schatten, schenkte ihm ein Lächeln, wartete auf seines, nickte und ging ebenfalls. Er hatte den Eindruck, sie konnte machen, was sie wollte, es war immer ein Geschenk, sie anzuschauen. Und dann saß er völlig allein dort im Hof, beobachtet von dem müden Köter, der platt vor seiner Hütte lag und aus den Augenwinkeln verfolgte, wie Maik den Ziegelhof verließ und zum Gleisbett stiefelte. Er setzte sich für eine Zigarette wieder auf den Kilometerstein und hoffte, die Schöne würde sich noch einmal zeigen. Und tat sie es nicht, so hoffte er, daß sie ihn, der an sie dachte, dort sitzen sah. Auf dem Rückweg zu seinem Auto schaute er sich mehrmals um, obwohl klar war, daß die Schöne ihm nicht folgte.

Im Ziegelhof eben war ihm das meiste erklärbar vorgekommen. Danach, im Auto erst, eine Karte des Landkreises über dem Lenkrad entfaltet, fielen ihm die Kleinigkeiten ein, die er zwar bemerkt, doch nicht bewertet hatte. Hatten sie, obwohl sie sich draußen bewegten, nicht eine gräuliche, marmorne Hautfarbe? Und waren die Arme der einen, die nur geschwiegen hatte, nicht mit kleinen Vereiterungen überzogen, so daß sie dauernd die Strickjackenärmel herunterschob? Hatte die andere Stumme auf der Stirn nicht das gleiche Mal gehabt wie der Angeber, der da das Sagen hatte? Und der jüngere Mann mit Vollbart, hatte dem nicht ein frisches Pflaster auf der Stirn geklebt? Hatte Maik nicht die Reste eines zerlegten Kinderwagens hinter der Hundehütte gesehen? Und er fragte sich, ob wirklich ein intaktes Gebäude zu diesem Hof gehörte oder ob sie nur in dieser verfallenen ehemaligen Bahnhofsstation hausten, mit zerschlagenen Scheiben und wahrscheinlich einem uralten Ofen, der nichts taugte, wenn es darauf ankam. Er hatte noch nie ein Kind in schwarze und dunkelrote Stoffe eingewickelt und nur von solchen Farben in seinem Bettchen umgeben gesehen. Und das am Gartentor abgestellte Auto hatte zwei platte Reifen. Spirituelles Leben. Maik schüttelte den Kopf über der Landkarte und fand nichts, keinen Ort. Aber er wußte die Richtung.

»Ich sah drei Möglichkeiten«, sagte Maik zu mir: »Vera hatte für diese vier Wochen im Ziegelhof ihren Sohn nicht dabei gehabt, und niemand von denen wußte, daß sie überhaupt ein Kind hat. Oder die anderen wußten, daß sie ein Kind hat, sagten es mir aber nicht. Oder Vera hatte das Kind gar nicht mehr.«

Am Morgen entdeckte er die Dorfkirche, auf einer Anhöhe gelegen. Er stieg da hinauf und sah sogleich am Ortsausgang das Mühlrad, das er gesucht hatte. Solange er in der Pension wohnte, wollte er, der Fremde, auf dessen verräterische Äußerungen man ja bloß wartete, wie er meinte, niemanden nach der Mühle fragen.

Maik fühlte sich stillgelegt. Auch das Dorf erschien ihm wie ein stillgelegtes. Ihm fehlte das Sprechen, auch das gedankenlose. Am Vortag hatte er nur die paar Sätze im Ziegelhof gesagt. Sein nach Hinweisen suchendes Schauen und sein fahnderisches Zuhören waren ihm zu wenig – obgleich er damit völlig ausgelastet war. Auf dem Weg zur Mühle sah alles schon wieder anders aus. Vor dem Lebensmittelgeschäft rangierte ein schwerer LKW in eine wie für ihn geschaffene Einfahrt zwischen zwei Häusern hinein. Zwei Mitarbeiter in weißen Kitteln lotsten den Fahrer in die Lücke. Der schaute jedoch ausschließlich in die Rückspiegel, winkte ab und erreichte die Parkposition hinter sich, ohne sich einmal umgedreht zu haben. Eine Autofahrerin, die für die Zeit des Rangierens warten mußte, stieg aus, zog Zigaretten aus dem Automaten des Lebensmittelgeschäfts und betastete im Vorübergehen die ausgelegten Mangofrüchte. Nachdem der Fahrer den Motor ausgeschaltet hatte, hörte Maik, wie das Kreischen von einem Sägewerk die Luft zerriß. Ein Briefträger kam aus einem Haus, stieg auf sein Fahrrad und winkte zwei Sägewerksarbeitern zu, die auf der Ladefläche eines Kleintransporters Brotzeit hielten. Ein Hund wackelte auf Maik zu, schnüffelte an ihm, drehte um und trottete weiter, vor ihm her. Er ging dem Dorfausgang entgegen. Das kleine Geschehen um ihn herum hatte ihn aufgemuntert. Die Freiflächen zwischen den Häusern wurden größer, immer seltener waren sie bewirtschaftet.

Unter dem Mühlrad kam er sich winzig vor. Bis er den Eingang zum Hof fand, ging Maik einmal um das teils von einem Wassergraben eingefaßte Grundstück herum. Dort schaute der Hund ihn an, der den halben Weg vor ihm hergetrottet war, ohne jeden Impuls, sein Revier zu verteidigen. Ein Junge ging über den Hof, eher eine ausgelagerte Abstellkammer, nahm mit beiden Händen einen Stein auf, trug ihn in die Scheune. Ein Mädchen kam aus der Scheune, nahm wie der Junge einen Stein auf und schleppte ihn in die Scheune. Als sie darin verschwand, kam der Junge wieder aus der Scheune und ging zu dem Steinberg. Da sie die Köpfe gesenkt hielten und Maik sich nicht rührte, bemerkten sie ihn nicht. Es gab nur einen schmalen Weg für sie, den sie sich in dem Gerümpel gebahnt hatten: Reste aus Leder, Stoff und Pappe, Nato-Draht und Metallstangen, sowie eine Halde verwitterter Fahrräder.

Maik kratzte sich am Kopf und schaute hoch. In einer Fensterfassung sah er die breiten Arme eines Mannes, dazwischen einen kleinen Kopf. Der Mann schaute ihn an. Er schaute den Mann an. Maik spürte, wie alles danach rief, daß er, der Fremde, etwas sagte, doch verstärkte die Stummheit desjenigen da oben nur seine eigene. Maik sah hoch und auch ein paarmal zu Boden oder um sich herum. Der andere jedoch ließ seinen Blick nicht von ihm ab. Einmal linste auch das Mädchen, aus der Scheune kommend, zu Maik hin.

»Ich suche die Mühle, und ich suche Vera«, rief er hoch.

»Heute sind alle weg«, sagte der Mann mit tiefer Stimme. Er trat einen Schritt nach hinten, schlug einen weißen Umhang über die Schultern und plazierte sich wieder zwischen den Fensterbalken.

»Fünf Minuten Pause«, rief er zu dem Jungen hinab. Der

nickte und verschwand im Haus. Das Mädchen arbeitete weiter. Maik kam die Stimme des Mannes bekannt vor. Er wunderte sich darüber, was ihm an diesem Tag alles schon bekannt vorgekommen war.

»Das hier ist die Mühle?«

Er nickte.

»Und wo ist Vera?«

Er lächelte. Maik kam sich vor wie ein Depp. Sein Hals wurde langsam starr. Er konnte kaum noch auf einem Fleck stehen. Der andere lächelte immer ungenierter.

»Fünf Minuten Pause«, sagte er zu dem Mädchen, »aber draußen bleiben.«

Das Mädchen setzte sich auf einen Baumstumpf und schaute auf dem Boden entlang in Maiks Richtung. Maik versuchte ein paar Schritte zu gehen, doch stieß er ständig gegen herumliegende Gegenstände. Um nicht mehr den Kopf hochhalten zu müssen, beschäftigte er sich mit dem Hervorholen und Anzünden einer Zigarette.

»Heute morgen sind unsere Leute zum Bergfest gefahren. Manche kommen erst morgen abend zurück. Ich weiß nicht, wann Vera wiederkommt. Was führt dich zu ihr?«

»Ich möchte sie wiedersehen.«

Maik fand, der andere sah aus, als sei ihm etwas Besonderes erzählt worden.

»Wo finde ich sie auf dem Bergfest?«

»Hat sie dich gerufen?«

Maik wollte seine Frage wiederholen, er wollte weiter. Aber die unverschämt lange Pause, die der Mann im Fenster ließ, sagte ihm, daß er besser vorankäme, wenn er nicht die eigene Frage wiederhole, sondern die des anderen beantworte. Er wunderte sich, daß er bereit war, der kleinen autoritären Geste zu folgen.

»Sie hat nicht mal meine Telephonnummer, wie soll sie mich da rufen.«

»Du findest unsere Leute an dem Stand mit Ledersachen, gleich neben der Bühne.«

»Schön hier. Gute Luft«, sagte Maik.

»Wir sind froh, daß der Winter vorbei ist.«

Er hob sich vom Fensterbrett und trat in den Hintergrund. Maik sagte Tschüs zu dem Mädchen, das auf seine Schuhe schaute. Er ging über den Wassergraben, in die Nähe des Hundes. Allerdings trottete er diesmal nicht vor ihm her, sondern blieb, nach Fliegen schnappend, die ihn umschwirrten, am Graben zurück.

Maik verlängerte seinen Aufenthalt um eine Nacht. In dem verräucherten Gastraum der Pension nahm er unter den aufmerksamen Blicken des Wirts ein Frühstück zu sich und schlug die regionale Tageszeitung auf. Unter *Tips für die Familie* fand er nicht nur einen Hinweis auf das Bergfest, sondern auch eine Wegbeschreibung.

Der Parkplatz war vollgestellt mit alten VW-Bussen und klapprigen 2CV, überall die Fenster, Türen oder Dächer offen, es war heiß. Das Bergfest war alljährliche Tradition, doch parkten nur wenig Fahrzeuge mit dem lokalen Kennzeichen. Die meisten kamen aus umliegenden Städten und Landkreisen. Nur am Bierstand, gleich hinter dem Eingang, konnte Maik so etwas wie eine Dorfbevölkerung erkennen, die aus Männern bestand, die im Mittagsschatten Weißbier tranken. Auf den Plakaten waren zwanzig Bands für zwei Tage angekündigt. Die Wege gesäumt von Verpflegungs- und Verkaufsständen. Süßliche Luft über allem. Seidenhemden. Lederfransen. Das gefiel ihm. Es war wie früher. Er konnte sich noch gut erinnern. Maik ging durch die Reihen. Der Speichel lief ihm zusammen. Die Wangen schienen zu glühen. Immer tauber werdende Zunge. Gänsehaut. Ein sonniges Grienen legte sich auf sein Gesicht. Er wußte das, auch wenn er es nicht sah. Es war wie früher unter LSD, wenn es endlich zu wirken begann.

Die Verkäufer saßen zugedröhnt hinter ihren Ständen, die Besucher zugedröhnt auf der Wiese, den nächsten Auftritt erwartend. Von weitem schon fiel ihm zwischen all den *Matten* und *Peitschen*, wie sie ihre Langhaarschöpfe nannten, in der Nähe der Bühne ein agiles Häuflein auf. Immer wieder zogen die ungewöhnlichen Silhouetten von Jungen und Mädchen mit kurzen Haaren oder kahlgeschorenen Köpfen seinen Blick auf sich. Sie saßen nicht, wie die meisten, mit geschlossenen oder offenen Augen dösend da, sondern bewegten sich immerzu. Es war ein Kommen und Gehen vom einen zum andern, und es schien ihnen Spaß zu machen. Sie waren nicht so bunt wie die anderen angezogen, sondern trugen eine Art Arbeitskleidung, in der sie einander ähnelten. Maik vermutete, daß sie genauso nüchtern waren wie er, sah dann aber in ihrer Runde einen Riesenjoint herumgehen. Und meterlang nebeneinander hingen die Ledergürtel. Er wischte mit einem Prüfblick schnell über die Gruppe gleichblasser Gesichter, um zu sehen, ob Vera dabei war. Oder, so sein Gedanke, fand er sie nicht, weil er sie mit abgeschnittenen Haaren nicht mehr erkannte?

Wie mit einem einzigen Schlag hauten fünf Musiker auf ihre Instrumente. Die Bekifften schleppten sich zur Bühne vor, um sich dort sofort niederzulassen. Die Wacheren bewegten sich zur Musik. Einige stürmten auf die Bühne und tanzten für alle vor. Als Maik die Silhouetten der Tanzenden betrachtete, meinte er zu sehen, daß ihre Bewegungen etwas beschworen, das rund war. Was war rund? Der Wunsch? Die Zukunft? Ein Leben ohne Vorschriften? Jedenfalls mußte das, worum es ging, rund sein. Er schnipste den Beat mit den Fingern, so laut und kalt er konnte.

Das Grüppchen am Lederstand redete über die auf der Bühne Tanzenden. Immer wieder zeigten sie zu denen hin. Sie lachten und taten, als tanzten sie zu dem Anblick. Maik schaute und suchte den Witz. Was er dann fand, war Vera als Vortänzerin. Sie hatte sich aus der letzten Reihe derer, die auf die Bühne gestürmt waren, nach vorne getanzt und gab für alle sichtbar den Ton dort an. So war Vera. Aber Vera konnte die Frau auf der Bühne nicht sein, dachte Maik. Auch in der ersten Reihe des Publikums tanzten einige, doch wurde von denen niemand mehr auf die Bühne gelassen. Der Organist gab Vera ein Zeichen, daß sie weiter in die Mitte kommen solle. Sie löste sich von der Tänzergruppe am Bühnenrand und wurde zur Tänzerin der Band.

In dem langen durchsichtigen Kleid und der engen, zu kurzen Weste sah Maik die Indianerin aus dem *Golem* wieder. Sie tanzte mit ihren unvergessenen Schwüngen, die von den Zehen bis in die Finger das Runde anriefen, zu einem psychedelischen Lied, langsam aufgebaut, nach dem Höhepunkt des Doppelsolos von Gitarre und Orgel die wohlige Anfangsruhe wiederaufnehmend, und es endete mit einem am Schluß minutenlang nur angetupften Baß, im Herzschlagrhythmus. Zu jedem Pochen des Basses pumpte sie ihr Becken nach vorn.

Hinter der Plane des Lederstandes spielten die Kinder der Ledersachenverkäufer in einer Mulde mit Wasser, betreut von einem oben am Rand sitzenden Langhaarigen mit Pferdeschwanz, der sich mehr um die Musiker auf der Bühne als um die Kinder in der Mulde kümmerte. Dieser

Mann kam Maik bekannt vor, aber er wußte nicht, wo er ihn schon einmal gesehen hatte. Manchmal sah es aus, als lege er seinen Kopf in die Kurve der Melodie. Die Kinder machten es ihm nach. Aus dem wippenden Fuß wurden springende Beinchen, aus dem mal in diese, mal in die andere Richtung schräg gehaltenen Kopf wurde etwas kopfwackelnd Tattriges. Dann warfen sie sich auf die Erde und krümmten sich vor Lachen.

Maik wollte Vera sehen, doch nicht zu nahe an die Bühne gehen. Er wollte den Lederstand im Auge behalten, dort aber nicht auffallen. Er hätte gern seiner Freude nachgegeben, doch fiel ihm wieder ein, daß er für Vera gestorben war. Er setzte seine Sonnenbrille auf, entfernte sich von der Bühne und ging in einigem Abstand um den Verkaufsstand der Kurzhaarigen herum, bis er auf der Wiese einen Platz fand, von dem aus er sie *observieren* konnte. Das Wort erschien ihm angemessen für das, was er von sich erwartete: kalt zu sein oder wenigstens einen kühlen Kopf zu bewahren. Als er den Mann mit dem Pferdeschwanz nicht mehr vor sich hatte, fiel ihm ein, daß er ihn am Vortag bei seinem ersten Rastplatzstop hinter dem Steuer des aus allen Ritzen qualmenden Lieferwagens mit Berliner Kennzeichen gesehen hatte.

Vera war nicht mehr auf der Bühne. An ihrer Stelle tanzte eine junge Frau, ein Mädchen in ähnlich runden Bewegungen zu einem nicht aufhören wollenden Schlagzeugsolo. Plötzlich war er nicht mehr sicher, ob er sie eben wirklich gesehen oder sich das nur eingebildet hatte. Vorher, als er meinte, Vera erkannt zu haben, stand er weiter von der Bühne entfernt. Der Lederstand und der Platz hinter der Plane waren fast leer. Dort spielten noch die beiden Kinder, ein Junge und ein Mädchen, der Junge vielleicht fünf, das

Mädchen drei Jahre alt, vor den Augen ihres Aufpassers. Der schaute allerdings nicht die Kinder an, er schaute auch nicht den Musikern zu, sondern blickte aufmerksam neben die Bühne. Maik betrachtete den spielenden Jungen mit dem Willen, etwas wiederzuerkennen, und schaute dann auch zur Bühne. Er sah ein Knäuel Menschen. Die Kurzhaarigen redeten auf jemanden ein. Er streckte sich und sah Vera in der Mitte, ähnlich eifrig und erregt gestikulierend wie die anderen. Das Bild hätte *Alle gegen eine* heißen können, dachte er. Nach einer Weile verließen sie die Ecke neben der Bühne und kehrten zum Lederstand zurück, die anderen in kleinen Grüppchen, Vera als letzte, allein. Maik fragte sich, warum die einheitlich Kurzhaarigen mit zwei Langhaarigen zusammen waren. Vera ging zu dem Pferdeschwanz, der auf die Kinder aufgepaßt hatte. Sie legte ihren Kopf in seinen Schoß. Ihr Körper zuckte, während der Mann ihr über die Haare strich. Die Kurzhaarigen schauten nicht mehr hin.

»Ich suchte mir einen günstigen Platz und ließ sie nicht mehr aus den Augen«, sagte Maik zu mir. Er legte das Piece, das er am Vortag bei Tailer gekauft hatte, auf den Tisch und begann eine Zigarette zu drehen. »Da war ein Saftstand, ich bestellte ein Getränk und sah, daß die beiden Kinder sich dazugesellt hatten und ihre Köpfe dicht an Veras hielten, wie um sie zu trösten. Dann löste sich das Bündel aus vier Köpfen auf. Der Mann gab Anweisungen und ging zu den Kurzhaarigen, mit denen er debattierte. Die Kinder sammelten ihr Spielzeug ein, Vera stopfte die herumliegenden Dinge in zwei Reisetaschen. Sie hatten vor, zu gehen. Es war ein rascher Aufbruch, fast wie in Not. Ich hatte vor, sie nicht einfach gehen zu lassen.«

Maik konzentrierte sich auf die Kinder. Der Junge hätte

das Alter seines Sohnes haben können. Maik suchte nach Ähnlichkeiten, und er fand welche.

Auf dem Parkplatz steuerten sie den hellen Lieferwagen an, den Maik schon einmal gesehen hatte. Sie hoben die Kinder auf die Rückbank, sie wuchteten die Taschen in den Laderaum. Im nächsten Moment saßen sie auf der Vorderbank.

»Und ich stand zehn Parkreihen entfernt starr neben meinem Auto. Ich hatte keinen Anfangssatz gehabt, keine Anfangsbewegung, keine Einstellung, nichts. Es kam mir vor, als hätten Veras Bewegungen wieder ausgesehen wie damals, während der Schwangerschaft. Ich setzte mich ins Auto und fuhr hinter dem Lieferwagen her.«

Maiks Hinterherfahren auf der ausgestorbenen Landstraße führte ihn vom Bergfest zurück zur Mühle. Unter jedem Ortseingangsschild stand *Zonengrenzbezirk*. Im Auto vor ihm wurde pausenlos diskutiert. Zwischen Heck- und Frontscheibe wischten die Arme der beiden hin und her. Während der Autofahrt arbeitete er an seinem Anfangssatz und kam zu dem Ergebnis, daß er nur nach dem Kleinen fragen und Vera nicht belästigen wollte mit Fragen nach ihr selbst. Sicher hätte er gern gewußt, was sie in der Zwischenzeit erlebt hatte. Doch hatte er nicht vergessen, daß er für sie gestorben war. Für meinen Sohn, sagte er sich, bin ich nicht gestorben.

Sie öffneten die Türen, die Kinder stürmten über den Steg auf den Mühlenhof. Sie ließen die Taschen im Wagen und begaben sich, während Maik immer noch in seinem Auto saß, sofort in die Mühle. Wegen dieser verpaßten Gelegenheit fluchte er in seinem Wagen so laut, daß der Pferdeschwanz sich noch einmal umdrehte, um zu sehen, ob da jemand war.

Zwischen Wassergraben und Zaun entdeckte Maik eine kleine Erhöhung, von der aus er in den Hof schauen konnte. Zwanzig Männer und Frauen saßen in einer Art Kreis, der noch nicht ganz geschlossen war. Der Junge und das Mädchen hatten nicht nur den Steinberg abtransportiert in die Scheune; auch alles andere Gerümpel war fortgeschafft. Die beiden saßen mit dem Rücken zum Haus auf einer Holzbank und redeten kein Wort. Er erkannte einige vom Festival wieder. Er meinte auch die zwei Frauen aus dem Ziegelhof wiederzuerkennen, in langärmeligen Strickjacken. Allerdings war die Schöne nicht dabei.

Der Mann, der Maik verraten hatte, daß Vera auf dem Bergfest war, trat mit einem für wenige Sekunden unerhört breiten Grinsen aus dem Haus, und die anderen beendeten ihre Gespräche. Es war Fred. Fred aus Sommersell, nun mit kurzen Haaren. Maik hatte ihn breit und schön lachend in Erinnerung. Vor ein paar Stunden jedoch war er total ernst. Zügig wurde der Kreis aus alten Holzstühlen und Sitzbänken geschlossen. Fred sprach Vera und ihren Freund an. Die anderen hörten zu. Daraufhin setzte Vera sich auf einen entfernt stehenden Stuhl. Fred sprach den Jungen und das Mädchen an. Auch sie sollten sich räumlich trennen und taten es. Maik hörte kein Wort. Er las die Gesten.

Nun stand eine der agilen Frauen auf, die Maik am Lederstand gesehen hatte, und sprach von ihrem Platz aus mit Fred. Dabei zeigte sie hin und wieder auf Vera und ihren Freund. Vera schüttelte den Kopf und winkte ab. Ihr Freund senkte seinen und hielt die Hände vor das Gesicht. Fred hörte ihrer Rede andächtig zu und ließ seinen Blick wandern. Alle saßen ordentlich da, und niemand außer der, die sprach, gab einen Ton von sich. Maik überlegte, wo er so etwas zuletzt gesehen hatte. Nicht mal bei einer Probenbesprechung ging es so geordnet zu. Das haben wir doch ein für alle Male abgeschafft, murmelte er vor sich hin. Fred erhob sich, stellte sich vor die sitzende Vera und sprach mit ihr. Sie stand auf und schlurfte in die Mitte der Stuhlrunde. Fred setzte sich auf ihren Platz. Alle änderten noch einmal schnell ihre Sitzpositionen. Vera ging auf die Knie. Die Hände vor dem Schoß, zu Boden schauend, erzählte sie den anderen irgend etwas.

Maik, im Unterholzgestrüpp auf der kleinen Anhöhe, verstand kein einziges Wort. Um so schärfer betrachtete er die Anwesenden. Fred und Veras Freund saßen mit dem Rücken zu ihm. Vera sah er im Profil. Das Völkchen vom Lederstand saß mit den Gesichtern zu ihm. Vielleicht sagte Vera da unten gar nichts, dachte Maik, vielleicht betete sie, ja, sie kniete und betete, doch die anderen beteten nicht mit – einige grinsten. Dann fiel Vera vornüber in den Sand, fast ohne sich mit den Händen abzustützen. Sie erhob sich, warf die Haare mit einem Kopfruck nach hinten und stapfte im Kreis herum, um jeder und jedem ihre mit feuchtem Mühlenhofsand beschmierte dunkle Gesichtshälfte zu zeigen.

Und nun redete sie mit ihren Mitbewohnern, Maik sah sofort, daß das mindestens ein Schimpfen war, während sie weiterhin im Kreis und nah an den Gesichtern der anderen vorbeiging. Mit beiden Händen verteilte sie den feuchten Mühlenhofsand auf ihrem Gesicht. Niemand grinste mehr. Maik hörte nur die Satzfetzen, die sie denen zuwarf, die mit dem Rücken zu ihm saßen.

So also sieht das aus, wenn sich jemand in Rage redet, dachte Maik. Die Wörter wurden lauter und in Silben für ihn verständlich. Vera ging Runde für Runde ein wenig mehr vorgebeugt, und je gebückter sie da entlangstapfte, desto weiter mußte sie sich nach vorn und seitwärts zum Ausholschritt strecken – so daß sie Maik immer kleiner und gnomenhafter erschien. Sie redete und redete, und alle hörten ihr zu. Ihre Paraderolle, dachte Maik. Zwischendurch zeigte sie mit den Fingern auf diesen und jenen und zog jeweils das Knie ein wenig an. Ihre flinken Hände waren zum Gestikulieren ebenso dienlich wie die ausgefahrenen Arme zum Wahren ihres Gleichgewichts. Dann blieb sie stehen und streckte die Arme in die Höhe, und streckte sich noch höher und somit ihre Arme noch höher – und riß sie auf kürzestem Weg nach unten, so daß es auch Vera im Ganzen hinunterzog wie einen Klumpen.

»Ich laß es mir nicht verbieten, zu tanzen, und ich laß es mir nicht verbieten, einen Freund zu haben, und ich laß es mir nicht verbieten, Kinder auf die Welt zu bringen, und ich lasse mir überhaupt nichts verbieten, was mich, was meine Person betrifft, was nur ganz allein ich entscheide, weil es nur ganz allein mich etwas angeht, und ich laß mir auch nicht mehr sagen, Geh in die Mitte, zeig uns dein Problem, sprich dich aus, und ich laß mir nicht mehr vorschreiben, mit wem ich ficken darf, soll, muß und mit wem ich nicht darf, soll, muß. Ich komme von ganz woanders her, und wenn ihr euch erinnert, dann fällt euch ein, daß ihr auch einmal von ganz woanders hergekommen seid, ja, und ihr habt euch dann nur verlaufen in eurem Wahn«, hat sie gesagt, sagte Maik und erklärte mir, daß er diese Rede aus den Schnipseln zusammengesetzt habe, die er von der kleinen Anhöhe aus aufschnappen konnte. Vera sei dann vulgär und persönlich geworden. Sie habe die um sie herum Sitzenden einzeln beschimpft und beleidigt. Die beiden Kinder seien im Haus die Treppen hinuntergekommen und an die Tür getreten, um zuzuschauen.

»Blamier dich nicht noch mehr, als du dich schon blamiert hast bei uns, Mädchen, und laß doch endlich den Konflikt mit deinem Vater raus. Wenn dich etwas fertigmacht, dann ist der es. Den verdrängst du, wenn du hier rumschreist«, rief Fred zu ihr hin, um eine halbwegs so laute Stimme bemüht.

»Ich laß mir nichts verbieten, ich laß mir nichts vorschreiben, ich laß mir nichts einreden, ich laß mir nichts ausreden. Laß mich!«

»Dann geh doch.«

»Ich laß mir nicht vorschreiben, daß ich gehen soll.«

»Dann geh eben nicht – aber hau ab.«

»Ich gehe.«

Keiner der anderen mischte sich in das Gespräch ein. Vera trottete durchaus selbstbewußt, wie Maik fand, langsam dem Haus, ihren Kindern entgegen, die vor ihr wegzulaufen schienen und wieder im Haus verschwanden. Fred tat ein paar Schritte zu ihr hin. Er blieb dann aber stehen, um ihr, wie es Maik vorkam, desto lauter hinterherbrüllen zu können.

»Geh nur, du Kleinfamilienscheißerchen, geh nur, werde nur glücklich in deinem Gefängnis, werde nur so glücklich wie die ganzen Systemiten draußen in ihrem Gefängnis, da gehörst du hin, da kommst du her, da gehst du wieder hin.«

»Ich laß mir nichts vorschreiben.«

»Hier bleibst du nicht. Wasch dich erst mal, Kind.«

Mit einem schrillen Schrei verschwand Vera im Hauseingang. Ihr Freund stand ohne eine Geste, ohne ein Wort auf und folgte ihr. Fred beendete die Sitzung. Die anderen steckten die Köpfe zusammen. Fred führte den Jungen, der am Tage Steine geschleppt hatte, zu der kurzhaarigen Frau, die ihm am Anfang der Sitzung etwas zugeflüstert hatte. Das Mädchen, das am Tage Steine geschleppt hatte, nahm er an die Hand und führte es zu einem der kahlköpfigen Männer.

Im Unterholz auf der kleinen Anhöhe knackten die Zweige, als Maik sich erhob. Unten reckten sich einige Hälse in seine Richtung. Jemand stand auf, um besser zu sehen. Maik sprang über den Wassergraben. Das Herz schlug am Hals. Er rannte zum Auto und raste davon. Im Rückspiegel sah er, daß sie auf sein schnelles Wegfahren und sein Auto aufmerksam geworden waren. Er fuhr zu seiner Pension, zögerte aber, den Wagen sozusagen vor seinem Zimmer abzustellen, und fuhr ans andere Ende des Dorfes. Er fand eine Lücke zwischen zwei Lastwagen, in der er parkte.

Es war dunkel geworden in der vergangenen halben Stunde. Die Sträßchen und Wege nun wieder so leer wie kurz einmal zur Mittagszeit. Maik ging dem Kirchturm entgegen, dann an seiner Pension und am Lebensmittelgeschäft vorbei und weiter in Richtung Mühle. Um ein wenig Zeit vergehen zu lassen, bog er nach links zum Sportplatz ab und umrundete das vom Flutlicht bestrahlte Fußballfeld, auf dem eine Jugendmannschaft trainierte. Sie machten gerade ein Spielchen. Maik meinte sofort jene, die ihre Stars, den stocksteifen Libero, den kleinen dicken Mittelstürmer, den langhaarigen Regisseur, imitierten, unterscheiden zu können von denen, die sich in ihren Bewegungen von den Möglichkeiten des eigenen Körpers leiten ließen. Er fragte sich, was man mit so einer Wahrnehmung anfangen solle. Er schrieb sie seiner Aufregung zu. Als er einmal um den Platz herum war, hatte das Bild sich gewendet. Die einen waren doch eher die anderen. Er zündete sich die nächste Zigarette an der soeben abgebrannten an.

Maiks Plan war, direkt auf die Mühle zuzugehen, Hof und Haus zu betreten und Vera zu einem Gespräch aufzufordern. Fred würde ihm nicht ein zweites Mal vorspielen, ihn nicht zu kennen. Und auch wenn er für Vera gestorben war, so kannte sie ihn doch noch. Und sie hatte den Sohn.

Schon von weitem erkannte er Leben am Eingang zum Mühlenhof. Nach und nach wurden am Wegesrand Kisten gestapelt. Wenn Autos kamen, wischte Maik seitlich in die Büsche, um von den Mühlenbewohnern nicht entdeckt zu werden. Eines der Autos, ein blauer Ford Transit, hielt vor dem Mühleneingang. Die Kisten wurden eingeladen. Maik pirschte sich näher heran, mußte jedoch immer wieder in die Büsche ausweichen.

Dort hockend, fiel ihm erst wieder ein, was er sich für diesen Gang vorgenommen hatte. Er stieg aus den Büschen hervor, schüttelte die Haare und ließ sich vom nächsten entgegenkommenden Fahrzeug anstrahlen und blenden. Seine Schritte blieben fest, wurden etwas langsamer. Vera und ihr Freund und ein anderer Mann, wahrscheinlich der Fahrer, verstauten die Kisten im Laderaum des Wagens. Maik war fast auf der Höhe des Autos angekommen und wollte die Straßenseite wechseln und seinen Anfangssatz sagen, als er in dem Dritten, der den beiden beim Einräumen half, Udo erkannte. Udo ließ die Ladeklappe fallen, stieg in den Wagen und startete den Motor. Sie fuhren davon. Er schaute in die Einfahrt zum Mühlenhof, wo außer dem müden Hund, der am Wassergraben Wasser aufschlappte, niemand mehr war. Auf der anderen Seite des Grundstücks sah er den Lieferwagen von Veras Freund losrollen. Aus dem Obergeschoß der Mühle drang ein Stöhnen, das nach Schmerzen klang.

Maik hatte nichts zum Schreiben dabei und sagte auf dem Rückweg die Buchstaben und Zahlen des Ford-Transit-Kennzeichens vor sich hin. Im Gastraum der Pension ließ er sich vom Wirt einen Zettel und einen Kugelschreiber geben und notierte Udos Nummernschild. Als er dem Wirt den Kugelschreiber wiedergab, nickte der in eine andere Richtung und zwinkerte mit einem Auge. Maik steckte den Kugelschreiber ein, drehte sich und sah die Schöne vom Ziegelhof allein an einem Tisch sitzen. Er bedankte sich beim Wirt und schaute wieder zu dem Tisch – darauf gefaßt, daß dort nun jemand anderes oder niemand sitzen würde. Doch da war immer noch die Schöne. Er ging auf das Linienspiel in ihrem Gesicht zu, das mit dem Wort Lächeln nicht zu beschreiben wäre, und setzte sich neben sie.

»Ich heiße Maik.«

»Und? Hast du sie gefunden?«

»Ich will nicht weiter ›Die Schöne‹ sagen, wenn ich an dich denke.«

»Ich tippe darauf, daß sie noch in der Mühle wohnt. Oder?«

»Kommst du von der Mühle?«

»Nein danke, da kriegt mich niemand hin. ›Die Schöne?‹«

»Oh ja! Wenn jemand von euch zur Mühle gezogen ist – wo geht er hin, wenn er die Mühle verläßt?«

»Vielleicht zum Ziegelhof. Ansonsten ist man in diesem Landkreis durch und muß in einen anderen ziehen. Dorfleben eben.«

»Das kann kein Zufall sein, daß du hier sitzt.«

»Nein, das kann kein Zufall sein, vieles spricht sich rum«, sagte sie leicht berlinernd und lachte. Er fragte sich, was sich herumgesprochen hatte, traute sich aber nicht, sie zu fragen. Hatte sich herumgesprochen, daß er in dieser Pension wohnte oder daß er am Rand der Mühle heimlich zugeschaut hatte, oder war er am Nachmittag beim Bergfest jemandem aufgefallen? Oder steckten diese Grüppchen, was sie auch übereinander sagen mochten, alle unter einer Decke? Die Schöne gähnte das schönste Gähnen, das Maik jemals gesehen hatte, und schüttelte den Kopf.

»Nun sag schon: Hast du Vera gefunden? Ich habe mich mit ihr ganz gut verstanden.«

»Wer weiß, wo die ist. Aber wie ging es ihr in den letzten Jahren? Ich hab sie lange nicht mehr gesehen.«

»Dann bist du nicht in der Mühle gewesen. Laß uns rausgehen.«

Es war kühl und ging auf Mitternacht zu. Er hatte Fragen über Fragen. Zum Beispiel dachte er an die beiden Ziegelhofbewohnerinnen, die bei der Sitzung auf der Mühle anwesend waren. Doch er nahm sich vor, mit keiner einzigen Frage überhaupt erst anzufangen, da er dann nicht mehr aufhören würde. Während sie die Stufen des kleinen Kirchbergs nahmen, legte er seinen Arm um ihre Schultern, woraufhin sie sogleich seine Hüfte umfaßte. Oben angekommen, gingen sie an die Steinbrüstung und schauten Arm in Arm auf das Dorf hinab. Wenigstens eine seiner Fragen schien sie damit beantwortet zu haben.

Sie setzte sich auf die Steinbrüstung, er stellte sich zwischen ihre gespreizten Beine. Weich landeten ihre Schuhe auf dem Sandboden. Sie öffnete die obersten Knöpfe seines Hemdes und vergrub ihren Kopf in seiner Achselhöhle. Er zog ihr T-Shirt an einer Seite über die Schulter, strich ihr die Linie vom Ohr zum Schlüsselbein weich und versank in ihrem Duft.

»Ich heiße Maria.«

Sie ließ ihr Auto stehen und ging mit auf sein Zimmer. Sie waren zu erregt, um zu schlafen, und Maik war zu verliebt, um Fragen nach Vera zu stellen.

Gegen Morgen sagte Maria, daß sie vor einem Jahr ihren Freund und Berlin verlassen habe und mit ihrer Tochter zum Ziegelhof gezogen sei. Er fragte sie, was sie über Vera wisse. Sie fragte ihn, was er mit Vera zu tun gehabt habe. Er erzählte, wie es wirklich gewesen war, allerdings unter Auslassung des gemeinsamen Sohnes. Es fiel ihm überhaupt nicht schwer, da er seinen Lebenslauf meistens unter Auslassung des Kindes erzählt hatte.

»Laß es sein, lauf nicht deiner Ex hinterher, das führt zu nichts«, sagte sie, als sie in den Rock schlüpfte und das T-Shirt überstreifte. Es war sechs Uhr morgens. Die Lastwagen, die unten um die Hausecke der Pension bogen, schienen durch sein Zimmer zu donnern. Er bildete sich ein, quietschende Schweine zu hören.

»Ich laufe nicht meiner Ex hinterher. Ich suche meinen Sohn.«

»Aber nicht den Mario.«

»Wie alt ist Mario?«

»Er wird fünf. Wie alt soll dein Sohn sein?«

»Sechs Jahre alt.«

»Glaub ich nicht.«

»Hat Vera nie von ihm erzählt?«

»Ich kenne nur Vera und Mario. Wie soll der andere, dein Sohn denn heißen?

»Was hat Vera am Ziegelhof angestellt, daß sie euch so auf die Nerven ging?«

»Vera ist fanatisch, was das andere Leben betrifft. Aber sie sieht nicht ein, daß das alles Arbeit macht. Wir konnten uns nie auf sie verlassen.«

»Und wer ist der Typ mit dem Pferdeschwanz, mit dem sie zusammen ist?«

»Hast du sie doch gesehen?«

»Ja, gestern, beim Bergfest.«

»Das ist Ringo, sie haben eine Tochter. Sie haben auch bei uns gewohnt. Frag mal in der Mühle, da wollten sie hinziehen.«

»Da bin ich gestern gewesen. Vera und Ringo und die Kinder sind ausgezogen.«

»Erzähl! Wohin?«

»Was weiß ich. Sie werden den Landkreis wechseln. Kennst du Udo?«

»Einen Udo haben wir hier nicht.«

»Was ist mit dem kranken Kind bei euch am Hof, zu wem gehört das eigentlich?«

»Das hat Pedro eines Tages mitgebracht. Es wird bei uns gepflegt, so lange es geht.«

»Ich meine: Wer sind die Eltern?«

»Da mußt du Pedro fragen. Wie heißt dein Sohn noch mal?«

Maik sagte nichts, und Maria schlüpfte in die Schuhe. Er stellte sich hinter sie, als sie sich vor dem Spiegel zurechtmachte, und er fand, sie sah wunderschön aus, er dagegen grau und übernächtigt.

»Wir sehen uns wieder.«

»Bleibst du noch länger in der Gegend?«

Er wußte es nicht und küßte ihren Hals.

In die Flurecke gedrückt, erinnerten sie einander nach einer Weile daran, daß dies ihr Abschiedskuß war.

Am Vormittag fand er sein Auto nicht. Auch die beiden Lastwagen standen nicht mehr da. Er erzählte dem Wirt davon, der interessierte sich jedoch dafür, warum Maik den Wagen so abgelegen geparkt hatte. Schließlich sagte er, der Parkplatz gehöre zu der Schlachterei nebenan. Maik hastete da hin und klingelte. Über ihm öffnete sich ein Fenster, in dem ein älterer Mann mit weißem Hemd und Krawatte thronte und abschätzig zu ihm hinunterschaute.

»Guten Tag. Ich habe gestern mein Auto hier abgestellt.«

»Warum das?«

»Wissen Sie davon?«

»Vorne auf dem Schild steht, daß das ein Firmenparkplatz ist.«

»Habe ich gesehen.«

»Warum parken Sie dann hier?«

»Habe ich eben erst gesehen, gestern war es dunkel.«

»Sie sind also auch ohne Licht gefahren.«

»Haben Sie mein Auto abschleppen lassen?«

»Was haben Sie nur für eine Kinderstube gehabt.«

Maik ging zur Pension und fragte den Wirt nach der Polizeistation im Ort. Der ehemalige Dorfpolizist sei vor einem Jahr in die Kreisstadt versetzt worden.

»Bleiben Sie noch eine Nacht?«

Sein Blick hakte sich an einem Kalender an der Wand fest. Das Datum war ihm irgendwie vertraut. Wieder einmal fragte er sich, warum ihm auf dieser Reise so vieles bekannt vorkam. Dann fiel ihm ein, daß er in wenigen Stunden einen Termin in München hatte, und ihm wurde schlecht. Er sagte, er würde abreisen. Nur wußte er nicht, wie.

Er erreichte die Polizeistation in der Kreisstadt telephonisch, nahm ein Taxi und stand vor einer verschlossenen Tür. Der für sein Auto zuständige Polizist, mit dem er telephoniert hatte, war in der Mittagspause. Maik wartete im Flur des Polizeihäuschens und betrachtete ein Fahndungsplakat an der Wand gegenüber. Die Hälfte der etwa zwanzig Photos war mit schwarzen Kreuzen übermalt. Die Namen waren berühmt. Maik überlegte, wer von denen festgenommen worden und wer nicht mehr am Leben war. Er betrachtete die kleineren Bilder in der unteren Reihe. Die Namen waren ihm bis auf einen nicht bekannt, die Fälle offenbar nicht so berühmt. »Oskar Riehmann«, las er. »Bankraub in drei Fällen«, las er, »Geiselnahme und versuchter Mord.« Das Geburtsjahr konnte stimmen. Auf dem Photo war Oskar im Viertelprofil zu sehen, mit hochgeschlagenem Kragen und langen Haaren. Es sah aus wie ein Schnappschuß während der Flucht. Bankraub in drei Fällen, Geiselnahme und versuchter Mord waren auch die Delikte, wegen der die anderen in der untersten Bilderreihe, ein Mann und zwei Frauen, gesucht wurden. Maik fragte sich, ob es sich bei dem Mann um den handelte, der vor ein paar Jahren mit Oskar in seiner Wohnung gewesen war.

Immer wieder schaute er auf das unscharfe Oskar-Bild. Aller Wahrscheinlichkeit nach würde er ihn nie wiedersehen, dachte er. Die Traurigkeit, die ihn auf dem harten Polizeiwachenstuhl überkam, war nicht Trauer um Oskar. Am stärksten war sie, wenn er sich unter den Bildern die Geburtsjahre anschaute. Oft war Maiks Jahr dabei.

Den Polizisten, auf den er gewartet hatte, nahm er wie hinter einer Milchglasscheibe wahr. Er hielt Maik einen Vortrag über das ordnungsgemäße Abstellen von Fahrzeugen. Zum Schluß verriet er ihm, sein Auto sei in einem Dorf abgestellt gleich neben dem, aus dem Maik kam, vor der Mehrzweckhalle.

»Warum haben Sie mir das nicht am Telephon gesagt?«

»Sie haben es am Telephon gar nicht wissen wollen.«

Die Rechnung bekomme er mit der Post zugeschickt.

Das Casting in München begann. Er rief die Produktionsfirma an und geriet an eine Frau, die sich, wie er es hörte, über ihn lustig machte, weil er es nicht schaffte, pünktlich zu kommen. Einen weiteren Termin gab es nicht. Während des Gesprächs gingen ihm die Münzen aus. Die Leitung wurde unterbrochen. Er wagte es nicht, noch einmal anzurufen. München und die Fernsehkrimis waren gestorben.

Er trödelte zu Fuß über ein Feld ins Nebendorf und über ein anderes Feld in das nächste Dorf. Doch hatte er so erst die Hälfte der Strecke zurückgelegt. Er brauchte diese Stunde, um sich an Maria zu erinnern, deren Geruch er schon den ganzen Tag bei sich trug. Er vergegenwärtigte sich die Bilder ihres Abschieds, um herauszufinden, ob sie ihn wiedersehen wollte. Für den Rest der Strecke rief er ein Taxi. Während der Fahrt zog er sein T-Shirt über die Nase, um mehr Maria zu riechen, und redete sich ein, daß er das Fernsehen hasse.

Aus dem Supermarkt neben der Mehrzweckhalle rollten die Einkaufswagen mit Getränkekisten an die Kofferräume heran. Nicht draußen auf den Feldern, hier war die Idylle, dachte er. Auf diesem Mehrzweckgelände hatten Bäume und Sträucher oder Blumen keinen Zweck, also gab es sie nicht. Neben dem Parkplatz auf einer Treppe saßen und lagen Jugendliche in abgerissenen Ledersachen und kniehohen Stiefeln, mit jeder Menge Metallschmuck vom Schrottplatz und grüngelben oder neonroten Haaren. In ihrer Nähe waren alle Parkbuchten frei. Die Idylle, das waren die Bügelfalten in Breitcordjeans. Die vor dem Brustkorb baumelnden Lesebrillen. Die zwei Zentimeter säuberlich über die Ohren gekämmten Haare. Die Aufseherblicke, mit denen sie die Handgriffe ihrer Frauen beäugten. All das fand er genauso schrecklich wie früher, als er sich mit Vera darüber verständigte, doch hatte er längst mit allen Versuchen gebrochen, eine Alternative in Gemeinschaft anzustreben. Für sich selbst hatte er sich meistens eine Alternative in Einsamkeit vorgestellt. Was die Jugendlichen auf der Treppe betraf, zeigte sich die Idylle in dem aufdringlichen Willen, anders zu sein als die anderen und erst aus der Ablehnung der anderen Sichtbarkeit und also Anerkennung zu beziehen, sei es auch eine feindliche.

»Mir war alles aus den Fingern geglitten«, sagte Maik zu mir, »ich habe zwar observiert, es aber nicht geschafft, Vera zur Rede zu stellen, ich wußte nicht mehr über unser Kind als vorher, ich hatte keine Ahnung, wo Vera jetzt wohnte, ich hatte Maria nicht genügend ausgefragt, und nun war auch noch der Termin in München verpatzt. Das alles waren Gründe, meine Suche aufzugeben und nach Hause zu fahren. Aber es waren auch Gründe, so lange zu bleiben, bis ich endlich etwas über Vera und unseren Sohn erfahren würde.«

Eine Gruppe Hippies kam beschwingt aus dem Supermarkt und verstaute das Gekaufte unter den prüfenden Blicken der Cordhosenbügelfalten in ihrem Viertürer. Die einzige Frau in der kleinen Männergruppe lächelte ihn an und kam, nachdem sie die Waren im Lieferwagen verstaut hatten, mit einer Schallplatte auf ihn zu. Sie lächelte ihn an, als habe sie ihr Leben lang auf ihn gewartet, und sprach von der ungeheuren Macht, die von der Musik auf jener Schallplatte ausgehe. Maik wies sie ab, wie jeden, der ihm so kam. Aber noch niemand war ihm so freudestrahlend gekommen, dachte er. Dann: »Schauspielerin!«

Da er nicht wußte, was er zu tun hatte, fuhr er ihnen nach. Unterwegs blieben seine Gedanken, wenn er sich seine bisherige Reise vor Augen führte, immer wieder bei Fred hängen. Fred hatte es am Vortag fertiggebracht, ihm einen anderen vorzuspielen, obwohl sie sich kannten und früher mehrere Tage in der Einflugschneise und in Sommersell miteinander verbracht hatten. Am Ende sah er darin nur noch eine große Frechheit. Er ließ die Hippies fahren, wohin sie wollten, hielt an einer Feldeinfahrt an und suchte auf der Landkarte nach dem kürzesten Weg zur Mühle.

Er wollte sich mit seinem Auto dort nicht noch einmal blicken lassen und steuerte das Dorfzentrum an. Er parkte vor der Pension, die er am Mittag verlassen hatte, und ging die Treppen zum kleinen Kirchberg hoch. Von der Stelle aus, wo er nachts mit Maria gewesen war, schaute er über die Dächer und zu dem großen, starren Mühlrad hinüber. Er klatschte sich auf die Wangen und machte sich zu Fuß auf den Weg, der ihm längst vertraut war. Sein Gang hatte nichts mit dem zögernden Heranschleichen vom Vorabend zu tun. Am Mühlrad angekommen, ging er um den Wassergraben herum und auf der anderen Seite über den Steg auf den Hof.

Alle, die er am Vortag gesehen hatte, und einige mehr wuselten dort herum. Sie bauten an dem Haus ein Gerüst auf. In einer Ecke des Hofes waren frische Dachziegel gestapelt. In einer anderen Ecke saßen der Führer in einem weißen Anzug und drei junge Frauen in knappen kurzen Hosen und schiefen, selbstgeschneiderten Hemdchen und beobachteten die Arbeit der Mitbewohner. Maik begrüßte Fred und setzte sich auf einen Stuhl.

»Hallo, Maik, lange nicht gesehen.«

»Wir haben uns erst gestern gesehen, Fred.«

»Ich weiß. Das ist mir aber erst hinterher eingefallen, du.«

Fred lächelte breit und abschätzig. Die jungen Frauen schienen diese Art des Lächelns zu kopieren. Und Maik hatte nun das blöde Gefühl, daß er das Grinsen der vier kopierte. Es kam ihm lächerlich vor, und er kam sich lächerlich vor. Aber es hielt ihn davon ab, einen Streit anzufangen.

»Du bist nicht mehr in Sommersell?«

»Nein, da wohnen andere. Und du bist immer noch auf der Suche nach deiner Vera?«

»Ich suche Vera, ja.«

»Gestern ist sie ausgezogen.«

»Warum?«

»Sie hat andere Vorstellungen als wir. Sie will die Kleinfamilie, aber die Kleinfamilie gibt es bei uns nicht. Die haben wir überwunden. Wir teilen alles, und zwar alles, und hier sondert sich niemand ab von der Gemeinschaft. Es kann hier keinen Staat im Staat geben. Es ist gut, daß Vera Kinder kriegt ohne Ende. Aber sie kann damit nicht an der Gemeinschaft vorbei nur ihren Kleinfamilienstaat vergrößern. Jedenfalls nicht bei uns.«

»Warum ist sie überhaupt bei euch eingezogen?«

»Gute Frage. Auf dem Ziegelhof sind sie ja auch nicht klargekommen mit ihr. Wir haben es eben versucht.«

Maik sah sich in einer Choreographie. Während er und Fred zurückgelehnt ihre Stühle ausfüllten, berührten die drei Mädchen ihre Sitzflächen an der vorderen Kante. Ihre Oberkörper und ihre Blicke waren zu Fred hin gerichtet, so als müßten sie ihm gleich einen Wunsch erfüllen, den sie noch nicht kannten.

»Weißt du, wohin Vera gegangen ist?«

»Vera wird hinter drei Fenstern in einer riesigen Steinwand verschwinden auf Nimmerwiedersehen. Wenn sie Glück hat, bekommt sie einen Balkon. Zwischen dem fünften und siebten Kind wird ihr ihr Mann davonlaufen. Dann wird sie wieder an uns denken.«

Die jungen Frauen lachten, ohne die Augen von Fred zu lassen. Als wollten sie ihm dauerhaft ihre Verehrung bezeugen. Eine versuchte ihr Hemdchen geradezurücken und zeigte eine blasse Brust.

»Was für ein Staat seid ihr denn hier?«

»Alle reden von der Veränderung oder von der Alternative. Wir leben sie. Ganz einfach. Du kannst das System nur von der Wurzel her verändern, also mußt du die Familie zerstören. Schau sie dir doch draußen an, wie sie alle mit einem Körperpanzer herumlaufen und es nicht einmal wissen. Die größte Panzerproduktion findet in den Familien statt. Da gibt es nur einen Ausweg: Es gibt keine Familien mehr, also gibt es nur noch *eine* Familie.«

»Wo ist Veras Sohn?«

»Sie hat ihn mitgenommen. Genau wie ihren Freund.«

»Ich meine den anderen Sohn, ihren ersten.«

»Hat Vera außer Mario noch einen Sohn?« fragte Fred die Mädchen, und sie schüttelten einträchtig die Köpfe. Sie sahen aus, als seien sie längere Zeit nicht an der frischen Luft gewesen. Ihre Augäpfel waren gelblich.

»Vera ist damals schwanger gewesen, als wir bei dir in Sommersell waren.«

»Ich weiß. Das war Mario.«

»Eben nicht.«

Maik stand auf und ging wie aufgedreht um seinen Stuhl herum. Er schaute kurz zu Fred und erwartete das abschätzige Grinsen, sah jedoch eine Art Ratsucherblick. Seine Mädchen konnten ihm offenbar nicht weiterhelfen. Einer der Gerüstbauer ließ aus Versehen eine Metallstange fallen, die unten knapp neben seinem Zuarbeiter aufprallte. Fred schoß aus seinem Stuhl hoch und ließ einen Urlaut in Richtung Gerüst von sich.

»Habe ich euch nicht gesagt, daß ihr keine gemeinsamen Arbeiten machen sollt? Also los, einer von euch runter von dem Gerüst! ... Vera hat also einen Sohn und noch einen Sohn und vielleicht noch einen Sohn, erzählst du uns«, sagte Fred. »Und du meinst, das interessiert einen von uns im geringsten?«

»Weißt du, wo Udo wohnt?«

»Hört euch das an.«

»Er müßte hier in der Nähe wohnen.«

»Schaut ihn euch an«, sagte er zu seinen Mädchen. Auch die Gerüstbauer drehten sich zu Fred. »Rennt irgendwelchen Individuen hinterher, weil er ohne die nicht leben kann. Aber weil er auch mit den anderen nicht leben kann. Weil er nicht leben kann. Weil er immer nur hechelt, vor seinen Beschädigungen davonhechelt. Und jetzt sucht er die Krüppel, mit denen er die größten Beschädigungen getauscht hat, auch wenn er mit den Krüppeln jahrelang nichts zu tun hatte. So sind sie eben: Krüppel suchen Krüppel, machen Krüppelkinder, rennen voreinander weg und suchen sich wieder. Schaut ihn euch an.«

Er lachte laut und grell. Die drei Frauen hatten sich hinter ihren Stühlen, die Arme jeweils um die Schulter der Nebenfrau geschlungen, aufgestellt wie eine Damenmannschaft nach dem Wettbewerb – in diesem Fall einem verlorenen; ihre Mundwinkel hingen. Mit der mehrmaligen Aufforderung an seine Mitbewohner, sich Maik anzuschauen, war Fred ins Schattendunkel hinter der Haustür eingetaucht. Die drei Mädchen gingen ihm nach, bis sie unsichtbar wurden. Am Gerüst arbeitete man weiter.

»Kein Wunder, daß ich Fred nicht wiedererkannt hatte«, sagte Maik zu mir, »abgesehen davon, daß seine Haare kurz waren, war das Leuchten in seinen Augen verschwunden, das mich vor Jahren dermaßen bestochen hatte, daß ich den Anblick seitdem nicht mehr vergessen hatte und solche hellen, erfüllten Augen auch für mich erstrebenswert fand. Und sein Lächeln hatte alles Herzliche verloren. Er setzte nur noch ein Kampflächeln auf. Überhaupt schien er sich im Kampf zu befinden. Nur gegen wen oder was außer den sogenannten Kleinfamilienmenschen er zu kämpfen hatte, blieb mir noch unklar.«

Wir bekamen schon wieder Hunger. Ich stellte einen Eintopf auf die kleine Flamme.

Auf dem Weg ins Dorf zurück meinte er, jede Fenstergardine, jeden aufblühenden Baum, auch jede hingeworfene Getränkedose am Straßenrand schon einmal gesehen zu haben. Er mietete das Zimmer, das er mittags verlassen hatte, und nahm wie die anderen Männer im Gastraum eine Brotzeit zu sich.

»Zu uns vom Dorf wollen die von der Mühle ja nicht gehören, die meinen, sie sind was Besseres«, sagte der Wirt, als er das Brotzeitbrett brachte.

»Mühle?«

Der Wirt setzte sich auf den Stuhl gegenüber und beugte sich weit über den Tisch.

»Sie gehen doch da immer hin.«

»Ja?«

»Unter uns: Ich habe gar nichts dagegen, wenn die kontrolliert werden, wenn man denen mal genauer auf die Finger schaut. Man macht sich schon seine Gedanken bei dem Geschrei, das da manchmal herüberschallt. Ich will niemanden verdächtigen, aber: Kontrolle ist schon besser.«

Er lächelte wisserisch und schlurfte zum Tresen zurück. Maik versteckte sein Gesicht hinter den Händen und schaute durch die Lücken zwischen den Fingern auf die Brotzeitplatte. Die Cervelatwurst setzte an den Rändern Schweiß an und wellte sich in dem Moment auf, als eine zum Röllchen geformte Schinkenscheibe in sich zusammensackte. Er hörte das Schweinegeschrei vom Morgen, als Maria noch bei ihm war, und um so herzhafter biß er zu.

»Wer wohnt da eigentlich? Das sind doch immer andere. Sind die überhaupt gemeldet hier«, flüsterte der Wirt ihm zu, als er das Bier auf den Tisch stellte.

»Wir haben da ein Auge drauf, da können Sie sicher sein«, sagte Maik. »Was haben Sie sonst noch beobachtet?«

»Vom Feld aus sieht man ja manches. Die setzen sich immer in einen Kreis, dann geht einer in die Mitte und spielt so was wie Theater. Es sieht aber nie aus wie Theater, sondern wie echt. Was machen die da wohl? Treiben die den Teufel aus? Sind die vielleicht unter Drogen?«

Maik zog den Zettel vom vergangenen Abend, auf dem er Udos Autokennzeichen notiert hatte, aus der Jacke und machte Notizen.

»Und was sind das für Kinder, die da wohnen? Immer andere. Und keines geht in unseren Kindergarten. Die älteren gehen hier auch nicht zur Schule. Wer weiß, ob die überhaupt zur Schule gehen. Und wovon leben die? Auf ihren Feldern wächst nichts Richtiges, sie verkaufen nichts, sie gehen nicht arbeiten.«

»Besuchen sie manchmal Ihr Lokal?«

»Trinkgeld ist immer ausgezeichnet. Nichts dagegen. Sind auch eigentlich nette Leute, so jeder für sich. Aber was machen die bloß da draußen? Liegt was gegen sie vor?«

»Ich darf Ihnen darüber leider keine Auskunft geben.«

Der Wirt nickte wie ein Kumpan, nahm das leere Bierglas und den Kugelschreiber und fragte, ob er noch eines bringen dürfe.

»Nein danke«, sagte Maik. »Übrigens: Ich kann doch nicht heute nacht hier bleiben. Machen wir alles rückgängig, ja?«

Der Wirt sagte kein Wort und nickte seinen Gläsern zu. Am großen Tisch in der anderen Ecke redeten sie über Maik, sicherlich nicht, weil sie ihn in einem Stück oder Film gesehen hatten. Maik beobachtete, wie einer dem anderen Instruktionen gab, in genau diesem Moment nicht zu ihm hinüberzuschauen. Der Wirt kam nicht mehr an seinen Tisch und hatte offenbar beschlossen, ihn zu übersehen. Zum Bezahlen ging Maik an den Tresen. Trotz des Trinkgelds verließ er ohne ein abschließendes freundliches Wort den Gastraum. Als Trinkgeld zu hoch, als Ablösesumme zu niedrig, dachte Maik. *Gas-Traum* las er, als er das Schild an der Tür sah.

Es war dunkel geworden. An einer Tankstelle kaufte er Straßenkarten für zwei angrenzende Landkreise. Er fuhr in die Kreisstadt und zog ins größte Hotel, allein um Menschen zu sehen, die keine Dörfler waren. In der Hotelbar war er allerdings der einzige Gast. Bevor er anfing sich wachzutrinken, ging er mit seiner Tagesmüdigkeit aufs Zimmer und schlief sofort ein.

Am Morgen suchte er in den Gesichtern der anderen Frühstücksgäste, was sie so besonders machte. Es war ihre Gesichtsfarbe. Menschen mit einer normalen Gesichtsfarbe hatte er in den vergangenen zwei Tagen kaum gesehen. Die Bewohner des Ziegelhofes und der Mühle hatten bläßlichgräuliche Gesichter. Bis auf Fred und Maria, dachte Maik, und: Warum?

Er blieb im Frühstücksraum sitzen, obwohl die Serviererinnen seinen Tisch schon abgeräumt hatten, und rekonstruierte die Strecken, die er am Vortag und am Tag davor gefahren war. Danach faltete er die beiden neu gekauften Landkarten auf. Er nahm an, daß Maria die Landkommunen in der Gegend kannte und daß Vera etwas weiter weg gezogen war. Er sah immer nur Maria, wenn er auf die Karten schaute, und beschloß, die Gegend nicht zu verlassen, ohne die Schöne noch einmal besucht zu haben. Dann fiel sein Blick auf den Namen Sommersell. Er hatte vergessen oder nie gewußt, wo Sommersell lag. Meistens saß Udo damals hinter dem Steuer, und er knutschte mit Vera auf der Rückbank.

Er bewegte sich Richtung Westen. Bald stand auf den Ortsschildern nicht mehr *Zonengrenzbezirk*. Die Straßen waren in besserem Zustand. Eine Weile fuhr Maik neben einem Höhenzug her, dann mußte er abbiegen und in einen ihm schwarz vorkommenden Wald hineinfahren, in dem er am hellichten Tag die Scheinwerfer einschaltete. Der Waldweg führte nach oben. In den Lichtungen, die er in langsamstem Tempo durchrollte, ließ die Steigung für kurze Zeit nach.

Irgendwo weit oben parkte er und genoß den Anblick der Hügellandschaft, die sich von Südwesten nach Nordosten erstreckte und dem Land eine Aufteilung gab. Die Sonne beschien ein Gebiet, in dem es eben noch geregnet hatte. Das sattgrüne Hügelland dampfte. In dem Tal, in das er hineinschauen konnte, zogen sich eine Autobahn und eine Bahntrasse nebeneinander her. Ein Fluß ringelte sich durch das Tal, um Trasse und Bahn. Zugleich wurde an einer neuen Aufteilung des Landes gearbeitet: Weiter hinten spannte sich eine hohe Brücke quer über das Tal, und sie führte mitten in ein Loch im Berg.

Bis Sommersell durchfuhr er kein Dorf mehr. Er kam nur an einzeln gelegenen Hütten und brachen Gehöften vorbei. Schafherden standen an Steilhängen, als hätten sich die Gesetze der Schwerkraft geändert. Maik mußte in einen hohen geschlossenen Wald hineinfahren und kam auf der Schattenseite des Berges ans Tageslicht. Er sah, daß er sich am Ende der Bergkette befand, denn vor und unter ihm lag flaches Land. Auf halber Berghöhe kamen ihm Traktoren entgegen, und er rollte an dampfenden Feldern vorbei, bevor er Sommersell erreichte. Am klarsten konnte er sich an das abschüssige Feld erinnern, auf dem Udo den Traktor damals im Schlamm versenkt hatte. Maik hatte die Häuser als Flachbauten in Erinnerung.

»Das Ziegelhofdorf und das Mühlendorf sind schon stille Ortschaften gewesen, in denen jede unübliche Bewegung sofort auffiel«, sagte Maik zu mir. »Sommersell dagegen war noch stiller als still und erschien mir im ersten Moment wie evakuiert. Aber ein Schulbus hielt an einem Stromverteilerkasten und entließ einen Jungen, der an dem Haus daneben klingelte.«

Nach einigem Hinundherfahren hatte er sich ein Bild von dem Dorf gemacht und ging zu Fuß die Höfe ab, die an diesem Nordhang gelegen waren. Am Ende der Reihe, kurz bevor er umdrehen wollte, sah er bei einem Häuserkomplex, der hundert Meter abseits der Straße lag, neben einigen anderen Autos einen blauen Ford Transit stehen. Zwei Felder, die zu dem Gehöft gehörten, waren abschüssig. Die drei Häuser, ein langgezogenes Haupthaus und zwei einrahmende Flügel, waren Flachbauten.

Bis auf das abschüssige Feld und die Häuser sah nichts mehr so aus wie damals. Genaugenommen, dachte Maik, hatte zur Zeit der Reise nach Sommersell und Huisheim die Trennung zwischen ihm und Vera begonnen. Es passierte ihm in letzter Zeit immer häufiger, daß er Augenblicke oder Momente aus der Zeit mit Vera in absoluter Deutlichkeit sah, so als sollte er über das, was ihm da filmisch geliefert wurde, nachdenken. Er orakelte mit den sich aufdrängenden Bildern herum und spielte Möglichkeiten durch, was gewesen wäre, wenn. Er suchte den entscheidenden Fehler in seinem früheren Verhalten. An den Gabelungen seines Lebenswegbaumes verstellte er in Gedanken die Abzweigungen und phantasierte weiter, welche Abzweigungen wiederum daraus entstanden wären, mit welchen Folgen und Seitenwirkungen.

Die vielleicht hundert Meter zu dem Parkplatz, der vor den Häusern lag, führten ihn hügelauf, so daß er Zeit genug hatte, sich in die Situation dessen zu begeben, der über den nachdachte, der er selber war. Obwohl – sein Selbstgespräch wollte nicht enden. Der Parkplatz war von einer Hecke umrahmt. Er sah neben dem blauen Ford Transit den Lieferwagen von Veras Freund Ringo stehen. Das Flügelgebäude war tadellos renoviert. Zwischen den Flügeln, vor dem Haupthaus, wuchs ein satter Rasen. Der Zaun war so niedrig, daß Maik ihn erst oben bemerkte. Kein Mensch in Sicht.

»Sommersell, das war eine andere Kategorie«, sagte er zu mir, »der Ziegelhof ist eine an einem toten Gleisbett gelegene heruntergekommene ehemalige Bahnhofsstation gewesen, die mühsam bewohnbar gemacht worden war. Die Mühle ist ein ebenso heruntergekommener Altbau gewesen, mit einem Hof, der einer ausgelagerten Abstellkammer glich. Die meisten Bewohner sahen krank aus. Ich fragte mich, wie wohl die aussahen, die in dieser prächtigen Anlage wohnten.«

Außer den beiden Autos deutete nichts darauf hin, daß es sich um das Anwesen Westberliner Aussteiger handeln sollte. Hinter dem Zaun, mit den Rücken zur Flügelhauswand, saßen auf einer Sandkasteneinfassung nebeneinander vier dünne Kinder. Sie waren zwischen fünf und acht Jahren alt und trugen groß geratene blaugraue Kittel, wie man sie von Lagerarbeitern kennt – allerdings mit hochgeschlagenen Kapuzen. Ihre Augen waren spaltbreit geöffnet. Sie schauten, wenn sie schauten, geradeaus auf einen Bilderständer, den Maik nur von hinten sehen konnte. Zwar schauten sie manchmal auch Maik an. Aber es wirkte so, als täten sie es, um zwischendurch auch einmal ins Weite zu sehen. Er war sich nicht sicher, ob sie ihn überhaupt wahrnahmen. Sie waren weit draußen.

Maik suchte und suchte in ihren Erscheinungen etwas, das ihn an Kinder erinnerte. Sein nächster Gedanke sagte ihm, daß es nicht Kinder waren, sondern Zwerge, die man in Trance versetzt hatte. Er rief ein Hallo hinüber und bekam keine Antwort, nicht einmal einen Blick aus ihren Sehschlitzen. Auch wer Mädchen, wer Junge war, konnte er nicht erkennen.

Die ganze Zeit lang bewegte sich draußen auf dem Feld eine Arbeitskolonne, unentwegt gebückt, wie eine vielbeinige Raupe langsam über den Hügel. Sie krabbelte dem Parkplatz immer näher. Einer ging der Kriechkolonne mit aufrechtem Gang voran und streute Dinge auf die Erde, die die anderen in den Boden einarbeiteten. Maik mußte immer wieder hinüberschauen, weil ihm der Gang des Anführers bekannt vorkam.

Er kreuzte die Unterarme auf der Gartentür und fragte die Kinder, ob er eintreten könne. Er fragte, was mit ihnen los sei. Ob sie die Sprache verloren hätten. Er wurde lauter. Ob sie echt seien. Eine Frau, deutlich älter als er, trat mit festen Schritten aus der Flügeltür und nahm den Bilderständer aus dem Sandkasten. Sie trug ihn, nahezu im Stechschritt, ins Haus zurück. Ein Zischen aus ihrem Mundwinkel genügte, um die vier dürren kleinen Menschen aufstehen und ihr in das Gebäude folgen zu lassen.

»Was kann ich für Sie tun?« fragte ihn die Frau, die sofort wieder aus dem Haus kam.

»Die reden wohl nicht mit jedem.«

»Sie sind doch nicht hier, um mit den Kindern zu reden.«

Maik wiederholte seinen Standardsatz, daß er mit Vera sprechen wolle. Er sagte seinen Namen.

An der Stelle, wo die vier Kinder gesessen hatten, lagen vier schwarze Augenbinden, die die Frau schnell einsammelte und in einen Korb an der Tür warf.

»Sie müssen sich anmelden«, sagte sie, ohne ihn anzuschauen.

Ihre Aufmerksamkeit galt der Arbeitskolonne, die immer näher kam. Der Anführer hatte einen Hut auf. Maik konnte das Gesicht nicht erkennen. Die Frau sagte ihm die Telephonnummer und tockerte gewichtig zum Flügelgebäude.

Maik ging den Grabenweg weiter hoch, der das weite bucklige Feld säumte. Er kam der krabbelnden Arbeitsgruppe zwar etwas näher, konnte aber das Gesicht des Anführers noch immer nicht erkennen. Er schloß die Augen und versuchte den Menschen zu sehen, der diesen Gang hatte. Er öffnete sie kurz und schloß sie wieder. Er schaute auf, und er sah Linda. Er war sich nicht sicher. Nun drehten ihm alle die Rücken zu.

Er war mit dem Auto ins Dorf gerollt. Als er in der Telephonzelle stand, sah er, daß ein alter Mann sein Autokennzeichen notierte. Wieder sprach er mit der älteren Frau, und wieder wurde er an Linda erinnert. Diesmal waren es der Tonfall und die helle Aussprache der Vokale. Maik wollte nicht, daß ihm noch mehr bekannt vorkam. Er hatte es satt, Neues zu sehen und an Bekanntes zu denken. Sie sagte, er solle zum Parkplatz auf der anderen Flügelseite fahren und dort klingeln. Als er eine Stunde später ankam, stand Ringos heller Lieferwagen nicht mehr neben dem blauen Ford Transit.

Er wurde aufgefordert, die Schuhe auszuziehen. Sie führte ihn in einen weiten hellen Raum. Er setzte sich auf einen Lederwürfel. Nachdem sie die Tür von außen geschlossen hatte, hörte er in der Stille erst ein Schwingen, dann ein Schwirren und Tosen. Zum ersten Mal seit den Meditationen mit Vera konnte er sich einer Stille wieder derart überlassen und in ihr Tiefen hören, die etwas von Tönen hatten, aber keine waren. Es war wie die Musik des Ohrs. Gab es nicht auch einen Film des Auges? Eine Sprache des Mundes? Ein Gefühl der Fingerspitzen?

In dem Raum standen bis auf einen Tisch und sechs Stühle kaum Möbel. Kein Bild an der Wand. Auf dem Tisch eine Kanne mit grünem Tee und vier Schälchen. Die ältere Frau betrat den Raum durch eine andere Tür als die, durch die sie ihn verlassen hatte, und setzte sich gegenüber Maik auf einen Stuhl. Aus einer dritten Tür in Maiks Rücken trat Linda in ihrer phantastischen Art zu gehen an den Tisch heran. Als sie sich ihm gegenüber neben die ältere Frau setzte und sich zum Teeeinschenken etwas erhob, sah Maik, daß sie schwanger war.

»Wie viele Jahre haben wir uns jetzt nicht mehr gesehen, Maik? Das muß ja unglaublich lange her sein.«

Linda zog die Vokale noch länger als früher. Sie schien über jedes ihrer Wörter ein bißchen zu lächeln.

»Wie alt ist Mario?«

»Welchen Mario meinst du?«

»Veras Mario.«

»Fünf ist der wohl. Aber das ist länger her, daß wir uns zuletzt gesehen haben.«

»Dann sind es sieben Jahre. Als Vera zum ersten Mal schwanger war und wir mit Udo in der Einflugschneise gewohnt haben, weißt du noch?«

»Ach ja? Und was ist aus dem Kind geworden?«

»Wie? Was soll aus ihm geworden sein? Es ist Veras Sohn.«

»Davon weiß ich gar nichts. Mama, kennst du Veras älteren Sohn?«

»Ich weiß nichts von einem älteren Sohn«, sagte die Ältere, »ich kenne nur Mario, und Mario hat noch nie erzählt, daß er einen Bruder hätte.«

Sie lachte, etwas zu schrill, wie Maik fand, und dann schwiegen sie beide, als hätten sie ihr Werk verrichtet.

»Kann ich mit ihr sprechen?«

»Haben Sie sich da nicht einfach in den Jahren vertan?«

Maik rechnete allen Ernstes noch einmal nach, doch er konnte unter den Augen der beiden überhaupt nicht rechnen. Die Jahre und die Jahreszahlen, die er im Schnellauf überflog, flossen ineinander, er konnte sie nicht mehr unterscheiden.

»Wir duzen uns, Mama, von früher noch.«

»Würden Sie sich verrechnen, wenn Sie mir das Geburtsjahr Ihrer Tochter sagen sollten? Würden Sie nicht. Kann ich mit Vera sprechen?«

»Vera ist nicht hier.«

»Das habe ich mir gedacht.«

»Vera hat hier noch nie gewohnt«, sagte Linda, »sie kommt nur manchmal zu Besuch.«

»Haben Vera und Ringo euch gesagt, wo sie hinfahren«, fragte Maik.

»Du kennst Ringo?«

»Auch sein Auto.«

»Ja, wo wohnen die beiden jetzt eigentlich?« fragte die Ältere.

Erst hatte Linda wirklich überlegt, dachte Maik, dann zeigte sie, daß sie überlegte, und dann schob sie die Schultern hoch und ließ sie fallen, als gehörten sie nicht zu ihr.

»Ich habe nur kurz mit ihr geredet«, sagte sie, »und sie nach nichts Großem gefragt.«

»Wen hat sie denn dann hier getroffen?«

Die beiden zuckten synchron mit den Schultern.

»Hier wohnen mehrere Gruppen«, sagte die Ältere, »wir sind nicht die einzigen.«

Seine Hoffnung, etwas über Veras Aufenthaltsort zu erfahren, war verflogen. Er blätterte in dem Prospekt, der auf dem Tisch lag. Eine Kosmetikserie. Natur. Was sonst. Wie damals in Sommersell, dachte Maik, nur hatten sie damals nicht solch einen Prospekt und nicht diese repräsentative Haus-und-Hof-Anlage gehabt. Das Gefühl der Aussichtslosigkeit, also der Sicherheit, von denen da nichts mehr zu erfahren, was ihn interessieren könnte, verbesserte seine Laune. Mit jedem Blick, den er auf irgend etwas warf, fragte er sich: »Ist das nicht komisch?« Das undefinierbare Symbol auf den Trinkschälchen – komisch. Das weiße Viereck an der Wand, wo früher einmal ein Bild hing – genauso komisch wie Lindas somnambuler Sprechsingsang. Die Frauen wollten das eine oder andere von ihm erfahren. Wo er Vera bisher gesucht habe. Wo er sie noch suchen werde. Ob er sich nicht doch um zwei Jahre geirrt habe, was ihren Sohn betraf. Aber Maik gab keine Antworten mehr, mit denen sie etwas anfangen konnten. Er hatte einen Plan. Er fragte sich, warum er bisher an jedem Ort artig seinen wirklichen Namen gesagt hatte.

»Ich fuhr ins Dorf hinunter, stellte den Wagen ab und ging den Hügel zu Fuß wieder hoch«, sagte Maik an jenem frühen Nachmittag in meiner Küche. »Es genügte nicht, denen, die ich während meiner Reise traf, aufzutischen, wer ich war und was ich wollte. Erfolgversprechender wäre es doch, dachte ich, wenn man mich überhaupt nicht sehen würde. Und falls man mich doch bemerken würde, dann brauchte niemand zu wissen, wer ich bin und was ich will.«

Unterhalb des Flügelhauses huschte er quer über ein Feld in die Nähe des Parkplatzes hoch, wo er beim ersten Mal gehalten hatte und wo immer noch der blaue Ford Transit stand. Es war zu hell. Er legte sich in eine angrenzende Wiese und wartete. In der Stunde zwischen Tag und Nacht achtete er auf die Zimmerlichter. Die Räume im Haupthaus waren unbeleuchtet. Bewohner schienen sich nur in den Flügelhäusern aufzuhalten. In dem auf der anderen Seite waren mehr Lichter an als in dem in Maiks Nähe. Der Zaun war so niedrig, daß er achtgeben mußte, nicht über ihn zu stolpern. Auf der anderen Seite blieb er eine Weile in dem ungeschorenen Gras liegen, um abzuwarten, ob er bemerkt und gesucht würde. Mild, doch für sein Gefühl eine Spur zu hell leuchtete der Mond das Terrain aus.

Er begab sich in die Hocke und schlich tief gebückt an die dem Haupthaus abgewandte Flügelhausseite heran. Dort verharrte er, um zu hören, ob seine Geräusche andere Geräusche ausgelöst hatten. Es blieb nachtstill. Nur er allein war da draußen. Im Unterschied zu dem anderen Flügelhaus, wo Linda und ihre Mutter ihn in einem Saal empfangen hatten, befanden sich auf dieser Seite mehrere kleine Zimmer, jedes mit einem eigenen Fenster. In einem war Licht.

Um keinen Mondschatten ins Zimmer zu werfen, pirschte er sich von der gegenüberliegenden Seite an das Fenster heran. Er hob den Kopf so langsam, daß ihm, bis er den erwünschten Sichtausschnitt vor sich hatte, der Nakken weh tat. Drinnen saßen zwei, drei, und je mehr er den Kopf hob, noch mehr Kinder auf dem Boden im Schneidersitz, mit dem Gesicht zur Wand. Ihre Rücken ihm zugewandt. Von den Hinterköpfen fielen ihnen schwarze Schnüre. Das milde rötliche Licht kam von vier Nachtsicherungen, die in den Steckdosen steckten. Eines der Kinder saß nicht wie die anderen. Es lag auf der Seite wie ein lebloser Käfer. Seine Augen waren verbunden. Alle trugen sie diese blaugrauen Kittel, wie am Nachmittag die Kinder am Sandkasten.

Das Mondlicht leuchtete in die Zimmer hinein. Maik schlich zu dem Fenster nebenan, das von innen nicht beleuchtet war. Hob diesmal seinen Körper langsam aus den Kniegelenken in die Höhe. Doch tat ihm das nach einiger Zeit genauso weh. Das Zimmer schien leer zu sein. Auf dem Boden lagen kleine Matten. Kein Möbelstück. Das Fenster war nur angelehnt. Er drückte die Fensterflügel nach innen und stieg ein. Als er den Fensterflügel anlehnte, knarrte ein Scharnier.

Maik legte sein Ohr an die Wände zu den Nebenzimmern, dann an die Tür. Er hörte nichts. Er drückte auf die Klinke, und die Tür blieb geschlossen. Ein Schlüssel steckte nicht. Einen Riegel fand er nicht. Er drückte noch einmal und hob mit der Klinke das Türblatt etwas an. Als er die Tür zu sich heranzog, gab sie mit einem Ruck nach. Maik fiel nach hinten, hielt sich jedoch weiter an der Klinke fest und stoppte den Türflügel mit den Füßen.

Er lehnte die Tür an und öffnete das Fenster. Einige Minuten hockte er unter dem offenen Fenster und wartete auf Stimmen, Schritte, Geräusche, einen Anlaß, die Aktion zu beenden, doch es gab keinen. Niemand hatte ihn gehört. Er öffnete die Tür, lugte in den langen schmalen Flur und sah dort, wie in dem Zimmer nebenan, Nachtsicherungen in den Wänden stecken, die dem Flur ein mildes rötliches Licht gaben. Von jeder Seite gingen vier Türen ab. Die neunte Tür befand sich am Kopfende des Ganges und führte zum Haupthaus.

Er zog seine Schuhe aus und ging auf Zehenspitzen, um an den Türen zu lauschen, zuerst an der zu dem Raum nebenan, in dem die Kinder waren. Die Tür hatte ein Guckloch. Er drehte sich um und sah, daß die Tür gegenüber auch ein Guckloch hatte. Alle, bis auf die neunte am Kopfende, hatten eines. Er schaute hindurch. Zählte fünf Kinder, die immer noch reglos mit den Köpfen zur Wand saßen. Das sechste Kind lag nach wie vor käfergleich auf dem Boden; es hatte sich auf die andere Seite gedreht. Die Schnüre, die ihnen von den Hinterköpfen herabhingen, waren die Bänder ihrer Augenbinden. Im Türschloß steckte ein Schlüssel, mit dem das Zimmer nicht von innen, sondern von außen zugesperrt werden konnte.

»Haben sie dich nicht gehört, als du diesen Krach gemacht hast«, fragte ich Maik.

»Sie hätten mich gehört«, sagte er, »aber heute weiß ich, daß sie Stöpsel in den Ohren hatten.«

In den anderen Türschlössern steckten keine Schlüssel. Maik schaute durch die Gucklöcher der anderen Türen und sah nichts außer Schwärze. Nur im letzten Zimmer vor dem Kopfende des Mittelganges schien ein Licht, das nicht von den Sicherungen, sondern von einer kleinen Leselampe ausging. Das Zimmer war vollgestellt mit Stühlen, Tischen, Körben und Kisten. Auf dem Tisch standen an die zwanzig DIN-A-5-Bilderrahmen. Alle zeigten das gleiche Motiv. Das Gesicht eines dunkelhaarigen Mannes, der einen fein rasierten Vollbart trug und heftig lächelte. Auf allen Bildern war Udos Gesicht. Udos Gesicht, vermutete er, hatten auch die Kinder am Nachmittag am Rand des Sandkastens angeschaut. Maik war klitschnaß.

Neben dem Tischchen bewegte sich eine Wolldecke, und ein Fuß kam unter ihr hervor. Maik eilte auf Zehenspitzen zurück und rüttelte an einigen Türen, die verschlossen waren. Er fand seine nicht. Als er endlich seinen Einstiegsraum fand, öffnete sich die Tür, durch die er soeben auf die Bildergalerie geschaut hatte. Die Schritte einer Person im Flur näherten sich. Der Mensch, der die Schritte tat, war nicht leicht. Maik hatte das Gefühl, sein eigener Atem sei im ganzen Haus zu hören.

Er kauerte sich in die Ecke hinter der Zimmertür und lauschte dem Schlüsselumdrehen nebenan. Die Dielen zwischen dem Nebenzimmer und seinem waren miteinander verbunden. Es knarrte in Maiks Raum, als ginge jemand darin umher.

»Du schläfst ja«, rief die Stimme nebenan, »wieso schläfst du … In diesem Raum wird nicht geschlafen.«

Es war die Stimme von Lindas Mutter.

»Entschuldige bitte«, piepste die andere Stimme.

»Wenn es das erste Mal wäre … Aber du schläfst ja jede Nacht. Komm mal mit.«

»Nein, bitte nicht.«

Im Flur wurde ein Zimmer aufgeschlossen.

»Kommst du jetzt?«

»Nein, bitte nicht.«

Sie stapfte zurück ins Nebenzimmer, und Maik hörte die Beine des Kindes von dem einen Zimmer über die erste Schwelle und den Boden des Flures und über die zweite Schwelle in das andere Zimmer hinüberschleifen. Das Stöhnen des Kindes, eines Mädchens, klang, als würde ihm der Mund zugehalten. Die Tür gegenüber schnappte zu. Leise rollte eine Jalousie hinunter.

»Lindas Mutter hatte mich am Nachmittag im Westflügel des Hauses empfangen. Zum Schluß unseres Gespräches, als ich fragte, wen Vera und Ringo in dem Anwesen besucht hatten, hatte sie zum Ostflügel hinübergeschaut, dorthin, wo sie übernachtete und die Kinder kontrollierte, und gesagt, auf diesem Hof würden verschiedene Gruppen wohnen. Jetzt wußte ich, daß das eine Lüge war«, sagte Maik zu mir.

Von drüben hörte er ein regelmäßiges Klatschen. Er näherte sich auf Zehenspitzen der Tür und preßte sein Auge an das Guckloch. Lindas Mutter saß auf einem Stuhl und sagte dieselben ein, zwei Wörter, die Maik nicht verstand, ohne Pause monoton auf. Das Mädchen stand vor ihr und wurde im Rhythmus dieser ein, zwei Wörter geohrfeigt. Dann befahl sie ihm, sich auf den Boden zu setzen. Sie stellte zwei Wandstrahler auf die größtmögliche Helligkeit und setzte dem Mädchen Kopfhörer auf. Die Kabel stöpselte sie in einen Verstärker.

Maik eilte zurück in sein Zimmer. Beim Verschließen der Tür wurde er von einem Lichtstrahl getroffen. Er rutschte auf den Boden und brachte dabei eine Diele zum Ächzen. Draußen, wahrscheinlich auf dem Parkplatz, lief ein Motor. Auf der anderen Seite des Flurs öffnete Lindas Mutter die Tür, ließ sie zuschnappen und drehte den Schlüssel einmal herum. Aber sie ging nicht fort. Sie blieb da stehen.

Er spürte, daß sie auf der anderen Seite der Wand direkt neben ihm war. Wenn sie ihrer Ahnung nachging und in dieses Zimmer schaute … Nun war es die Diele genau vor seiner Tür, die einen dunklen Ton von sich gab. Er war sicher, sie guckte in sein Zimmer. Draußen wurde der Motor ausgeschaltet. Autotüren gingen auf. Die Schritte im Flur bewegten sich von Maik weg, blieben aber immer wieder für vier, fünf Sekunden aus. Sie sagte etwas zu den Kindern nebenan und ging nicht in ihr Zimmer zurück, sondern verließ den Flur durch die Tür am Flurende. Autotüren knallten zu.

Maik schlich zum Fenster. Jeden Schritt tat er in gebückter Haltung. Der Parkplatz war von seinem Fenster aus nicht einzusehen. Zwei Männer unterhielten sich draußen. Das Gartentor quietschte. Jetzt gingen sie über Kies. Sie blieben stehen und wurden lauter, und Maik hörte Udos

Lachen. Es kam nicht aus dem Bauch, sondern aus der Kehle, daran erkannte er es, aber er war sich nicht sicher. Sein Puls schlug zu laut in seinem Kopf, als daß er in aller Ruhe zuhören konnte. Die im Kies schlurfenden Schritte wurden leiser. Maik zog sich die Schuhe an.

»Warte mal, mir ist da etwas aufgefallen. Oder komm doch mit.«

Es war wieder die Stimme von Udo.

»Haben sie wieder ihre Arbeitskleidung draußen liegen lassen«, fragte Linda.

»Nein, eines der Fenster war nicht richtig zu. Die Scheinwerfer haben es mir gezeigt.«

Maik preßte sich aufrecht in die Ecke neben dem Fenster. Sie schoben beide Fensterflügel nach innen. Der eine hätte Maik getroffen, wenn sie sie nicht wieder herangeholt und die Flügel angelehnt hätten.

»Wo sind die Kinder«, fragte Udo.

»Hier, schau mal, hier sitzen sie. Ganz artig. Nur Lisa ist wieder eingeschlafen. Wir haben sie rübergenommen und ihr mehr Licht gegeben.«

»Hat sie wirklich geschlafen oder hat sie wieder nur ihren Körper vergessen und so ausgesehen, als würde sie schlafen?«

»Ich schwöre dir, sie ist umgekippt und hat geschlafen.«

»Ich werde sie morgen fragen. Geh mal rein und mach das Fenster zu. Ich trage die Kisten ins Haus.«

Die Schritte entfernten sich. Eine Autotür wurde geöffnet. Maik versuchte den zweiten Schuh zuzubinden. Er konnte machen, was er wollte: Eines der Bänder bekam er nicht in die Finger. Seine Finger zitterten. Weder hing das Schuhband außen herunter, noch hatte er es beim Hineinschlüpfen nach innen geklemmt. Die Kopftür des Flurs wurde geöffnet. Maik setzte sich aufs Fensterbrett und zog die Schuhe wieder aus, den bereits zugeschnürten mit einem Ruck, da sich die Bänder beim Öffnen verknotet hatten. Er schwang sich aus dem Zimmer. Draußen versuchte er so leise wie möglich aufzutreten, doch auf dem Kies ging nichts ohne Geräusch. Er huschte an die Hinterseite des Hauses, vom Parkplatz weg. Er wartete, bis Udo das Auto abgeschlossen hatte und im Haus verschwunden war. Maik sah seinen Mondschatten so lang und klar, daß er sich zuerst nicht traute, seinen Platz zu verlassen. Das Mondlicht war dann hilfreich, um die Schuhbänder wieder in Ordnung zu bringen. Als eine andere, eine tiefere Stille in der Luft war, schlich er zu dem Zaun und hopste über ihn hinweg.

Er legte sich in sein Auto, deckte sich mit Jacken zu und schlief, bis das Sonnenlicht ihn weckte.

»Überall wo ich gewesen bin, kannten sie Vera, aber niemand wollte sich an ihren ersten Sohn erinnern«, sagte Maik.

»Du hast sie dreimal gesehen, auf dem Bergfest, abends in der Mühle bei der Sitzung und spätabends bei ihrer Flucht aus der Mühle«, sagte ich. »Warum bist du nicht an sie herangekommen?«

»Sie ist nie allein gewesen, oder allein mit Ringo und ihren Kindern. Am nächsten Morgen bin ich wieder hoch, zu Fuß, zu ihrem Anwesen. Ich legte mich an derselben Stelle in der Nähe des Parkplatzes ins Gras und hoffte auf irgendeine Begebenheit, die mir weiterhelfen würde. Ich bin eingeschlafen und von einem Hund geweckt worden, der neben mir bellte. Ich öffnete die Augen, und Ringo stand über mir. Er sagte ›Guten Morgen‹ und ging weiter. Er wußte nicht, wer ich war und was ich wollte. Sein heller Lieferwagen stand wieder auf dem Parkplatz. Ich habe so fest geschlafen, daß ich ihn nicht kommen hörte.«

»Wenn Udo Vera am Abend zuvor in der Mühle abgeholt hat, dann ist sie doch sicherlich zu Udo nach Sommersell gezogen.«

»Das dachte ich auch.«

Übermüdet, ungewaschen und ausgehungert ging er in der Mittagszeit den Hang hinunter ins Dorf zu seinem Auto. Beim Losfahren tat er nicht alles zur gleichen Zeit, den Zündschlüssel drehen, den linken Fuß auf die Kupplung stellen, einen Gang einlegen, in den Rückspiegel schauen, sondern streng nacheinander, so als starte er den Wagen zum ersten Mal. Auch lehnte er sich nicht im Sitz zurück, sondern saß nahezu aufrecht und versuchte die Stöße, die die unebenen Straßen verursachten, mit dem Oberkörper auszugleichen. Zehnmal in der Minute wischte er die vor Stirn und Augen fallenden Haare nach hinten. Kraftlos sank er dann doch in den Sitz zurück und hatte damit zu kämpfen, am Steuer nicht einzuschlafen.

Eigentlich wollte er anschließend nach Huisheim fahren, so wie damals mit Vera und Udo, von Sommersell nach Huisheim. Er würde auf die nächsten ausgeklinkten Exilberliner treffen und weiteres über Vera in Erfahrung bringen, wenn er Glück hätte. Sein innerer Kompaß aber, er nannte ihn den Schwanz des Schattens, bedeutete ihm mit derselben Klarheit, mit der er ihn nach Sommersell geschickt hatte, nun nicht nach Huisheim, sondern in sein Hotel in der Kreisstadt zu fahren. Maik wußte nicht, warum.

Er war länger unterwegs als geplant. Du irrst umher,

sagte er zu sich selbst in den Spiegel hinein. Immerhin hatte er Maria kennengelernt, die er wiedersehen wollte. Immerhin hatte er Vera gesehen und wußte, daß sie ihren gemeinsamen Sohn verschwieg. Und er wußte, mit wem sie sich gerade wo aufgehalten hatte. Als er sich angekleidet vor dem Zimmerspiegel drehte, spürte er, daß diese Art zu reisen für ihn beendet war. Sogleich war ihm klar, wohin er zu fahren hatte.

»Zuvor habe ich mich in eine Kneipe gesetzt, ein Café hatte ich nicht gefunden, und machte mir eine Zeichnung von dem, was ich während meiner Reise in Erfahrung gebracht hatte«, sagte Maik zu mir. »Ja, ich mußte es zeichnen. Schreiben allein wäre zu wenig gewesen. Ich zeichnete die Häuser, die ich aufgesucht hatte und notierte an den Blattrand, was mir in diesen Häusern erzählt worden, was mir jeweils aufgefallen war. Ich kombinierte in Gedanken, was möglich sein könnte und was garantiert unmöglich. Es war sinnlos. Ich wußte hinterher nicht mehr als zuvor. Aber es hat meinen Kopf gereinigt. Aus dieser Kneipe ging ich wieder als Ich heraus. Sinnlos glücklich.«

An einer Tankstelle am Ende der Kreisstadt ließ er das Auto waschen und innen reinigen. Während der Fahrt blieb die Straßenkarte zugefaltet auf dem Rücksitz liegen, er brauchte sie nicht. Er parkte nicht vor dem Haus, sondern an den Gleisanlagen. Seit er wußte, daß er zum Ziegelhof fuhr, sah er sich noch einmal an dem Gleisbett entlangwandern und bei einer Zigarette das halbzerfallene Bahnhofshäuschen betrachten.

Er kauerte sich auf denselben Kilometerstein wie vor einigen Tagen und schaute zu dem Häuschen hinüber. Als das Rauschen der Bäume einmal nachließ, hörte er Geraschel im Hof, schaute aber nicht nach, wer da war, sondern fühlte sich ganz in seine Vorfreude ein.

Nachdem der Wind sich gelegt hatte, hörte Maik die gleichmäßige Stimme von Maria. Sofort durchzog ihn ein wohliges Gefühl. Wenn ihre Stimme ausblieb, lag dafür eine andere, die eines Mannes, in der Luft. Maik hörte, daß es ein ernstes Gespräch war. Er verlor sich in dem Sound, ohne genauer auf die Wörter zu achten. Es erinnerte ihn an die Nacht in der Pension, als sie eine Weile in der Dunkelheit nebeneinander lagen, sich unterhielten und er plötzlich nicht mehr wußte, wie sie aussah. Auch jetzt sah er am deutlichsten seine Lieblingsstellen an ihr, die ungezeichneten Linien in ihrem Gesicht, doch an manches, die Form ihres Kinns etwa oder die ihrer Ohren, konnte er sich absolut nicht erinnern.

Maik betrat den Hof durch das Gestrüpp am Gleisbettrand, als kennte er längst den Seiteneingang. Maria und Ringo saßen auf einer Bank an der Hauswand, Maria ihm zugewandt, Ringo zum Tisch gebeugt, mit irgendwelchem Kleinzeug beschäftigt. Er war dabei, einen Joint zu drehen. Maria schaute zu dem aus dem Gestrüpp stapfenden Maik. Ringo nicht. Der erzählte, die Augen auf seine Finger gerichtet, einfach weiter, so lange, bis Maik sich zu Maria beugte und ihr einen Kuß gab.

»Wir haben uns heute doch schon mal gesehen, so ungefähr hundert Kilometer von hier entfernt.«

Maik hatte das vergessen. Er setzte sich ans seitliche Ende des Tisches. Er dachte, Ringo machte einen Witz.

»Hast du nicht heute morgen da im Gras gelegen, in Sommersell?«

»Ja, ich habe euch verfolgt.«

»Er sucht Vera.«

»Vergiß es, an die kommt keiner mehr ran.«

Endlich preßte er das nasse Blättchenende auf das trokkene.

Maria lächelte über Ringo. Der drehte den Filter vor und schaute in die Doppelspitze einer Pappel hoch.

»Was heißt hier verfolgt«, sagte er.

»Wo ist Vera«, sagte Maik.

»Das ist doch keine Antwort!«

»Dann wäre der Dialog langweilig.«

Durch die Feuerzeugflamme hindurch, mit der er die Papierfasern von der Pappe absengte, blickte Ringo zu Maik. Er klappte das Feuerzeug wieder zu und schaute mit offenem Mund immer noch Maik, dann Maria an.

»Er ist Schauspieler«, sagte sie.

»Das Gefühl habe ich auch«, sagte Ringo und klebte den Filter am Dreiblatt fest. »Erzähl mir doch erst mal, was du in Sommersell gesucht hast.«

»Ich habe Vera gesucht.«

»Warum in Sommersell?«

»Weil wir da früher einmal zusammen gewesen sind. Vor sieben Jahren.«

»Hat sie mir nicht erzählt. Wie heißt du denn?«

»Du bist nicht der einzige«, sagte Maik.

Ringo zündete die Tüte an. Vom dicken Ende flackerte eine Flamme zehn Zentimeter hoch. Maria sagte ihm Maiks Namen. Mit einem Schwenk löschte Ringo den Brand und sog sich die Backen voll. Als sie aufgeplustert waren, schloß er die Augen und drückte sein Kreuz durch. Er schaute Maik an. Entließ den Rauch, Schwade für Schwade, aus dem gespitzten Mund.

»Ein halbes Jahr«, sagte er, »länger wart ihr doch nicht zusammen.«

»Wieso kommt an Vera keiner mehr ran«, fragte Maik.

»Können wir nicht über was anderes sprechen?«

Ringo reichte Maik den Joint, der lehnte ab. Er gab ihn Maria, und die zog daran.

»Gerne«, sagte Maik. »Es ist gar nicht Vera, die ich suche. Ich bin bloß davon ausgegangen, daß ich bei ihr ihren ersten Sohn finden würde. Ich meine nicht Mario.«

»Das wollte ich gerade fragen«, sagte Ringo.

»Ich weiß.«

Die Backen wieder voller Rauch, blickte Ringo mit zusammengezogenen Brauen zu Maria, als wolle er eine Erklärung haben.

»Veras erster Sohn«, sagte er und schüttelte den Kopf. »Ich bin ein paar Jahre mit Vera zusammengewesen. Würde ich ja wohl was davon wissen.«

Ringo war der erste, der ihm etwas über Vera erzählen konnte, wenn er es in diesem Moment auch nicht wollte. Maik versuchte seinen ungeduldigen Ton loszuwerden.

»Ich konnte mir damals nicht vorstellen, daß Maria, Linda, Lindas Mutter, Fred und Ringo sich untereinander abgesprochen hatten, Veras ersten Sohn nicht zu kennen«, sagte Maik zu mir. »Zumal sie nicht wissen konnten, daß ich sie Jahre später danach fragen würde.«

Maria verabschiedete sich von ihnen und sagte Maik, daß sie in ihrem Zimmer sei. Kurz danach kam eine der Bewohnerinnen, wiederum langärmelig, mit dem Einkaufswagengestell ins Freie, in dem, in schwarzen und roten Stoff gelegt, das angeblich wachstumskranke Kind gebettet war. Sie setzte sich auf Marias Platz, ohne die beiden Männer zu beachten. Um Ringo Vertrauen einzuflößen, erzählte Maik ihm von der gemeinsamen Zeit mit Vera in der Einflugschneise. Udo erwähnte er allerdings nicht. Er hatte gelernt, daß er nicht alles erzählen durfte.

»Jedem dort sollte das Recht gegeben sein, sich zu verquatschen«, sagte er zu mir.

Ringo fragte ihn, was ihm an Vera nicht gefallen habe. Er begleitete Maiks Antwort mit ununterbrochenem Kopfnicken.

»Mit uns ist es aus«, sagte Ringo, »sie will das so. Aber das wird sie nicht bekommen. Wir haben eine gemeinsame Tochter. Und sie bekommt gerade die nächste. Ich habe sie gestern verlassen, nachdem sie sich von mir getrennt hatte.«

Die Bewohnerin schaute ihn ungläubig an.

»Ich glaube, er hatte es gern, daß sie ihm zuhörte«, sagte Maik zu mir, »ich glaube sogar, daß er in diesem Moment am liebsten noch viel mehr Zuhörer gehabt hätte. Er machte sich das Gummi aus dem Haar und ließ es fallen. Er redete gern von sich, er fand sich toll. Und das in breitestem Fränkisch.«

Maik konnte sich die Ortsnamen der Häuser, Höfe, Mühlen, Alten Schulen, Stationen und Burgen nicht merken, die Ringo erwähnte, als er seine Zeit mit Vera beschrieb. Sie lernten sich auf einem Sommermusikfestival kennen und lebten vom Müsliherstellen und Pfannkuchenbacken, später von selbstgeschneiderten Ledersachen. Noch später verkauften sie in Einkaufspassagen Dinge, die sie nicht mehr selbst herstellten, sondern in einem Düsseldorfer Lager abholten: Tücher, Caps, T-Shirts, Armbändchen, Kettchen, Sonnenbrillen. Trotzdem hätten sie nie Geld gehabt. In allen Häusern und Höfen, wo sie lebten, hätten sie sich so unbeliebt gemacht, daß sie rausgeworfen worden seien. Mal sei eine Abtreibung, mal eine Schwangerschaft der Grund gewesen. Maik konnte Ringo, der sprunghaft die Zeiten wechselte, kaum noch folgen. Aus all den Details schälte sich das Bild einer vier Jahre dauernden rastlosen Flucht heraus.

»Und was war gestern, in der Mühle«, fragte Maik.

»Diesmal war es die Schwangerschaft. Freds Leuten paßte nicht, daß wir ein Paar waren. Bei Fred soll jeder mit jedem Sex haben, und die Kinder sollen nicht nur mit ihren Eltern zusammen sein. Ist ja eigentlich nicht falsch. Woher weißt du, daß gestern was in der Mühle war?«

»Ich habe euch beobachtet, von weitem.«

»Fred hatte Vera zwei Männern zugeteilt, von denen sie sich einen aussuchen durfte, und mir eine andere Frau. Da ist Vera ausgeflippt und hat ihnen ihre Meinung gesagt. Hast du vielleicht gesehen. Ich wäre lieber in der Mühle geblieben. Wir wußten ja nicht, wohin. Ich hab ihr das gesagt. Dann ist sie auf mich los.«

»Das habe ich nicht gesehen.«

»Das war später. Ach ja, jemand hat da was rascheln gehört und ist einem Auto nachgerannt.«

Maiks Lächeln und Ringos Grinsen trafen sich.

»Dann kannst du es nicht gesehen haben«, sagte Ringo. »Freds ganze Truppe war schon gegen uns. Und dann noch Vera gegen mich. Ich habe sie ihre Flüche auf mich eindreschen lassen wie ein Bauer, der weiß, daß jeder Sturm ein Ende hat, und jedes Dreschen auch. Als sie fertig war, nahm ich sie in den Arm. Sie stieß mich weg.«

»Und wo ist sie hin?«

»Ich weiß nur, wer sie aus der Mühle abgeholt hat.«

»Ich auch.«

»In Sommersell ist sie aber nicht.«

»Und wo ist sie?«

»Udo sagt es mir nicht. Er ist ja der größte. Er hat es ja nicht nötig, mit mir zu reden.«

»Was treibt Udo da draußen?«

»Mich hat er noch nie in seine Gemächer reingelassen. Ich sitze immer in einer engen Küche. Jetzt wohne ich hier. Kennst du ihn?«

»Ziegelhofschicksal«, sagte die Frau am Tisch und streifte Ringos Arm. »Wer hierhin kommt, der hat es woanders nicht geschafft. Die meisten hier haben schon einmal in der Mühle gewohnt. Entweder sie kamen mit der Gruppe nicht klar, wie ich, oder sie kamen mit der Gruppe klar, aber nicht mit Fred, so wie Pedro.«

»Und wer ist hier der Chef«, griente Ringo, »Pedro!«

Die Frau schob das Einkaufswagenbettchen mit dem Kind darin, das Maik diesmal nicht gesehen hatte, ins Haus hinein.

»Nur weil Udo dir das sagt, meinst du, daß Vera nicht in Sommersell ist«, sagte Maik.

»Rauchst du noch einen mit mir?«

»Nein. Danke.«

»Hast du sie da gesehen? Hast doch beim Parkplatz im Gras gelegen heute morgen.«

»Kinder, Kinder. Ich sehe nur noch Kinder. Vera soll manchmal zu Besuch dort gewesen sein. Dein Auto stand ziemlich lange auf dem Parkplatz gestern.«

»Ich weiß nicht, wo Vera ist«, stöhnte Ringo und stand auf. Seine Gelenke knackten.

»Deine Tochter ist bei Vera?«

»Ich werde sie finden.«

Ringo ging nicht nur wegen des niedrigen Türrahmens, unter dem ein Großer wie er den Kopf einziehen mußte, gebückt ins Haus.

»Eine Frage habe ich noch«, sagte Maik. »Kennst du ein Kind, das Lisa heißt?«

»Udos und Lindas Tochter heißt Lisa. Sonst kenne ich keine Lisa. Gibst du mir deine Telephonnummer?«

Kurze Zeit später kam Maria aus dem Haus. Sie schmiegte sich an ihn und fragte nach seinen Plänen für die nächsten Tage. Maik war überfragt. Er sagte, er würde am nächsten Tag nach Berlin fahren. Nachdem ausgesprochen war, was er gar nicht gedacht hatte, fand er es richtig, am kommenden Tag zurückzufahren.

»Wie kannst du hier leben?«

»Warum fährst du nach Berlin?«

»Was macht dich hier glücklich?«

»Die Stille. Ich brauche das. Ich hatte viel Krach. Drück nicht so.«

Er lockerte seinen Griff um ihre Schulter.

»Das meine ich nicht«, sagte sie.

Er zündete sich eine Zigarette an, nicht weil er rauchen wollte, sondern weil er eine andere Sitzhaltung suchte.

»Ich komme wieder.«

»Das sagst du nur so.«

»Du hast beim letzten Mal gesagt, in die Mühle kriegt dich keiner mehr. Warum?«

»Die Mühle, das ist Terror, ferngesteuerter Terror. Fred ist nur der Platzhalter. Wenn Fred was falsch macht, ist der genauso weg vom Fenster. Zwei-, dreimal im Jahr kreuzen die Chefs auf. Dann müßtest du Fred mal sehen. Dann ist er ganz klein.«

»Aber die Leute fühlen sich doch wohl da, soweit ich das gesehen habe.«

»Hast du gesehen, wie alt sie sind? Die wissen gar nicht,

was sie tun. Ihre Gefühle werden verwüstet. Wir vom Ziegelhof, wir waren fast alle einmal in der Mühle. Deswegen brauchen wir diese Ruhe hier.«

»Wer sind die Chefs, die da manchmal hinkommen?«

»Schweizer und Franzosen, sind auch immer zwei, drei Deutsche dabei. Die Mühle ist nur eine Filiale.«

Maik löschte die zur Hälfte gerauchte Zigarette. Er legte wieder seinen Arm um ihre Schulter. Sie schmiegte sich in seine Achselhöhle. Sie paßten nun viel besser zueinander als vor zwei Minuten noch.

»Du hattest recht«, sagte Maik, »Vera ist aus der Mühle geflüchtet und hat wirklich den Landkreis verlassen. Sie ist erst mal nach Sommersell gebracht worden. Kennst du Sommersell?«

»Ja, natürlich, man kennt immer jemanden, der einen anderen Hof kennt.«

»Kennst du auch Huisheim?«

»Ja, auch.«

»Wer wohnt da jetzt?«

»Weiß ich nicht.«

»Was meinst du, wo Vera jetzt wohnt?«

Sie wand sich aus seinem Arm, zuckte mit den Achseln, stand auf und pfiff in die Höhe.

»Laß uns ein Stück gehen«, sagte sie.

In Clogs klapperte Marias Tochter die Treppen herunter. Maik erkannte sie sofort wieder. Maria zeigte auf die Turnschuhe, die unter dem Tisch lagen. Das Mädchen schlüpfte in sie hinein, ohne Maik, mit einem Auge über der Tischkante, aus dem Blick zu lassen.

Sie schlenderten am Bahndamm entlang, in die ihm unbekannte Richtung, Maria und er Arm in Arm, Isabel entweder an Marias Hand oder beschäftigt mit Dingen wie dem Umdrehen alter Glasscherben im Gleisbett oder dem Untersuchen eines Erdlochs, in das eine Ratte gehuscht war. Sie unterquerten eine Autobahnbrücke, deren Fahrbahnen wenige Meter neben den Brückenpfeilern endeten. Weit und breit war nichts von einer Straße zu sehen. Schwere Militärhubschrauber überflogen einige Kilometer vor ihnen in Formation den Gleisstrich.

»Die Leute da hören uns zu, wenn wir im Hof sitzen«, sagte Maria.

Sie bildeten zu dritt eine Kette, Maik voran, dann Maria, dann Isabel, und sie stemmten sich, um nicht hinunterzurutschen, mit gestreckten Armen gegen die Böschung. Unten bogen sie in einen Waldweg ein.

»Ich weiß, wo wir hingehen«, sagte Isabel und hüpfte auf abgefallenes Astwerk, so daß zu ihrem Schreck der ganze Wald zu knacken schien. Sie klammerte sich wieder an die Hand ihrer Mutter und grinste Maik breit und fröhlich an. Er küßte immer wieder Marias Nacken, den er mit den Lippen streifte, wenn er zu Isabel hinunterschaute.

»Wir gehen zu meinem Freund«, jubilierte Isabel.

»Vielleicht kann der Fährmann dir weiterhelfen«, sagte Maria, »der kennt die Leute, über die du etwas wissen willst, viel besser als ich.«

»Heute mittag im Hotel habe ich mir gesagt, daß die Suche erst mal beendet ist und daß ich gar nichts mehr wissen will. Ich wollte nur noch dich besuchen.«

»Der Fährmann kennt alle Tiere und alle Pflanzen auf der Welt und weiß, was Kinder sind«, sang Isabel.

»Was sind denn Kinder«, wollte Maik wissen.

»Na, Kinder sind Pflanzen, kleine junge Pflanzen, die Menschen geworden sind. Jeder ist früher mal eine Pflanze gewesen.«

Sie hüpfte wieder auf Astwerk und war enttäuscht von dem kläglichen Geräusch. Am Waldrand, als das Licht wiederkam, befanden sie sich sogleich auf einer Aue. Sie gingen zum Fluß hinunter und am Ufer entlang einer Brücke entgegen. Wenige hundert Meter vor der verkehrsreichen Auto- und Bahnbrücke war über den Fluß ein Seil gespannt, das an beiden Ufern in einem torähnlichen Holzgerüst verankert war. Auf der anderen Seite war das Gerüst leer. Am Ufer ihrer Seite lag innerhalb der Torbalken ein Holzfloß mit Metallgeländern an den Längsseiten.

Das umzäunte Grundstück des Fährmanns betraten sie, Isabel voran, durch einen Bogen, auf dem geschrieben stand *Fergengut*. Der Weg zu dem Häuschen war gesäumt von zwei Kräutergärten, auch umzäunt.

»Mein Fährmann!« rief Isabel von irgendwoher, wo sie sie nicht sehen konnten, »mein Fährmann, ich liebe dich!«

Es raschelte im Schilf. Dort ragte ihr Kopf in die Höhe. Sie quietschte vor Vergnügen. Maik und Maria drückten sich aneinander und küßten sich. Einen Grashüpfer in der hohlen Hand, die sie mit der anderen bedeckte, stolperte Isabel aus dem Schilf zurück. Langsam kam der vollbärtige Fährmann näher. Er trug ein graues Hemd unter einer alten grauen Weste und einen schwarzen Hut. Eine Pfeife in seinem Mund. Er strahlte vom einen Ohrläppchen zum anderen.

»Die große Stadt, bei mir im Fergengut zu Gast. Was ist geschehen?«

Er blieb stehen. Isabel, hinter ihm, lugte abwechselnd rechts und links neben seinen Hosenbeinen hervor. Wieder einmal kam Maik etwas bekannt vor. Diesmal der Gang des Mannes und seine Stimme. Erst wunderte er sich, daß Maria nicht antwortete, dann merkte er, daß Maria gar nicht angesprochen und nur er selbst gemeint sein konnte. Isabel legte ihren Kopf in Marias Schoß, und der Fährmann setzte sich breitbeinig auf einen Schemel.

»Heute findet hier keine Überfahrt mehr statt«, sagte er. »Das Floß hat ein Leck. Der Schelch aber auch. Der Brettschneider kommt erst morgen in der Früh, der Riemer erst gegen Abend.«

Maik bohrte seinen Blick so lange in die Augenpartie des Fährmanns, bis er darauf kam, daß er Günther anschaute, Günther aus der Eisdiele in der Einflugschneise, bei dem sie manchmal zu viert gesessen und geträumt hatten. Er sagte Günthers Namen mit einem Fragezeichen dahinter. Günther nahm die Pfeife aus dem Mund und murmelte mit nachlassendem Lächeln, er erinnere sich. Schaute zum anderen Ufer, zog an seiner Pfeife und schien sich Jahr für Jahr vor Augen zu halten.

»Was suchst du hier? Du gehörst in die Stadt«, sagte er mit Blick auf Maiks geputzte Schuhe.

»Ich suche Vera. Sie hat sich damals einfach vom Acker gemacht.«

Ihm war, als wenn man ihn nicht hören könnte, als wenn seine Worte dort beim Wasser keinen Halt, keine Präsenz fänden. Als er mit einer Antwort schon nicht mehr rechnete, sprach Günther.

»Weil sie den nächsten durchpflügen mußte, und dann den nächsten. Und dann? Den nächsten.«

Er schüttelte den Kopf und schien dann zu den Blumen am Boden zu sprechen.

»Die einen bleiben ein Leben lang bei ihrem Acker. Die anderen wollen ihn schon nicht mehr sehen, wenn er beginnt, Früchte zu tragen ... Warum suchst du Vera?«

»Ich will unseren gemeinsamen Sohn wiedersehen.«

Günther lachte. Er tat es so unbeholfen, als habe er lange schon nicht mehr gelacht. Ihm fiel die Pfeife aus der Hand, in den Schoß. Isabel stand auf und rannte ans Ufer. Maria schaute ihr aufmerksam nach.

»Ich wollte auch einmal meine Tochter wiedersehen«, sagte Günther. Er stand auf und schaute zum Wasser hinunter. Ein Motorboot platschte unruhig über den Fluß. Der Motor wurde ausgeschaltet. Die beiden Insassen blickten während der ganzen Vorbeifahrt auf Fährmann und Besucher.

»Meinst du Nina?« fragte Maria, und Günther nickte.

»Wie alt ist Nina?« fragte Maik.

»Fünf? Sechs?« fragte Maria zu Günther hin. Der nickte.

»Du hast dich doch gut verstanden mit Vera«, sagte Maik zu Maria, »vielleicht kannst du mir jetzt einmal erzählen, was da früher alles vorgefallen ist.«

»So früh war ich nicht dabei«, sagte sie.

Die Wellen des Motorboots platschten auf die Ufersteine.

»Und ich bin danach nicht dabeigewesen!«

Er war der Freundlichkeiten überdrüssig, und es störte ihn, daß Maria nur zuhörte. Dann erschrak er über seinen harschen Ton. Maria erhob sich und trödelte, zu Boden schauend, zum Ufer hinunter.

»Wo ist Ninas Mutter«, fragte er Günther.

»Wo ist Vera«, sagte der.

»Wirklich?«

»Wohl wahr.«

»Ich bin aufgestanden und hinunter zum Wasser gegangen«, sagte Maik und ging in meiner geräumigen Küche auf und ab. »Isabel, zehn Meter neben mir am Schilfrand, bekam von Maria in der Hocke etwas erklärt. Es ging um Winzigkeiten wie Mückenlarven, abgefallene Blütenhülsen, kleine Fingernägel, was weiß ich. Ich starrte auf die mäßige Strömung und versuchte Veras Kinder zu zählen, kam jedoch immer wieder durcheinander. Kam ich mit den Fingern einer Hand noch aus oder nicht? Wenn ich einberechnete, daß Vera schwanger war, was ich in den Tagen zuvor gesehen zu haben meinte, dann reichten die fünf Finger einer Hand gerade einmal aus. Ringos Tochter war die jüngste, ich hatte sie auf dem Bergfest gesehen, drei oder vier Jahre alt. Alle redeten von Mario, ihrem zweiten Sohn, der mir wohl noch nicht begegnet war, und niemand kannte ihren ersten Sohn, den ich suchte. Günthers Tochter mußte sie kurze Zeit nach unserem Sohn zur Welt gebracht haben. Stimmte das? Ich ritzte die Namen und Alterszahlen mit einem Zweig in den Sand. Nach meinen Berechnungen hatte Vera vier Kinder und war doch nur mit einem unterwegs, vielleicht mit zweien, vielleicht war Mario dabei, aber wo war unser Sohn, und wo war Nina?«

»Du hast bisher nicht ein einziges Mal den Namen deines Sohnes ausgesprochen«, sagte ich.

»Ich wußte ihn nicht, immer noch nicht.«

Die Dämmerung setzte ein, der Wind ließ nach, ich öffnete eine Flasche Wein.

Mit irgendeiner Winzigkeit, die sie wieder schützend zwischen den hohlen Handflächen hielt, lief Isabel zu Günther hin, der vor seinem Häuschen sitzen geblieben war. Maria strich Maik über den Schopf und hockte sich neben ihn;

betrachtete die in den feuchtfesten Sand geritzten Ziffern und Buchstaben.

»Ich habe mich gut verstanden mit Vera, sie hat viel erzählt, aber nun sieht es so aus, als hätte sie auch vieles nicht erzählt.«

»Wie heißt Veras und Ringos Tochter?«

»Miriam.«

Er wischte das *R* weg und ritzte *Miriam* in den Sand.

»Vor ein paar Tagen hat Günther mir von Nina erzählt, und daß Vera die Mutter ist«, sagte Maria, »deswegen bin ich mit dir hier. Erst wollte ich es nicht glauben. Aber ich habe einige Leute kennengelernt, die ein zweites Leben führen oder geführt haben und davon nichts mehr erzählen, gerade hier in der Gegend. Wir haben es hier doch mit Anfängern zu tun, und mit ihren Opfern. Günther haben sie fertiggemacht. Was meinst du, warum er hier unten weitab vom Dorf allein an der Fähre wohnt. Der ist fertig mit den Menschen. Den haben sie durch die Mangel gedreht. Der hat nicht mehr gewußt, wer er ist, und ich hätte nicht gedacht, daß es ihm jemals noch einfallen würde. Im letzten Moment von der Schippe gesprungen.«

»7, 6, 5, 3 Jahre alt müßten Veras Kinder jetzt sein«, sagte Maik und zeigte mit dem Stöckchen auf die Tabelle im Sand. »Woher weißt du das alles?«

»Ich habe zur selben Zeit in der Mühle gewohnt. Fred war schon der Boß. Günther hat immer wieder aufgemuckt, hier und da hat ihm was nicht gefallen. Er wollte was anderes, aber sie konnten ihn nicht einfach rausschmeißen, er war der zweite Mann hinter Fred. Und er wußte zu viel, er wußte zu viel über Fred. Dann kamen die Chefs und haben beschlossen, Günther das Gehirn zu waschen. Als sie damit fertig waren, habe ich gedacht, er weiß nichts mehr. Jetzt denke ich, er redet nicht über alles, was er weiß. Als sie mit ihm fertig waren, hat er nicht mehr gesprochen. Er hatte die Sprache verloren. Buchstäblich. Du hattest mit einem Kleinkind zu tun. Wenn man solchen Abfall hinterlassen muß, sollte man nicht diese Art von Gruppen aufmachen. Dann stimmt nämlich am System etwas nicht. Aber Fred kapiert das nicht. Ich würde das alles anders machen.«

»Du würdest eine bessere Sekte aufmachen?«

Sie verließen die Hockstellung und umarmten sich. Doch umarmte nur er sie, sie hob, wie im Gebet oder als Flehende, die Hände so weit, bis die Fingerspitzen seinen Scheitel erreichten, und schien ihren Umarmungspartner kaum zu berühren.

»Sekte? ... Die Übergänge sind fließend. Man muß ohne die Strafen und Straflager auskommen. Ohne Gehirnwäsche. Ohne das Anrecht des Chefs, als erster mit den Mädchen ins Bett zu gehen. Ohne diesen internen Terror, der die meisten nur in Krankheiten stürzt, die nicht mehr enden wollen. Das muß intelligenter gelöst werden. Sind dir die vielen Kleinkinder in der Mühle aufgefallen? Die sind so gut wie alle von Fred. So geht das nicht. An mich wollte er damals auch ran.«

»Du berlinerst jetzt ja so.«

»Warum wohl?«

Sie legte ihren Kopf seitlich auf seine Schulter und zwirbelte das Schläfenhaar.

»Ich suche immer noch nach einer anderen Lebensweise. Nach einem anderen Ort. Wenn ich ihn finde, ziehe ich um und versuche es noch einmal.«

»Wovon lebst du eigentlich?«

»Der Ziegelhof ernährt sich selbst. Du stellst Fragen ...

Na gut, wir machen Einkauf und Verkauf. Frühmorgens Fruchthalle, den Vormittag lang Wochenmarkt.«

»Wer will das alles wissen?«

»Du hast gefragt.«

»Ringo, Günther, Nina, Lisa, Miriam, Mario. Soweit ich mich erinnere, habe ich nach all denen gar nicht gefragt. Ich wollte Vera wiedersehen.«

»Du hast Sebastian vergessen«, sagte Günther, der sich gemeinsam mit Isabel an die beiden herangeschlichen hatte. Isabel quietschte in die überraschten Gesichter von Maik und Maria hinein. Maria lachte. Maik verzog die Stirn.

»Noch einer. Wer ist denn nun Sebastian?«

»Das ist dein Sohn. Sebastian.«

»Sebastian.«

»Warum kennst du seinen Namen nicht?« fragte Günther.

»Vera hat ihn mir nicht gesagt.«

»Das weiß nun ich wieder nicht«, sagte Günther.

»Warum kennt der nicht den Namen von seinem Sohn?« fragte Isabel ihre Mutter.

»Ich bin mir nicht sicher, ob ich sie damals überhaupt gefragt habe«, fügte Maik hinzu, »und dann gingen die Jahre vorüber. Sebastian …«

»Komm mal mit«, sagte Maria zu Isabel, und sie verschwanden in dem angrenzenden Wäldchen.

Sein Kind hatte noch kein Gesicht für ihn, dachte er, doch immerhin einen Namen, ein Wortgesicht. Er schämte sich wie sieben Jahre lang nicht.

»Ich bin damals zusammen mit Vera und Sebastian weg aus Berlin«, sagte Günther, »kurz nachdem du uns da noch besucht hast, in Tiergarten, in der Ladenwohnung. Wir sind ja sofort losgefahren.«

»Ich habe dich nicht gesehen.«

»Ich saß in dem schwarzen Schlitten und wollte nicht, daß was dazwischenkommt.«

»Toll.«

»Vera war schon wieder schwanger, wir hatten es eilig. Wir mußten wegen der Kinder aus der Stadt raus. In Senkenfels brachten wir Nina zur Welt, da blieben wir auch erst einmal. Und dann kam Udo. Vera war sofort wie umgedreht. Alles wie aus dem Nichts. Es war vorbei. Seitdem war es vorbei.«

»Udo hat doch immer noch in der Einflugschneise gehockt und Bilder gemalt. Ich habe ihn am Tag eurer Abfahrt besucht. Er hat mich zu seiner ersten Ausstellung eingeladen.«

»Eine zweite gab es nicht. Innerhalb von ein paar Wochen, vor sechs, sieben Jahren, sind sie alle weggegangen aus Berlin, die wir aus dem *Satva* und aus dem *Marrakesch* gekannt haben. Auch Udo. Hier in der Gegend gab es immer schon Berliner, deswegen sind viele neue hier gelandet, in Senkenfels und Finckenstein damals, dann beim Schwaigerhirt und in der Schreinerei Amöneburg oder im Spillmacher Luch.«

»Und Udo hat dir deine Tochter weggenommen und ist mit Vera abgehauen?«

»Das ist eine lange Geschichte.«

»Ich will meinen Sohn sehen«, sagte Maik, »du willst deine Tochter wiedersehen. Was hält uns davon ab, sie zu finden?«

»Das System. Außerdem habe ich bereits versucht, meine Tochter wiederzusehen. Du beginnst wohl erst damit. Ich war nah dran. Ich war beinah zu nah dran. Du hast es noch vor dir.«

»Erzähl mir doch die lange Geschichte.«

»Udo und Fred hassen sich. Damals lebten sie noch zusammen, in Finckenstein, aber es war nie klar, wer der Chef ist, und beide zusammen, das ging nicht. Udo hatte meine Nina damals schon vor mir versteckt. Er hat behauptet, Vera sei abgehauen mit Nina, aber das stimmte nicht, ich habe sie mehrmals zusammen gesehen und einmal überrascht. Udo fing an, mich für verrückt zu erklären und behauptete, ich würde mir das mit Nina alles nur einbilden. Finckenstein wurde aufgelöst, Fred zog mit seinen Leuten in die Mühle, Udo mit seinen Leuten nach Sommersell. Aber ohne Vera. Ich weiß bis heute nicht, wo Vera dann hin ist. Und wo Nina ist. Ich bin natürlich mit Fred mit. Aber es war alles ohne System. Bis Fred eines Tages mit den Chefs ankam. Von da an gab es klare Hierarchien. Fred der erste Mann, ich der zweite. Fred nahm mich als Verbündeten, weil ich, wie er, Ärger mit Udo hatte. Ab dann, in der Mühle, herrschten Unzucht und Ordnung. Arbeitspläne für alle, Geld nur für die Gemeinschaft. Und dann lief es. Die jungen Leute rannten uns die Hütte ein. Für freien Sex taten die alles, auch den ganzen Tag arbeiten. Und dann kamen noch die Kinder aus der eigenen Produktion dazu. Fred bestimmte, ab wann ein Mädchen Sex haben durfte. Und er war der erste, der auf sie drauf durfte. Dagegen habe ich protestiert. Als einziger. Dann mußte ich in die Mitte, jeden Tag in den Kreis, wochenlang. Ich hörte zu essen auf und konnte mich nicht mehr wehren. Sie haben mir, ohne einen Schlag, das Gehirn aus dem Schädel geprügelt … Und ihr habt gedacht, das sei alles ein Zufall. Damals. Als Fred euch besuchen kam, und ihr seid zusammen nach Sommersell gefahren, Vera, Udo und du.«

»Vera meinte damals, ich höre es noch: ›Das ist kein Zufall‹«, sagte Maik.

»Vera hat an Bestimmung gedacht, wie immer. Aber es ist Planung gewesen. Ihr seid gar nicht selbst nach Sommersell gefahren damals. Wir haben euch hingeschickt. Und ihr seid gefolgt. Und habt nichts gemerkt.«

»Wir haben uns damals in Sommersell nicht wohl gefühlt und sind wieder abgehauen.«

»Als ihr zurück wart, habt ihr euch bei mir in der Eisdiele ausgeheult, fix und fertig und zerstritten.«

»Wer hat uns denn nach Sommersell ... geschickt?«

»Kennst du Hermann den Heilpraktiker vom Hagenplatz? Der hat mir damals gesagt, ich soll Fred anrufen und ihm sagen, er soll was Gutes tun für die beiden aus der Hinterhausluft in der Einflugschneise. Ihr wart ja dabei, drei zu werden.«

Maik erinnerte sich daran, daß Vera wenige Tage nach der Sommersell-Reise in Udos Zimmer gewechselt war.

»Wieso hat Hermann dafür gesorgt, daß Fred damals zu uns in die Einflugschneise kam? Was spielt denn Hermann für eine Rolle?«

»Hermann kennt alle, Hermann hat Geld und Connections. Wahrscheinlich lebt er gar nicht so wie die anderen, nicht mal so wie Udo und Fred, als kleine Herrscher, sozusagen an der Front. Das hat er nicht nötig. Ich kann mir vorstellen, daß er immer noch in seinen schönen hellen Räumen in Berlin sitzt und dort die Fäden in der Hand hält.«

»Welche Fäden?«

»Die stoßen sich alle nur gesund.«

»Suchst du Nina immer noch?«

»Ich kann nicht mehr.«

»Was geht in Sommersell ab?«

»Aus mir ist ein kranker alter Mann geworden. Ein Ferge will Frieden.«

»Ich habe Vera vor ein paar Tagen gesehen.«

»Sag mir nichts.«

Günther setzte sich seitlich, so daß er Maik nicht mehr anschaute. Er starrte aufs Wasser. Er atmete schneller und hielt die Pfeife zwischen den gefalteten Händen. Wenn Günther jetzt angesprochen worden wäre, hätte er nichts gehört. Maik setzte sich nicht seitlich auf den Stuhl, sondern stellte den Stuhl so, daß er mit der gleichen Blickrichtung wie Günther saß, zum Wasser hin. Auch Günther rückte seinen Stuhl herum, und beide genossen es, nebeneinander aufs Wasser schauend, eine Weile zu schweigen.

»Hast du die Vaterschaft anerkannt«, fragte Maik nach dieser Pause.

»Nein. Sie hat mich nicht einmal danach gefragt.«

»Mich auch nicht.«

»Ich gebe dir einen Rat: Halte dich da heraus.«

»Warum erzählst du mir nicht alles?«

»Es ist noch nie alles erzählt worden. Interessant wäre doch eine Geschichte des Niegesagten. Jeder Mensch trägt Wissen mit sich herum, das er nicht weitererzählt. Ein Kompendium des Nicht-Weitererzählten, eine Sammlung der normalen Geheimnisse macht mir in der Vorstellung größte Lust. Nur könnte dieses Werk niemals nur ein Mensch schreiben. Man kann ihn wohl nicht schreiben, sondern nur denken: Den Gesellschaftsroman in dem Sinne, daß die ganze Gesellschaft an ihm mitgeschrieben hat, und Thema sind die Sachverhalte, die die Menschen einander aus Liebe, Scham, Angst oder Eigensinn nie weitererzählt haben!«

»Da schälte sich Günther, wie ich ihn kannte, aus dem Fährmann heraus«, sagte Maik zu mir, »so hatte er in der Eisdiele gesessen und phantasiert, nach Geschäftsschluß, mit Udo, Vera und mir. Es komme nie alles heraus, sagte Günther, es sehe nur so aus, als ob die Rede der Leute und das Gehetze der Reporter kein Geschehen unerwähnt ließen, als ob alles veröffentlicht würde, als ob durch das naturgemäße Gerede der Leute nichts verschwiegen würde. Und es sehe nur so aus, als sei dies eine Welt ohne Geheimnisse, aber das Gegenteil sei der Fall.«

Sie schwiegen. Ein aktives Schweigen. Günther schmauchte an seiner Pfeife, Maik drehte das linke Fußgelenk. Obwohl beide auf den See schauten, nahmen sie sich wahr, änderten sie die Sitzpositionen zur gleichen Zeit. Maik spürte, wie gut es Günther tat, neben jemandem zu schweigen. Günther zog ein Notizbuch aus der Weste und schrieb etwas hinein. Maik blätterte in seinem Adreßbuch; dann ließ er die Seiten nur noch am Daumen vorbeiflutschen und klappte es zu.

»Hast du etwas unternommen, um die Vaterschaft feststellen zu lassen?«

...

»Ich meine: Wolltest du deine Tochter überhaupt?«

Günthers Kopf war auf den rechten Oberarm gekippt. Die Lippen leicht geöffnet. Er atmete flach. Maik nahm ihm die Pfeife aus der Hand und legte sie auf den Tisch. Er ließ ihn schlafen. Er ging in die Richtung, aus der er Isabels Stimme vernahm.

Maria schaute von einem Hochstand in eine Mulde hinunter, wo sich ein aus Zweigen und Büschen geformter Unterschlupf befand, in dem Isabel hockte. Isabel gab kleine Laute von sich und lugte zu ihrer Mutter hoch. Maria tat so, als habe sie den Ort des Geräusches noch nicht ganz ausgemacht. Sie stieg von dem Hochstand herab, ging auf die Mulde zu und um das Versteck herum. Sie beugte sich über den Unterschlupf und faßte mit einer Hand hinein. Das Spiel löste sich in Gelächter auf. Dabei entwischte Isabel ihrer Mutter und suchte hinter Maiks Beinen Schutz. Maria ging auf Maik zu und nahm ihn in den Arm. Isabel versuchte die beiden auseinanderzuwuchten.

Sie nahmen Isabel in die Mitte und trotteten zum Fährhaus zurück. Günther war vom Stuhl gefallen und lag auf dem Sandboden. Die Mütze vom Kopf gerutscht. Ein Arm wies von ihm weg. Die andere Hand lag auf der Brust. Die Beine waren gespreizt. Der Mund noch immer leicht geöffnet wie zuvor, als er im Sitzen eingenickt war. Maria maß den Puls, versuchte ihn wachzuklatschen, rief seinen Namen und preßte seine Brust. Isabel rief mit. Maik suchte das Telephon in der kleinen Hütte.

»Er braucht einen Arzt, Erste Hilfe, irgendwas.«

»Wo ist der Lichtschalter?«

»Er hat kein Licht.«

»Wo ist das Telephon?«

»Er hat kein Telephon.«

»Wo ist ein Arzt?«

»Ich nehme sein Moped. Mach du weiter.«

Maria fuhr ins nächste Dorf, um einen Arzt zu holen. Isabel ging zum Ufer hinunter und sprach mit dem lieben Gott. Maik versuchte Günther durch den Mund Leben einzuhauchen. Günther regte sich nicht. Maik betastete Günthers Weste. Das Notizbuch war nicht mehr da.

# VIERTES KAPITEL

Er hatte Hinweise bekommen, aber keine Orientierung. Er hatte eine Antwort gesucht und neue Fragen gefunden. Er hatte Information gesammelt. Hatte gesehen, was aus früheren Bekannten geworden war. Aber keine Spur von Sebastian. An den Namen hatte er sich gewöhnt.

»Du bist ein phantastischer Zuhörer«, sagte er am Ende des Tages in meiner Küche, »wenn ich dir etwas erzähle, ist es immer so, als hätte ich mir etwas vergegenwärtigt, das ich nicht genügend beachtet hatte, als kennte selbst ich die ganze Geschichte noch nicht. Als würdest du als Zuhörer die Geschichte miterzählen.«

Wir verabredeten uns zu telephonieren, aber er rief nicht an. Er war auch nicht zu erreichen. Der Anrufaufzeichner war abgestellt.

Einige Jahre vergingen, bis wir uns wiedertrafen.

Immer noch rannte ich die Treppen zu Tailer lieber im Zweiersprung hoch als Stufe um Stufe, Jahr um Jahr, nichts kam ihm und mir dazwischen, die Geschäfte liefen wie geölt, und ich hatte vergessen, daß ich zu einem Dealer ging, wenn ich ihn besuchte, so wie man irgendwann nicht mehr besonders wahrnimmt, daß man leere Fahrbahnen bei Rot überquert. Doch dann öffnete Harri die Tür, nicht Tailer. Harri öffnete die Tür nur, wenn Tailer wie tot auf der Couch lag. So auch an diesem Tag.

Tailer lag auf dem Bauch, in Trainingshose und T-Shirt, ein Knie angewinkelt, ein Arm hing zum Boden. Das Gesicht war ins Kissen gepreßt. Seine Körperlast drückte schwer in die Couch. Er atmete nicht. Dann rang er nach Luft, als gebe es keine. Klares Schlaf-Apnoe-Syndrom, dachte ich. Ich nahm seine Schulter und hob sie etwas in die Höhe, damit er besser Luft bekäme. Er gab einen Grunzlaut von sich, schreckte hoch und rammte sein Knie gegen mein Schienbein. Ich zog es in einem Reflex weg und verlor das Gleichgewicht, fiel auf ihn drauf. Tailer war wach.

»Bist du schwul, oder was?«

»Du hast keine Luft mehr bekommen.«

»Türlich hab ich Luft bekommen.«

»Aber nicht besonders gut.«

»Immer noch so gut, daß ich mir diesen Scheiß anhöre. Wo sind meine Zigaretten?«

Harri schien es besser zu gehen. Er trug einen Anzug, hatte kurz geschnittene Haare und donnerte auf messingverstärkten Absätzen über den Parkettboden. Zog Tailers zerknüllte *Reval*-Packung aus der Ritze zwischen Sitzteil und Lehne hervor und drehte wieder ab, mit einem Lied auf den Lippen ... *Scha-de um die Trä-nen in der Na-acht* ... Tailer sah aus wie das zerknautschte Kissen neben ihm. Er schaute Harri hinterher und grübelte, wie das Lied weiterging oder wie es angefangen hatte. Er knallte das Feuerzeug auf die Tischplatte.

»Hör auf zu singen!«

»Sie ist weg, na und? Sei froh, daß wenigstens ich gut drauf bin!«

»Ich hasse Schlager! ... Was kann ich für dich tun, mein Freund?«

»He, was ist los?«

»Sie ist weg, hast du doch gehört.«

»Wie weg?«

»Na wie weg wohl? Weg!«

Vom Sehen kannte ich sie bereits, als sie noch gar nicht Tailers Freundin war. Sie gehörte dazu wie das Mobiliar, wie Barhocker an den Theken der paar Kneipen, die für kurze Zeit in waren. Wenn die Kneipen wechselten, wechselten auch die Gesichter. Aber einige Gesichter blieben. Tailers Freundin sah man auch in der neuen Kneipe, wo man selber zum ersten Mal war und noch einigermaßen unsicher, wie der Ellbogen auf die Theke zu legen war undsoweiter.

Sie hatte nie bei den *Marrakesch*-Esoterikern im Lotussitz gehockt und Weisheiten in sich aufgenommen oder versprüht. Sie diskutierte nicht in den Schmalzstullenkneipen mit Künstlern und Thekenpolitikern. Sie war dort, wo es Musik gab und Menschen, die Drogen hatten. Sie trug Pullover von *bilka*, knallgelber oder alarmtürkiser Proletarierlook. Pausenlos toupierte sie ihre dünnen Haare. Von einem Tag auf den anderen irrte sie rastlos umher, um sich irgend etwas zu besorgen oder besorgen zu lassen.

Wenn ich damals Tailers Freundin sah, sah ich immer auch Petra. Wir waren scheue siebzehn, trafen uns im Jugendheim, rauchten uns voll und probierten Trips aus. Doch plötzlich waren wir in Petras Augen Kinder. Wir konnten lange ausbleiben, aber sie konnte noch länger machen. Sie wohnte noch in unserer Nähe, ging jedoch jedem aus dem Weg. Sie war weit draußen. Wir noch die Schulbubis. Es dauerte nicht mehr lange, bis ich sie ausgehungert und verfroren in einem kleinen Stadtpark wiedersah. Sie war nicht mehr in der Lage, so über uns hinwegzuschauen, wie sie es oft getan hatte. Sie war starr. Sie fiel. Ihr schönes helles Haar so stumpf.

Auch Tailers Freundin, die ebenfalls Petra heißt, sah man bei den Fixern stehen, die schon lange nicht mehr den

Eindruck machten, als nähmen sie die Drogen zu ihrem Vergnügen. Sie befanden sich in einem dauerhaften Vor-die-Tür- oder Auf-die-Toilette-Gehen, in einer gewissen Unruhe, weil sie immer etwas zu tun und gleichzeitig etwas anderes zu beabsichtigen hatten. Und Petra war, wie die andere Petra, lange Zeit die Schönste. Sie war noch nicht gezeichnet. Ich bemerkte ihren Verfall nicht. Aber ein anderer Ort genügte. Einmal am Ludwigkirchplatz, bei Tageslicht, war traurigerweise nicht zu übersehen, was mit ihr los war. Es gab eine Art Gemeinschaftsgefühl selbst mit Leuten, die man nicht kannte, von denen man aber wußte, daß sie in dem Film, den man selbst lebte, mitspielten.

Der Platz, an dem ich bemerkte, was mit Tailers Freundin Petra los war, war derselbe, an dem ich meine Klassenkameradin Petra zum ersten Mal als Verlorene sah. Petra war die Lehre, daß es eine Grenze gab. Wir nannten es damals mit unseren vorlauten Mündern und halbgebildeten Hirnen Realitäts- und Lustprinzip, weil wir einschlägige Bücher gelesen hatten. Wir, die Petras nicht. Wir, die auch mal bei den Esoterikern und den Schmalzstullentrinkern auftauchten. Es gab einige, die sehr früh in rasender Geschwindigkeit vorgelebt hatten, wie man aus dem Wir, das eine Zukunft meinte, ins wahnhafte Ich abdriftet, zurückbleibt und die Lebenden verläßt. Auch Tailers Petra hatte einmal eine wundervolle Vision gehabt. So wie die andere Petra eine Vision gehabt haben mußte, für die sie ausbrannte. Der Unterschied: Tailers Freundin stand wieder auf.

»Sie kommt wieder.«

»Diesmal nicht.«

»Sie ist immer wiedergekommen.«

»Bau mal einen. Und hör zu.«

Tailer öffnete eine Bierdose. Sein Kreislauf schien wieder in Ordnung zu sein, er kam in Fahrt und hatte alle Attitüden eines Handelnden, der eher darunter leidet, seine Hände nicht schneller einsetzen zu können. Ich sagte irgend etwas, aber er fuhr mir über den Mund. So wurde ich wieder einmal zum Zuhörer.

Seine Petra war dann so runtergekommen, daß sie in den stillen Straßen in der Nähe des Adenauerplatzes ihre Dienste anbot, um das Geld zusammenzukriegen. Sie lernte einen Mann kennen, der sie nach dem dritten Besuch zu einem Getränk einlud, privat. Sie gab sich angewidert und stieg aus. Der Mann wiederholte nach der sechsten Anfahrt und Bedienung seinen Wunsch, und sie gab nach. Seinen ersten Wunsch abzulehnen war reine Routine. Jeder konnte nochmals kommen, zahlen und nochmals fragen. Der Mann war in ihrem Alter und wußte, wie sie sogleich in dem kleinen Café merkte, was mit ihr los war, was sie trieb, diesen Job zu machen. Er las ihre Geschichte auf ihrem Gesicht. Sie zog zu ihm. Er schien der Typ zu sein, den jeder Fixer gern um sich hat, weil er weiß, wie er ihm glaubhaft versichern kann, daß er aufhören will und ihm gleichzeitig das Geld aus der Tasche zieht, um unbeirrt weiterzumachen. Aber sobald sie ihre Habe, in einigen Plastiktüten verstaut, in der Wohnung ausgebreitet hatte, sperrte der Mann sie ein und versprach ihr, alles zu unternehmen, um sie von der Sucht runterzubringen. Ungezählte haben das versucht, die allerwenigsten haben ihr Ziel erreicht, und wenn, dann nicht, weil sie den richtigen Weg wußten, sondern weil die Liebe alle Fragen zu Fraglosigkeiten verdrehte und an die Stelle der alten Sucht mühelos eine andere, gemeinhin unauffällige setzte. Dieser Mann hatte Medizin studiert und kurz vor dem letzten Examen eine Tankstelle geerbt.

Er versorgte sie. Er hatte ihr die Bürgerrechte geraubt. Sie war in dem Zimmer eingesperrt. In Wirklichkeit aber war er dauernd bei ihr. Alle paar Stunden. Die Arbeit an der Tankstelle taten andere, die dafür bezahlt wurden. Er fuhr ab und zu hin, um die Kasse zu leeren und die Einnahmen fortzuschaffen. Dann kochte er seiner Gefangenen ein Essen und gab ihr Methadon. Nach mehreren Tagen äußerte sie den Wunsch, durch Straßen zu gehen und durchzuatmen. Er legte ihr eine Kette um den Hals, durch den Ärmel des Mantels geführt. Es war nach Mitternacht. Nachdem sie einmal um den Block gegangen waren, zwängte er sie in sein Auto, schloß die Tür auf ihrer Seite ab und fuhr an den längsten Strand der Havel. Dort führte er sie angekettet entlang. Sie bat ihn, sie an der Kette irgendwohin zu bringen, wo mehr Menschen waren, sie wollte so gesehen werden, es erregte sie, wie sie sagte. Er löste ihr die Ketten. Am Strand schliefen sie miteinander. Währenddessen merkte sie einmal, daß sie hätte weglaufen können. Sie lief nicht weg. Im nächsten Moment hörte sie einen Heiratsantrag. Sie sagte ja. Sie war am Ende. Paar Wochen später stand sie in seiner Tankstelle an der Kasse.

»Eines Tages, wir brauchen Blättchen oder was, kommen wir in die Tankstelle rein, und ich sehe sofort dieses Gesicht. Ich kannte sie ja schon, aber mehr vom Rumstehen und Rumalbern.«

»Vorher hatten wir einen dicken Vierblatt geraucht«, sagte Harri, der sich zu uns gesetzt hatte und eine Tüte anzündete, »weißt du noch?«

»*Ich* erzähle hier ... Sie war tierisch weit weg, stand da wie eine ordentliche Angestellte. Und wir machen Spruch auf Spruch, du hast richtig sehen können, wie sie sich innerlich löste, wie sie alle Steifheit ablegte und wieder zu der alten wurde, die wir kannten. Wir haben sie einfach gut angemacht, und sie ist drauf eingestiegen. Wir kamen aus der Tankstelle gar nicht mehr raus.«

»Sie ist auf ihn geflogen, das hat er gemerkt.«

Tailer gab ihr seine Telephonnummer.

Sie übernachtete nun manchmal, es war noch in der alten Wohnung, bei Tailer. Wie ihr Mann kam sie als Fremdgängerin nach Hause. Die Ehe war kaputt. An der gesunden Frau hatte der Mann jegliches Interesse verloren. Eines Morgens verließ sie die eheliche Wohnung, wie sie immer schon Wohnungen verlassen hatte: Ihre Habe in zwei Koffern, fuhr sie zum nächsten Ort, der eine Heimstatt versprach. Sie zog zu Tailer. Er verlegte das Geschäftszimmer von dem kleinen Nebenraum, in dem seine Matratze lag, auf der alle Platz nahmen, in den größeren Vorraum, in dem bis dahin Harri gewohnt hatte. Sie einigten sich, daß Tailer einen Teil der Wohnung für seine Geschäfte und gleichzeitig einen für sich und Petra zur Verfügung hatte. Harri zahlte weniger Miete.

»Diese Frau«, sagte Tailer damals schon, »diese Frau für Geschäfte, wie ich sie tue, oder keine.«

»Und warum ist sie jetzt abgehauen?«

»Arschloch, hör auf zu fragen. Du sollst zuhören.«

Doch Tailer sagte erst mal nichts. Er griff sich die BZ und ging aufs Klo. Ich betrachtete Harris neues Outfit. Er trug zwar einen braunen Anzug, sogar eine Krawatte, aber nicht wie Anzug und Krawatte, sondern als sei er in diese Kleidung gezwängt worden. Die Schultern des Einreihers wulstig gepolstert, darunter ein weißes Secondhand-Hemd mit viel zu kleinem Kragen, dazu eine schmale schwarze Krawatte aus Kunstleder. Schwere metallene Manschettenknöpfe, die wie Zündkerzendichtungen aussahen.

»Brauchst du eine Lederhose, eine Lederjacke, einen Lederschlips, einen Gürtel oder Armbänder?«

»Du hast dich verändert.«

»Ich bin jetzt selbständig.«

»Du arbeitest?«

»Selbständig schon.«

»Wer hat dir denn das eingeredet?«

»Gute Leute haben mir einen guten Vorschlag gemacht.«

»Ein Vorschlag – und das reicht?«

»Du mußt natürlich geschult werden. Ich habe eine Schulung im Crash-Kurs bekommen. Alles auf höchstem Niveau. Treibe mich nur noch in Hotels rum.«

In einem alten Reflex warf er den Kopf nach hinten, als müsse er immer noch seine Haarwelle von der Stirn schütteln.

»Hast du ein Geschäft aufgemacht?«

»Ich verkaufe privat, von hier aus, wir haben die Speisekammer zu einem Lager umfunktioniert. Willst du mal sehen?«

Schon die Küche roch nach Leder. In der Speisekammer waren mehrere Kleiderstangen von Wand zu Wand gespannt, an denen die Jacken und Gürtel hingen. Die schwarzen Hosen waren zusammengelegt auf Regalen gestapelt. Die bunten Lederschlipse lagen in Kisten.

»Gefällt dir etwas?«

»Zeig mir mal die Armbänder.«

Er nahm zwei Kisten unter den Arm und leerte sie im großen Zimmer über dem Tisch aus.

»Und davon kann man leben?«

»Wenn ich gut verkaufe, lebe ich davon. Die Leute stehen auf Leder.«

Ich entschied mich für ein dünnes schwarzes Band, das

ich dreimal um das Handgelenk wickelte und verknotete. Das andere war hellbraun und hatte Haken und Öse.

Tailer polterte aus dem Klo, warf die BZ auf die Couch, räumte eine Tischecke von den Armbändern frei und hackte auf einem Spiegel sechs Kokslinien hin. Ich lehnte ab, er nahm vier, Harri zwei.

»Was kann ich für dich tun«, fragte Tailer.

»Wie immer«, sagte ich.

Ich machte mir Sorgen um Tailer, immer mehr. Er hatte systematisch auf seine Entdeckung, auf eine Befreiung hingearbeitet. Die Entlastung. Aber hinterher klingt man immer altklug und spätschlau. Hinterher weiß man, was es heißt, solch eine Arbeit zu verrichten.

Tailer war mit Petra zusammengeblieben.

Kurz nachdem sie ihn für einige Wochen verlassen hatte, fingen sie Tailer ein und brachten ihn fort, für zwei Jahre. Seit Petra weg war, war er voller Alkohol, Haschisch, Kokain, Meskalin, Psilozybin gewesen. Er gab kleinen Mädchen einen Strohhalm für das weiße Pulver und hatte danach die Väter am Hals, dann die Polizei. Er kannte keine Unterschiede mehr, kein Geheimnis, keine Konspiration. Für andere wurde er zu einem unsicheren Kandidaten. Die jungen, sehr jungen Mädchen kamen zu ihm, weil er es hatte. *Hast du Koks, hast du Weiber*. Wenn er es nicht hatte, kamen sie nicht zu ihm. Er schenkte den Mädchen nicht nur sein teures Pulver, mit dem er ansonsten einen flotten Handel trieb, er wollte an sie heran, in diesem überpotenten, an Impotenz grenzenden Wahn, den Alkohol und Kokain zusammen erzeugen. Es war ein beliebter Sport, es im Vollrausch mit jungen Mädchen zu treiben, die sich danach großartig verrucht vorkamen.

Natürlich wurde Tailer bestraft. Es genügte ein Teenie, den er nicht kannte, der aussah wie die anderen und alles seinem Vater erzählte, der es an einen netten Kriminalpolizisten weitergab, der sehr dankbar war. Das war sein größter Fehler. Damals war er noch keine dreißig. Nach zwei Jahren rief er seine Kunden an und bekam fast alle wieder bei sich zusammen. Allerdings war der Tisch, an dem wir uns wiedertrafen, ein anderer.

Petra war die einzige, die ihn regelmäßig im Gefängnis besuchte. Sie übernahm die Verwaltung des Stoffs, der noch in manchen Bunkern lag. Im Gefängnis blätterten sie in Katalogen und suchten sich Möbel aus, die sie bestellte. Als er wiederkam, saß er in einer neu eingerichteten Wohnung. Und telephonierte.

Er hatte zugenommen, mindestens zehn Kilo. Ihr Ambiente unterschied sich nicht von dem eines gewöhnlichen Ehepaars, das im öffentlichen Dienst arbeitet und die von den Eltern vorgelebte Biederkeit der Lebensführung in die Wohnungseinrichtung übernommen hat. Wahrscheinlich stellen wir uns Gangster, Kriminelle immer falsch vor, immer so, als seien sie nicht da, wo wir sind. Weil alle beisammen sind, trennen wir alles in diese und jene, uns selbst und die anderen. Die anderen sind immer irgendwo anders und machen irgend etwas anderes, mit dem wir nichts zu tun haben. Das ist der Irrtum. Damals, als er aus dem Gefängnis kam, sah er so gut aus wie nie zuvor. Gereinigt. Clean. Ein wunderbarer Anblick. Er verkürzte die tägliche Geschäftszeit um zwei Stunden und redete oft von einem *Privatleben*. Nun stellte er nichts mehr zu trinken hin. Nun rauchte er nicht mehr mit seinen Kunden. Er gab ihnen kein Piece mehr, damit sie einen drehten. Nun sollte man seinen Besuch telephonisch ankündigen.

»Ich kann nicht mehr wie früher«, sagte er, »ich will auch nicht mehr wie früher.«

Tailer wußte nicht, was eine Urlaubsreise ist und wie man sie macht. Sie wird es ihm erklärt haben. Tailer nannte uns Adressen von Freunden, die uns etwas verkauften. Seine größte Sorge war, Kunden zu verlieren. Wenn er Urlaub machte, so sein Gefühl, würde er Geld verlieren. Unser Hippie. Sie gingen nach Süden, in die heißesten Zonen, im ersten Jahr für sechs Wochen, im nächsten für fünf, im folgenden für vier. Jedesmal fuhren sie zum gleichen Ort. Bald hatten sie auch an ihrem Urlaubsort das Gefühl, nicht woanders, sondern zu Hause zu sein. Seine Kunden kamen wieder. Bis auf den Bär und Toto, die im Gefängnis saßen, weil sie einem rechtsextremen Bombenbauer geholfen haben sollen, verlor er keinen einzigen.

Auch ich kam wieder. Er saß in dieser anderen, wunderbar normalen Wohnung und hatte immer noch einen Trainingsanzug an wie zu den Zeiten, als wir gleich neben dem Ofenruß auf der Matratze in dem kleinen Nebenzimmer lagen, das Petra später übernommen hatte. Er hatte sein Geschäft professionalisiert, es gingen größere Mengen von Hand zu Hand, aber er hatte zu Hause nicht diesen Trainingsanzug ausziehen oder ihn in der alten Wohnung oder im Gefängnis zurücklassen können.

Petra lackierte die Zehnägel und sah gleichzeitig fern. Sie kneisterte mit den Augen, wenn sie aufschaute. Tailer pfiff in der Küche vor sich hin und kochte etwas. Es klingelte. Harri stapfte herein. Er sah verzottelt aus, ohne Formwillen, die Haare wieder lang, das Gesicht grau. Müde alte Jeans. Ich schaute auf mein schwarzes dreimal um das Handgelenk gewickeltes Lederband, dessen Knoten ganz klein und blank geworden war. Harri wohnte noch in der alten Wohnung und mußte nun wie die anderen auch zu Tailer hinfahren, wenn er etwas von ihm wollte.

»Harri, was macht dein Geschäft?«

»Hör auf. Alles Betrüger.«

»Hast du nichts verkauft?«

»Ich hätte niemals soviel verdienen können, wie ich zahlen mußte für den Schrott. Und jetzt habe ich immer noch den Lederladen in der Speisekammer.«

»Das war so was wie ein Pilotenspiel«, feixte Tailer aus der Küche.

»Er hat sich reinlegen lassen«, assistierte Petra.

»Er hätte praktisch zehn Leute anwerben müssen, die für ihn verkaufen, damit er auf seinen Schnitt gekommen wäre.«

»Aber find mal zehn Leute, die den ganzen Tag lang Sachen für dich verkaufen und selbst zehn Leute finden müssen, die für sie verkaufen.«

»Da machst du nur einen Schnitt, wenn du ganz oben in der Pyramide bist.«

»Er dachte, er wäre oben.«

»Wenn es deine eigene Idee ist und du selber damit anfängst.«

»Aber ich war ein kleines Licht.«

»Er hat sich eben reinlegen lassen.«

»Kann man so sagen.«

Es klingelte, und Tailer kam mit Maik herein. Großes Hallo. Lange nicht gesehen. Das betraf alle.

»Ah, der Wettermann! Schön, dich mal wieder in natura zu sehen.«

»Regnet's morgen, oder spinnen die?«

Maik war es sichtlich unangenehm, im Mittelpunkt zu

sein, obwohl wir nur zu fünft waren. Das wunderte mich, denn er hatte gelernt, vor anderen Menschen zu stehen und die Blicke auf sich zu ziehen. Er trug eine schwarze neue Lederhose und ein Jackett im Fischgrätenmuster, dazu Westernstiefel. In den achtziger Jahren sahen viele nicht gesund aus. Auch Maik hatte sich für eine Beinaheglatze entschieden, so daß kleinere und größere Pickel im Hals- und Nackenbereich ohne weiteres sichtbar, oft sogar der erste Blickfang waren. Maik begrüßte mich so herzlich und selbstverständlich, als hätten wir uns erst am Vortag voneinander verabschiedet.

»Darf ich mal anfassen?«

Harris Finger musterten die Qualität von Maiks Lederhose.

»Gute Ware. Woher?«

»Nun sag doch mal, wie das Wetter morgen wird.«

»Ich weiß nicht mehr, irgendwo zwischen Nürnberg und Würzburg. War ein kleiner Laden in einer kleinen Ortschaft ... Ich weiß nicht, wie das Wetter wird, ich habe frei.«

»Warst du wieder unterwegs?«

»Ich hab nicht viel Zeit«, sagte Maik. Er nickte mir kurz zu.

Harri kniete sich hin und betastete den Saum von Maiks Hose. Er staunte und brachte es vor Staunen zu keinem weiteren Kommentar.

»Was kann ich für dich tun«, fragte Tailer.

»Wie immer ... Und hast du auch was ... für die Nase?«

»Nein, Maik, tut mir leid, Nasenprogramm läuft bei mir nicht mehr, da kann ich dir nicht helfen.«

Ich sah ihm an, daß es ihm unangenehm war, vor uns allen nach Koks zu fragen. Er schaute uns an, als suchte er in unseren Mienen nach Hinweisen, daß wir schlecht über ihn dachten.

»Ich dachte, du kannst mir vielleicht einen Tip geben. Ich kenne nicht die richtigen Leute. Und auf der Straße kauf ich es nicht.«

»Na gut, weil du es bist.«

Tailer schrieb einen Namen und eine Telephonnummer auf den abgerissenen Kopf einer Marlboro-Schachtel und schob die Pappe in Richtung Maik.

»Sag einen schönen Gruß von mir.«

»Ich danke dir.«

»Nichts zu danken.«

Auch ich sagte, ich habe nicht viel Zeit und müsse gleich weg.

Er gab Maik sein Stück, mir mein Stück und brachte uns gemeinsam zur Tür.

Die Hose und die Jacke waren etwas zu neu, zu frisch, aber in Ordnung, doch an Maiks Gang, als er vor mir die Treppen hinunterlief, stimmte etwas nicht. Irgendein Schwung fehlte, irgendeine verbindliche Festigkeit oder Spannkraft, der körperliche Ausdruck eines inneren Zusammenhalts, was weiß ich. Sein Gang sah aufgelöst und ausgeleiert aus, als hörten die Glieder nicht auf dasselbe Kommando oder als erreichte das Zentralkommando die Außenstellen nicht mehr. Mir fiel ein, daß das früher sein Markenzeichen gewesen war, als der Schauspieler in dem Kultfilm. Damals liebte man seine Verrenkungen, sein sympathisches Zucken. In diesem Moment, als wir die Treppen hinuntergingen, sah ich die ausgeleierte Fassung. Es war nichts mehr gespielt. Die Macken waren auf ihn *übergegangen*: Die Arme pendelten unabhängig von den Beinen. Manchmal legte er den Kopf etwas schief. Die Innenseiten der Knie stießen beim Gehen aneinander. Unter seinen Halswirbeln hatte sich der Anfang eines Rundrükkens gebildet. An der Haustür angekommen, standen wir vor der Wahl, nach rechts oder nach links in die Straße zu biegen.

»Du hast keine Zeit?«

»Du hast gesagt, du hast keine Zeit.«

»Weil du gesagt hast, du hast keine Zeit.«

»Versteh ich nicht.«

»Ich wollte mit dir zusammen da raus. Ich find es klasse, dich wiederzusehen. Können wir uns treffen?«

»Wir haben uns doch getroffen, find ich auch klasse.«

»Aber du hast keine Zeit, hast du gesagt.«

»Hab ich gesagt. Ich wollte da auch nicht lange sitzen. Was machen wir?«

»He, du hast Zeit?«

»Du auch?«

»Klar.«

»Also.«

»Und was?«

»Da lang.«

»O.k.«

Auf der Straße war sein Gang ein völlig anderer. Er ging so schnell, daß ich ein bis zwei Schritte hinter ihm blieb.

»Kannst du vielleicht langsamer gehen?«

»Nein. Ich muß dir was erzählen.«

»Bei diesem Tempo?«

»Ja.«

Wir düsten in einem unglaublichen Tempo durch den Bezirk. Manche schauten uns nach. Wenn es eine längere Geschichte wird, dachte ich, würden wir bald an der Stadtgrenze ankommen. Mir wurde warm vom Gehen. Erst einmal daran gewöhnt, war es ein leichtes, die Geschwindigkeit zu halten. Ich vertraute darauf, daß ihm irgendwann die Luft ausgehen würde.

Es begann mit dem verpaßten Casting in München. Oder damit, daß er nicht mehr mit Lidia zusammen war. Zuerst erzählte er von Lidia.

Es war an einem Samstagmorgen, freundliches Licht und helle Menschen, die Stunde der einzelnen Brötchentüten und der Familieneinkäufe. Maik und Lidia waren knapp drei Jahre zusammen gewesen. Im stillen hatten beide zur selben Zeit beschlossen, die Beziehung zu beenden. Fast zwei Wochen lang riefen sie sich nicht an. An jenem Samstagmorgen fand Maik einen Umschlag mit Lidias Absender in seinem Hausbriefkasten. Er schaute auf eine Handschrift, die aussah, als wenn nichts vorgefallen wäre. Tage zuvor hatte er in Erwägung gezogen, einen Brief von ihr ungeöffnet an sie zurückzuschicken. Doch nun wollte er ihren Brief lesen. Er setzte sich auf eine Treppenstufe. Er las die ersten und die letzten Sätze und überflog, was dazwischen stand. Es war ein Brief aus der Vorzeit, als ihre Energie zu dem wurde, das ihnen bald im Wege stand. Ein bißchen Haß, viel Geräusper und vor allem Selbsthygiene. In der Vorzeit hätte er zwei, drei Dinge richtigstellen wollen, vielleicht sofort am Telephon. Aber im Samstagmorgensonnenschein trat er aus dem Haus, wenn auch auf seltsam wackligen Knien.

Wenig später wechselte er die Straßenseite, um nicht an jenem Café vorüber zu müssen, wo zur Belustigung der Cafégäste ein Pantomime den Passanten nachstieg und deren Art zu gehen parodierte. Auf der anderen Straßenseite bemerkte er, daß der Pantomime an diesem Tag vor dem Kaffeehaus arbeitete, auf das er geradewegs zuging, nachdem er extra die Straßenseite gewechselt hatte, um diese Situation zu vermeiden. Eine junge Schöne imitierend, kam der Straßenspieler in einer Stöckelschuhsimulation ihm entgegen. Maik mußte einen Schritt ausweichen, um die Rotnase vorbeizulassen, wobei er dem Clown nicht auf die Nase, sondern in die Augen schaute. Ohne sich umzudrehen, war er sicher, daß der Spaßvogel an ihm kein Interesse hatte. Ich bin durch, ich habe es gemacht, jubelte er. Sein Flaniergang danach war alles andere als zögerlich und unentschieden. Jeder Herausforderer war ihm nun recht.

Zwei Verliebte, die nach der Schonzeit des vertrauensbildenden Sprechens miteinander intim werden. Sie entscheiden sich im selben Moment dafür oder lassen es zeitgleich geschehen. Keiner wird den Übergang zur Intimität auf seinem Konto verbuchen; auch, weil ein Konto am Liebesanfang bewußt noch nicht geführt wird. Jedoch versucht man den Schluß, anders als den Anfang, einer von beiden Personen zuzuschreiben. Wer ist verlassen worden? Wer hat verlassen? Lidia und Maik trennten sich gleichzeitig, so daß nicht zu bestimmen war, wer verlassen hatte, wer verlassen wurde. Einer ihrer Schritte war der Schritt zuviel. Sie bemerkten es erst auf der anderen Seite der Schwelle, zwar zur gleichen Zeit, jedoch jeder für sich. Beide setzten den anderen von ihrem Entschluß nicht in Kenntnis. Als das Faß übergelaufen war, versenkte er ihre Zahnbürste und ihre Kosmetika in einem großen blauen Müllsack. Sogleich begann er seine Wohnung auf- und umzuräumen. In den nächsten Tagen wünschte er, sie würde anrufen, damit er ihr mitteilen könnte, es sei Schluß. Was, überlegte er, wenn sie mit mir früher Schluß gemacht hat als ich mit ihr? Was, wenn sie mir ihren Entschluß früher mitteilt als ich ihr meinen? Mein *letzter Wille*: Ich muß als der erscheinen, der der Täter ist. Ich will nicht hören, daß sie über mich entscheidet. Sein letztes Verlangen war der Wille, das letzte Wort zu haben. Doch der Wille nach dem letzten Wort ist der Wunsch, daß dies das letzte Wort nicht sei. Also kein letztes Verlangen nach dem letzten Wort. Sein allerletzter Wille: Nachlassen, nachlassen ... Weshalb er Lidias Brief nicht beantwortete.

Ihm fehlten die übertriebenen Schreie nicht, die Lidia bei offenem Fenster ausstieß. Ihm fehlte nicht das Lied *I'm not in love*. Ihm fehlte auch nicht die Hand unter der Bettdecke. Dann fehlten diese Dinge ihm aber doch. Und dann fehlte das Fehlen ihm nicht mehr.

Lidia schwand ihm aus dem Sinn, fast. Wenn er eine bestimmte Automarke in einer bestimmten Farbe sah, dachte er kurz an sie und erinnerte sich ihrer Existenz. Selten dachte er darüber nach, was ihre Existenz ihm bedeutete. Hellwach startete er in den kommenden Tag und erfreute sich an seinem Licht. Wenn das Telephon klingelte und niemand sich meldete, dachte er, kurz, an Lidia. Doch fast immer meldeten sich die Anrufer. Ein Wetter zum Fensterputzen, zum Durch-die-geputzten-Fenster-Schauen! Eine krasse Lebensbejahung ging urplötzlich in ihm ab. Für manche war sie zu hell und angriffslustig, Vorhänge mußten davor. Oder wenn Lidias Arbeitgeber eine Sportveranstaltung sponsorte, die er im Fernsehen anschaute, dachte er kurz an sie. Schaute, ob er sie im Publikum erkannte.

Er achtete nicht mehr auf seine Kleidung. War es vorgewitterschwül, verließ er seine Wohnung im wollenen Jackett. Er konnte sich von alten zerlatschten Schuhen nicht trennen, deren Spitzen so weit nach oben standen, als wollten sie ihm ein Zeichen geben, daß ihre Zeit gekommen sei. Vier Winter lang die eine, vier Winter lang die andere Jacke. Einmal, von einem Tag auf den anderen, bildete er sich ein, er habe zu schmale Hüften. Stellte sich in Hose und Hemd hin, ohne Jackett, und sah eine körperliche Abnormität, eine spät entdeckte Mißgeburt vor sich im Spiegel. Er zog sich alle Hosen über, die er besaß. Wie konnte man so schmal dort sein, wo eine gefällige Rundung, selbstverständlich ohne Fett, angesagt wäre? Entsetzt war er, weil ihm seine Behinderung, so bezeichnete er das Brett im Spiegel, nicht früher aufgefallen war. Er mußte blind gewesen sein für sich selbst, flog es ihm durch den Kopf. Und nur, weil ihm von morgens bis abends die Dinge unterscheidungslos und gleichwertig durch den Kopf flogen, ohne daß er sich in der Lage sah, wenigstens für eine Stunde am Tag einmal den Regisseur der Bilder zu spielen, nur wegen dieses geduldeten Durchlaufs in seinem Gehirn war ihm überhaupt bewußt geworden, daß er zu schmale Hüften hatte. Genau dieser Satz war ihm einmal gesagt worden, zehn oder fünfzehn Jahre her, allerdings leicht abgewandelt. Er, Maik, trage eine Hose, sagte der Intendant, die seine Hüften außerordentlich schmal erscheinen lasse. Maik hatte diesen Intendanten immer bewundert. Dieser Satz richtete einen Aufstand in seinem Inneren an. Nun gut, die Hose war nichts Besonderes, aber es konnte in diesem Fall nicht nur um eine Hose gehen. Dieser Satz vom verehrten Intendanten, an Maik gerichtet, wie auch immer eingekleidet, war in seinem Kern ein Befehl! Danach stellte er sich vor den Spiegel und sah das ganze Elend. Sofort war klar, daß er seinen Makel verbergen mußte.

Er zog sein Jackett nicht mehr aus, egal was los war. Es

konnten ihm vor Schweiß die Augen verklebt sein, es konnte das Hemd sich wie angesaugt an die Brust klatschen: Maik trug Fassung. Jede halbe Stunde ging er zum Klo, schob Jackett- und Hemdärmel hoch und ließ kaltes Wasser auf die Pulsadern prasseln. Er achtete so sehr auf seine Kleidung, Verkleidung! sagte er sich vor dem Spiegel ins Gesicht, daß er besonders im Sommer den Eindruck nicht des schlecht, sondern des falsch angezogenen Mannes hinterließ. Fortan suchte Maik in den Bekleidungsgeschäften die dünnsten Hemdenstoffe und kleidete sich neu ein. An die Anzüge und Hosen ging er zuletzt heran. Er schwitzte in dem Laden. Eine frühe Hitzeperiode noch vor Sommerbeginn war gerade vorbei. Maik dampfte wie ihr Nachdunst, während er sich der Frage des Verkäufers, der in Maiks innerem Mitgespräch sofort den Namen *Fahnder* zugewiesen bekam, ausgesetzt sah, welche Vorstellungen er bezüglich der Anzüge und Hosen habe. Er hätte jetzt sein Jackett ausziehen müssen, war jedoch unfähig zu einer normalen Jackettausziehbewegung. Alle würden seine Hüften sehen, die in seinem Spiegel so schmal waren, als gäbe es sie nicht, als hätte der Former für eine Formsekunde die Lust oder einen kleinen Datensatz verloren. Nein, er müßte noch einmal hineingehen in diesen Laden und als erstes sein Jackett ausziehen. Aber dazu war es zu spät. Er überlegte, ob er in ein anderes Geschäft eintreten und als erstes sein Jackett beiseite legen sollte, verbunden mit der Bitte, man möge ihm diese und jene Hosen in seiner Größe zum Anprobieren bringen. Vor ihm aber stand der Fahnder.

Es gab keinen Übergang. Mit einemmal war er nackt. Bevor Maik begriffen hatte, was geschehen war, hängte der Verkäufer den Bügel mit Maiks Jackett an ein aus der Wand ragendes Metallrohr und klatschte in die Hände. Der

Fahnder hatte ihn entblößt. Um weiterfahnden zu können, mußte das Jackett weg, dachte Maik, und durcheinander wie gewohnt dachte er weiter: Was soll geschehen sein? Der Verkäufer hat mir händeklatschend einen Gefallen getan. Er griff sich eines der beiden Jacketts, die der Verkäufer locker auf seinem Bügelhalterfinger trug, nur um wieder ein Jackett anzuhaben. Nachdem er auch das zweite übergestreift und abgelegt hatte, blieb der Blick des Fahnders auf der Hose haften, deren Oberschenkelstoff mehrmals an diesem und dem Vortag an seinen Schenkeln geklebt hatte. Jetzt stand der Intendant vor ihm. Maik wußte, sogleich käme eine Bemerkung, die er die nächsten zehn, fünfzehn Jahre lang nicht vergessen würde. Sie würde ihm zufliegen, in elf Jahren, auf einer Brücke in Marseille. Aber der Verkäufer ging beiseite und kam mit vier auf seinem vorgestreckten Haltefinger eingehängten Hosen zurück. Das sei ein anderes Modell, sagte er. Maik nahm die schwarze der Hosen und verschwand in der Kabine.

Als er wieder vor dem Spiegel stand, war ihm, als sei der feierliche Moment gekommen, in dem er seinem Intendanten zeigen konnte, daß er etwas gelernt hatte.

»Etwas enger um den Bund geschnitten, die Hoseneinlässe verstärkt«, fügte der Fachmann hinzu.

Wieder ohne Jacke gehen!, jubelte es in Maik.

Der Profi sah ihm die Freude an und sagte: »Das macht nicht so schmal.«

Die Behinderung war überwunden. Er stand aus dem Rollstuhl auf. Er warf die Krücken beiseite. Zerkloppte das Gipsbein. Verbrannte seinen Schwerbeschädigtenausweis.

Doch die überstandene Behinderung erst ist es gewesen, die ihn auf eine andere Behinderung hinwies: Wenn sein Makel so schnell und wie beiläufig während eines Besuchs in einem Bekleidungsgeschäft abzustellen war, warum hatte er dann monatelang darunter gelitten, daß er unabänderlich mit zu schmalen Hüften geschlagen war?

Ich konnte ihm keine Antwort geben. Wir saßen einige Tage später in irgendeiner Pizzeria. Ich vermied es, mit ihm längere Wege zu gehen, Er hatte immer noch diesen Wahnsinnsgang drauf, bei dem niemand mitkam. Am Tag unseres Wiedersehens bei Tailer sind wir im Laufe seiner Erzählung wirklich bis fast an die Stadtgrenze gekommen. Am nächsten Tag hatte ich Muskelkater in den Beinen. Allerdings auch sehr gut geschlafen.

»Ich erzähl dir das alles, damit du es aufschreibst.«

»Ich schreib das nicht auf.«

»Doch, einmal wirst du es aufschreiben. Deswegen muß ich dir das alles erzählen. Ich bin dein Erzähler.«

Ich merkte, daß es unlogisch war, zu sagen, ich schreibe das nicht auf, wenn ich mich ihm und seinen Erzählungen doch als Zuhörer zur Verfügung stellte. Damals schrieb ich nichts von dem auf, was Maik mir erzählte. Ich hatte mit anderen Geschichten zu tun.

»Oder neulich, so eine beschissene kleine Feier alter Schulfreunde, die sich wiedersehen. Aus all meinen Schulfreunden ist etwas geworden. Jeder schaut auf Erfolge, wenn er sein Berufsleben betrachtet. Simon ist an einem wissenschaftlichen Verlag beteiligt, Burkhard hat es zum Wirtschaftsprüfer gebracht, Ricki zum Schulleiter. Christian macht täglich mit Millionen Deutschen Quizsendungen im Fernsehen. Ihn kennt praktisch jeder. Alle leben mit Freund oder Familie, Frau und Kindern, besitzen ein Häuschen und sehen aus wie zufriedene Leute. Ich hatte das Gefühl, daß aus mir nichts geworden ist, obwohl fast jeder mich kannte, von meinen Filmen früher oder aus dem Regionalfernsehen, wo ich bis neulich noch fast täglich den Wetterbericht präsentierte. Wenn ich sagte, ich habe nichts erreicht und könne nichts, widersprachen sie mir. Aber ich meinte etwas anderes. Was mir nun fehlte, war das, was ich nie gewollt, worum ich immer einen Bogen gemacht hatte: eine Familie, eine stinknormale Familie. Mir rutschten die Tage aus dem Lot. Ich hatte zuviel Zeit und machte zu viele Dummheiten. Stand mir selbst im Weg. Als wäre die Zeit, die ich hatte, nicht nützlich, sondern hinderlich. Inzwischen haßte ich es, Zeit zu haben. Ich aß allein, arbeitete meistens allein, ich schlief allein, ging solo durch die Straßen und allein ins Kino. Freiheit verblödet. Sucht sich nicht jeder die Zelle aus, in der er die nächsten Jahrzehnte absitzen will? Man dachte, ich führe ein tolles Leben, weil ich regelmäßig im Fernsehen zu sehen war. Ich machte einen Wetterbericht, sagte eine Temperatur und gab kindische Ratschläge, was man anziehen, was man nicht anziehen, wie man sich beim Autofahren verhalten solle. Ich verachtete diese infantile Quatscherei, aber die Leute und die Fernsehchefs wollten es so, eine Frage der Quote, und die war gut und vor allem stabil. Also redete ich mit den Zuschauern, die ich glücklicherweise nicht sehen mußte, wie mit Verblödeten, Lebensuntüchtigen, denen man ein Leben lang täglich das Wetter und die Verhaltensregeln, die daraus folgen, erklären muß, als könnten sie sich so was von einem Wetter zum nächsten nicht merken. Ich redete mit denen, als wenn ich achtzehn wäre und auf Allerweltsspäße aus, die aber gar keine Späße waren, sondern nur verblödete Wortspiele, auf die Menschen immer gleich reagieren. Ich spürte keinen Erfolg. Mein Freund Simon hatte gewonnen, indem er mit der ersten Freundin zusammenblieb, heiratete und zwei Kinder machte. Aber auch ich hatte für mich gewonnen, indem ich mich dem abenteuerlichen Leben ausgesetzt hatte. Mein Gewinn bestand darin, alles auszuleben, was eine Familie mir verboten hätte. Simon und ich, wir sehen beide gut aus, er etwas besser als ich. Der eine scheint nicht unglücklicher zu sein als der andere, wenn man nichts über uns weiß. Keiner verlebter als der andere. Ich dachte früher, ein Familienleben würde mich sofort fett und faul und häßlich werden lassen. Simon hatte vermutet, ein Alleinleben in der Großstadt würde ihn zerstören. Simon klagte darüber, daß er kaum Zeit für anderes als die Arbeit hätte. Ich klagte darüber, daß ich zu viel freie Zeit hätte und mich unterfordert fühlte. Ja, so eine beschissene kleine Feier, du gehst hin und denkst an nichts Böses und kommst raus und grübelst nur noch.«

Ich fand es ziemlich kokett, wie Maik sagte, daß aus ihm, der doch wirklich bekannt war, nichts geworden wäre.

»Du hast zu viel freie Zeit? Wenn einer immer viel zu tun hatte, dann doch du.«

»Es kommen weniger Angebote.«

»Und das Theater?«

»Hör mir auf mit dem Theater! Ob gefragt oder ungefragt, jedermann hörte von mir: ›Ich liebe das Theater! Ich liebe die Schauspielerei!‹ Dann war es damit vorbei. Das letzte, was man von mir hörte, bevor man mich aus den Augen verlor, war dieser Satz. Glaube keinem Künstler, der dir ungefragt mit der Behauptung in den Ohren liegt, er liebe seine Kunst. Wenn es so weit kommt, dann hängt der Kunstsegen längst schief. Ich habe damals diesen Satz immer wieder gesagt, weil ich über das Theater und die Filmchenröllchen, die mir angeboten wurden, nicht mehr sprechen wollte. Ich mochte nicht mehr daran erinnert werden, daß ich mit diesem eitlen und, je genauer ich ihn zu kennen meinte, immer undurchschaubarer werdenden Markt etwas zu tun hatte. Der Intendant, an ein größeres Haus gewechselt, hatte einige seiner Schauspieler mitgenommen, Karst zum Beispiel, nicht jedoch mich. Da fing ich an zu behaupten, ich liebte das Theater.«

Oder es begann doch mit dem verpaßten Casting in München. Die unmögliche und ungewollte Trennung von Lidia war der Beginn des persönlichen Absturzes. Und das damals verpaßte Casting in München war der Beginn des beruflichen Absturzes, so sah es aus. Um die Zeit herum, als er Vera und seinen Sohn zu suchen begann, hatte er etwas verloren. Den Sinn für die Schauspielerei oder den Sinn dafür, Schauspieler zu sein. Beides ging nicht mehr in einem auf, in Maik. Seine Lebensform und seine Tätigkeit begannen sich zu trennen und eigene Existenzen zu führen. Von Jahr zu Jahr wurden seine Terminkalender kleiner. Er meinte, sie seien besser zu verstauen und paßten in jede Jacke. Aber in Wirklichkeit hatte er zugelassen, daß sein Terminkalender sich abkoppelte von seiner Person. Bis dahin hatte er alles, was ihn betraf, als Einheit gespürt. Er brauchte sich nicht um das Ineinanderhaken der Rädchen zu kümmern. Daß ein Telephongespräch zu einer Notiz in seinem Kalender führte, die ihn zu einer Verabredung schickte, die eine Notiz ergab, woraufhin er am nächsten Tag jemanden anrufen würde, war selbstverständlich. Jetzt aber stellten diese einzelnen Dinge sich groß dar, überschatteten alles, und es gab keine gemeinsame Abstimmung mehr. Er sah das Leben nun in jeden Zusammenhang abschneidenden Großaufnahmen, ähnlich wie der Regisseur des dreieinhalbstündigen Kultfilms.

Oder Großaufnahme Hausbriefkasten. Es begann damit, daß er in der zugigen Toreinfahrt in seinen Briefkasten schaute und die Post entnahm. Später las er die Briefe mit hochgeschlagenem Mantelkragen im Stehen und legte sie in den Briefkasten zurück. Alle zwei, drei Tage nahm er das Angesammelte heraus. Noch später checkte er vor seinem Hausbriefkasten die Relevanz der Absender. Umschläge, in denen er Programmhinweise vermutete auf Veranstaltungen, die er sowieso nicht besuchen würde, ließ er ungeöffnet. Nur die persönlichen Anschreiben öffnete und überflog er, bevor sie zurückwanderten. Einmal in der Woche mußte er Platz schaffen für den Schwung der kommenden Woche. Unter die ungeöffneten Umschläge mischten sich mit der Zeit solche, in denen er negative Post vermutete, wie er das nannte. Sie alle bildeten auf seinem Küchentisch einen Haufen, der ihn zwang, die Mahlzeiten woanders einzunehmen. Einmal im Jahr räumte er seinen Küchentisch frei. Vor dem Wegwerfen öffnete er die alte Post. Nun las er die Einladungen zu Empfängen und Abendessen, von denen Kollegen hinterher erzählt hatten und geschwärmt, welche Kontakte sie dort geknüpft hätten. Maik wurde nachdenklich und verbrachte einen melancholischen Abend neben der vergessenen Post. Ein, zwei Wochen lang schaffte er es, die Briefe Tag für Tag aus dem Hausbriefkasten zu nehmen und nach oben zu tragen, um sie zu öffnen und zu beantworten, pro Halbjahr ein, zwei Wochen. Und alle paar Wochen sein Standardtraum, in dem er den immer vergessenen übergequollenen zweiten Briefkasten öffnet, jedoch nicht an die Briefe herankommt. Je mehr seine Hand sich ihnen nähert, desto weiter rutschen sie nach hinten, bis sie unerreichbar sind.

Und dann die Sache mit Karst. Sie kannten sich aus der

Schauspielschule und waren miteinander in Kontakt geblieben, als Maik in Frankfurt war und Holger Karst in Zürich spielte. Der Regisseur des Kultfilms hatte sich Maik Steiner und Holger Karst für die männlichen Hauptrollen ausgeguckt, und die beiden holten wie ein eingespieltes Team das Beste heraus. Dialoge waren nicht die Stärke des Films, die Stärke war seine Bildersprache, in diesen ehemals modischen Verlangsamungen. Oft hatten sie, hinter Sonnenbrillen, die Blicke zum Horizont gerichtet. So etwas sagte damals unheimlich viel aus.

Maik bekam einen Brief von dem Intendanten, der für ihn immer schon eine Autorität gewesen war, mit der Bitte, an dessen Haus in Hamburg zu spielen. Er sagte sofort zu. Der Intendant und Maik hatten schon einiges getrunken, sie tranken viel in diesen Jahren. Maik war verblüfft über die luxuriöse Ausstattung der über dem Theater gelegenen Dachgeschoßwohnung, in der er wohnen durfte. Beim abschließenden soundsovielten Grappa erwähnte Maik aus irgendeinem Grund Oskar Riehmann, der einmal in seiner Berliner Wohnung gehaust hatte und seit Jahren gesucht wurde.

»Auch Oskar hat hier einmal gewohnt.«

»In letzter Zeit noch?«

»Aber das bleibt unter uns. Das *muß* unter uns bleiben.«

»Selbstverständlich.«

In einer am Berliner Winterfeldtplatz durchzechten Nacht mit Holger Karst entstand die Idee, dem Intendanten vorzuschlagen, Karst an dem Theater anzustellen. Ein halbes Jahr danach unterschrieb auch er in Hamburg. Monate später war klar, daß der Intendant das Theater und die Stadt wechseln, aber unklar, welche Schauspieler er mitnehmen würde. Alle warteten auf die Entscheidung, doch dann stand eines Tages in den Zeitungen, der Intendant werde verdächtigt, einem als Terroristen gesuchten Mann im Theater Unterschlupf gewährt zu haben. Daraufhin war monatelang umstritten, ob man den Intendanten an dem neu einzuweihenden Haus überhaupt noch haben wollte. Karst hatte es, wie üblich beschwingt, an einem Biertisch ausposaunt. Er war davon ausgegangen, man wäre unter sich, und klammheimlich war man in diesen Kreisen kein Terroristenjäger. Daß man unter sich wäre, davon war auch Maik ausgegangen, als er es Karst erzählt hatte, und davon war der Intendant ausgegangen, als er es Maik erzählt hatte. Der Intendant sprach nicht mehr mit Maik und ließ ihn am Theater versauern. Er nahm dann Karst mit an sein neues Haus und verbreitete überall, daß Maik ihm diesen öffentlichen Stein in den Weg gelegt hatte. Maik war unten durch.

Er zog wieder nach Berlin und hoffte, das Telephon würde klingeln. Vormittags hielt er es nicht in seiner Wohnung aus. Er war sich zu wenig, jeder andere ihm zuviel. Hatte den Drang, zu gehen. Dieses Gehen geschah wie ohne ihn. Eine Automatik trieb ihn an. Währenddessen empfing er Bilder, die entweder flüchtig vorüberhuschten, oder solche, die sich auf seiner inneren Leinwand regelrecht breitmachten. Bilder aus seinem Leben, Bilder aus allen Zeiten, die zu erinnern er fähig war. Gedanken, die mit der Formulierung begannen: »Wenn du damals …« Er stellte sich vor, in manchen Situationen anders gehandelt zu haben. Er war sich zu wenig. Er war sich zu viel. Beides gleichzeitig. Während des Gehens glotzte er ungnädig an, wer sich ihm in den Blick schob. Er wollte unter Menschen, aber unbedingt allein und ungestört sein. Zwar lief er stundenlang durch die Straßen der Stadt, doch betrat er ausschließlich die Stadt seiner Gedanken. Zwischen all den Leuten abwesend: Draußen kam er sich nahe wie in der Wohnungsstille selten einmal. Die Bilder von früher wurden ihm lästig, da er fast nur Situationen wiedersah, in die er verpaßte Gelegenheiten hineininterpretierte. Er machte sich in seiner Gedankenstadt schlechter, als er war. Ihm fiel fast nichts Schönes in seiner Umgebung auf, mit einer Ausnahme, die auf viele Stadtstreuner zutrifft: mit Ausnahme der Kinder. Er beobachtete seinen Gang in den Scheiben und sah einen Fliehenden. Es ging ihm übrigens gut. Anderes war von ihm nicht zu hören, wenn wir telephonierten.

Dann tauchte sie bei ihm auf. Eigentlich gar nicht möglich so etwas, da er auf ein Klingeln an seiner Tür lange schon nicht mehr reagierte. Es hätte ja sonstwer kommen können. Alles nicht Geplante erschien ihm wie eine Störung. Er war gutgelaunt wie lange nicht mehr durch die Wohnung getänzelt und hatte einfach nur Lust, den Müllmännern oder jemandem, der Prospekte in die Briefkästen schieben wollte, unten an der Straße zu öffnen. Er hatte die Tür nur geöffnet, weil er den Spruch loswerden wollte, der ihm gerade eingefallen war. Danach legte er eine Musik in Wohnungslautstärke auf und begann die Küche sauberzumachen. Dann klingelte es noch einmal, diesmal oben, vor seiner Wohnung. Es bestand immer noch kein Grund, die Tür zu öffnen. Allerdings war seine Musik zu laut. Wer auch immer vor der Tür stand, hörte sie. Er öffnete.

»Komm herein.«

Wie klein Vera war. Mit ihr sollte er früher Arm in Arm gegangen sein? Wie seltsam das ausgesehen haben mußte. Sie zog den Regenmantel aus und stand in einem Kostüm aus Leinen vor ihm. Sie setzten sich in die Küche. Maik machte die Musik leiser und kochte Tee. Er hatte sie noch nie in einem Kostüm gesehen. Sie setzte ein in seinen Augen schiefes Lächeln auf. Er suchte nach einer Formulierung, die daran anschloß.

»Wie komme ich zu der Ehre?«

»Ich habe gehört, du warst hinter mir her.«

»Ich hätte Sebastian gern gesehen. Aber das ist schon eine Weile her.«

»Du hast nach *mir* gefragt.«

»Ich habe dich auch gesehen.«

»Wo?«

»Auf dem Bergfest. In der Mühle.«

»Das ist lange her.«

»Sag ich doch. Warum kommst du jetzt?«

»Aus dir ist ja richtig was geworden.«

»Wo ist Sebastian?«

Sie ging in Maiks Zimmern auf und ab und musterte die Wände. Ihre Schuhe drückten, oder sie war es nicht gewohnt, in hohen zu gehen. Ihr Gesicht war schmaler und länger geworden. Maik hatte sie auch noch nie in Schuhen mit solch hohen Absätzen gesehen. Aber was für ein Selbstbewußtsein! Sie war nicht mehr das Mädchen, das sich in den Schlamm warf, weil es von der Gemeinschaft nicht verstanden worden war. Sie war auch nicht das Landei, die Hippiebraut, die genauso klaglos wie jede andere Frau die angeblich typisch weiblichen Arbeiten im Haus übernahm. Sie schien so etwas wie eine selbständige Persönlichkeit zu sein. Wie hatte sie das bloß gemacht, fragte er sich.

»Ich mag das überhaupt nicht, wenn man mir nachspioniert.«

»Bist du nach Berlin gekommen, um mir das zu sagen?«

»Nein, ich habe hier sowieso zu tun.«

»Was ist aus Sebastian geworden?«

»Du hast keine Beziehung zu ihm.«

»Noch nicht.«

»Du wirst nie eine zu ihm haben.«

Sie setzte sich hin und steckte sich resolut eine Zigarette an. Blies aus und schnippte zweimal auf den Aschenbecherrand. Hielt immer ein Bein über das andere geschlagen, als hielte sie sich nicht nur an eine Kleiderordnung, sondern auch an eine Verhaltensordnung.

»Ich finde, wir haben uns nichts vorzuwerfen, Maik. Wir haben uns ordentlich getrennt damals.«

»Findest du?«

»Du hörst es doch. Auch deshalb bin ich gekommen. Ich muß dir sagen, daß es eine Nummer zu groß für dich wäre, wenn du noch einmal versuchen solltest, mir nachzuspionieren. Ich habe meinen Anteil gegeben. Jetzt halte du deinen ein.«

»Was für einen Anteil?«

»Überleg mal, was Sebastian dich allein bis heute gekostet hätte.«

»Hast du ihn denn freigekauft?«

»Wenn du es so nennst.«

Er rührte in der Kaffeetasse, bis das Geräusch ihm auf die Nerven ging. Vera hob den Kopf, wenn sie den Rauch zur Decke hin blies.

»Und was ist aus dir geworden? Du hast dein Äußeres verändert.«

»Sagen wir: Geschäftsführerin. Frag nicht, wo.«

»Und wo sind deine Kinder?«

»Keine Fragen. Ich möchte nur, daß du mich in Ruhe läßt. Du siehst ja: Ich weiß, wo du wohnst. Und? Wie gehen deine Geschäfte? Sieht man dich mal wieder im Kino?«

»Ich würde mich nicht bemerkbar machen bei jemandem, der mich nicht bemerken soll.«

»Du verstehst mich nicht ganz. Ich drohe dir. Ich wollte das persönlich tun. Damit du es nicht vergißt.«

Genußvoll lächelnd machte sie die Zigarette mit vier Stößen auf dem Aschenbecherboden aus. Sie erhob sich und zog ihr Kostüm zurecht.

»Wo ist Sebastian?«

»Ich wollte nur, daß du Bescheid weißt, Maik. Vergiß Sebastian. Und mach's gut.«

»Weißt du, was sie mit Günther gemacht haben?«

»Günther hatte einen Herzanfall.«

»Nein, vorher, meine ich. Ist Nina, eure Tochter, auch verschwunden?«

»Was du alles weißt ...«

Sie musterte ihn mit einem immer ernster werdenden Gesicht. Maik schaute an sich herunter. Er sah aus wie ein Penner. Zerrissene Hosen, eine löchrige Strickjacke, aufgeplatzte Schuhe. Er fragte sich, wo sie einen klaren Auftritt wie diesen gelernt, was sich in ihrem Leben verändert hatte.

»Du hast mich verstanden, nicht wahr?«

Vera öffnete die Wohnungstür und schloß sie auch. Maik blieb wie angeklebt im Flur stehen. Später machte er die Musik lauter und blieb neben den Lautsprechern stehen. Er ging durch die Wohnung und schaute, ob Vera noch da war. Dann war ihm, als sei sie gar nicht dagewesen.

Maik dehnte das Gebiet seines mittäglichen Umherirrens auf den Flughafen aus. Er brauchte zwei, drei Stunden am Tag, um draußen an der Luft einen klaren Kopf zu bekommen. Abends saß er in seiner Wohnung, rollte die Banknote und beugte sich über die Kachel oder den Spiegel. Er konnte erst spät in der Nacht und nur für wenige Stunden schlafen. Kaffee am Morgen hätte ihn zu sehr aufgewühlt. Er ließ einen Liter Mineralwasser in sich hineinlaufen und schlich zum Flughafenbus. Auf der Besucherterrasse begegnete er außer Abholern und Hinbringern, denen der Abschied am Gate nicht genügte, auch immer wieder einem Jungen, der sich wie er länger auf der Terrasse aufhielt und, in Gedanken versunken, auf irgendeinen Punkt am Himmel oder auf dem Rollfeld starrte. Damals wußte er noch nicht, daß man sie *Plane-Spotter* nennt. Mehrmals in der Woche zog es sie dorthin. Aus der Welt der Automobile kommend, verblüffte Maik jedesmal der Größenunterschied zu den Fluggeräten. Nach mehreren Starts und Landungen, die in einem Abstand von hundert Metern zu bewundern waren, erschienen die Flugzeuge beinahe handlich und klein. Warum schaut man sich startende und landende Flugzeuge an? Warum wird man *Spotter*?

Einmal saß Maik in einem Airbus, der auf dem Startbahnboden dahinraste und anstatt abzuheben eine Vollbremsung machte. Sofort stützte er sich mit einer Hand am Vordersitz ab und hatte innerhalb der nächsten Sekunden erstaunlich viel Zeit, um alle in Frage kommenden Möglichkeiten zu bedenken. Auch fragte er sich, was er im Falle eines Zusammenstoßes wohl als letztes sehen würde, die berstende Plastikwand vor sich oder einen Feuerball, und er fragte sich, ob er gleich noch leben oder gleich tot sein würde. Zudem hatte er Zeit, die neben ihm sitzenden Vielflieger anzuschauen, die dieser Vorfall nicht im geringsten aufregte. Es waren die längsten drei oder vier Sekunden, die er jemals erlebt hatte. Als das Flugzeug endlich zum Stehen gekommen war, erzählten die Männer in seiner Nähe bereits Anekdoten von anderen Beinahe-Unfällen, die sie erlebt hatten. Hin und wieder stürmte jemand von hinten zum Personal vor und erkundigte sich nach dem Grund für die Notbremsung. Der Flugkapitän meldete, daß im Tower erst im letzten Moment ein kreisendes Flugzeug bemerkt worden war, welches auf ihrer Flugbahn im Weg gewesen wäre. Maik hatte Fluggäste ausflippen sehen wegen Nichtigkeiten. Nun sah er Mitflieger, so gefaßt und zuinnerst beruhigt wie noch nie. Auf der Besucherterrasse des Flughafens hätte er so einem Geschehen gern einmal zugeschaut, sagte er mir.

Mit der Zeit konnte er die Flugzeugtypen und die verschiedenen Typenserien voneinander unterscheiden, den Zigarren-Airbus vom Zigarillo-Airbus etwa. In einer dieser mittäglichen Ausnüchterungsstunden meinte er einer Maschine nach der Landung anzusehen, daß sie nicht bremste. Eine andere, kaum abgehoben, schien nicht an Höhe zu gewinnen. Eine, im Landeanflug, schien die Rollbahn zu verfehlen. Beinahe, beinahe ... Meistens blieb er zwei Stunden dort. Er kannte den Mittagsflugplan und wußte, welcher Flugzeugtyp auf welcher Linie unterwegs war. Er erkannte auch mehrmals den Jungen wieder, der sich auf der Besucherterrasse herumtrieb und den anderen böse Blicke aufdrückte. Maik merkte sich sein Gesicht wegen der schlechtgelaunten Visage. Seine Blicke gefielen ihm nicht, aber halbwegs verstand er damals jeden, der schlecht drauf war. So gingen die über dreißig Grad heißen Tage in jenem Sommer dahin. Eines Tages las er von einem Zwischenfall auf dem Flughafen. Spät am Abend habe das Triebwerk einer startbereiten Maschine gebrannt. Gern (er sagte: »Liebendgern«) hätte er dieses Bild und die Löscharbeiten gesehen, doch mußte er sich tags darauf mit dem unergiebigen Anblick der beiseite gerollten Unglücksmaschine begnügen, der man kein Unglück ansah. Derart mit dem Katastrophenmoment auf du und du, bekam er immer größere Angst vor seinem eigenen bevorstehenden Nordatlantikflug. Mit einemmal hatte er das Gefühl, dort auf der Besucherterrasse seine eigene Katastrophe vorwegzunehmen. Er bekam es mit der Angst vor dieser Angst zu tun. Von einem auf den anderen Tag stellte er seine Ausflüge ein. Zu der Reise in die Vereinigten Staaten kam es dann doch nicht. Die Veranstalter eines Symposions zum deutschen Film luden ihn wieder aus. Karst machte sich durch eine wöchentliche Fernsehserie allseits beliebt. Maik schaltete immer weg, wenn er ihn sah.

Je leerer seine Tage, desto wuchtiger die klitzekleinen alltäglichen Begegnungen. Eine junge Frau, die im selben Haus wohnte, grüßte ihn nie. Wenn es nicht ihre Natur war, an allen anderen stumm vorbeizugehen, dann mußte er einmal gründlich durchgefallen sein bei ihr. Aber davon wußte er nichts. Er hatte mit ihr noch nie ein Wort gewechselt. Eines Abends trafen sie zur gleichen Zeit vor der verschlossenen Haustür ein, er zu Fuß mit dem Schlüsselbund in der Hand, sie auf dem Rad. Er nickte ihr freundlich zu und sagte guten Tag, sie schaute ihn an, ließ ihren Kopf zwischen den Schultern versinken und sagte nichts. Er schloß auf. Nach dem Aufschließen der Tür sah er sie mit dem Fahrrad flott von ihm fort gehen, sich umdrehend, mit tief zwischen den Schultern liegendem Kopf. Ihr Zu-ihm-Schauen erschien ihm wie ein Vergewissern, daß er ihr nicht folgen werde. Er ging ins Haus und hoch. Unten wurde die Tür wieder aufgeschlossen. Die junge Frau folgte ihm in hundert Metern Abstand.

»Ich habe kein beleidigenderes Verhalten erlebt ... Erst am nächsten Tag ging mir auf, was sich zugetragen hatte.«

Sie unterstellte, ohne jemals ein Wort gesagt zu haben, daß sie sich von ihm fernhalten müsse. Er wurde in die Lage gebracht, zu grübeln, was vorgefallen sein könnte.

»Ich war das Schwein, so oder so. Würde ich sie zur Rede stellen, würde sie mir eine Vergewaltigung vorwerfen.«

Diese Schweigende hatte Macht über die Situation mit einem Fremden, wie kaum eine Redende sie erlangen kann. Oder lag es an seiner Schwäche, an seiner Einbildungskraft, sie könnte Gründe haben für ihr Spiel? Die Sache war ausweglos. Das kleine pagenköpfige Luder ist ihm dann vorerst nicht mehr über den Weg gelaufen. Vor Wochen hatten Möbelträger in ihrer Wohnung herumgewerkelt. Um so überraschter war er, daß es zu dieser spätabendlichen Unbegegnung vor der Haustür überhaupt kommen konnte. Die Möbelträger hatten wohl nur die Möbel ihres Freundes mitgenommen. Von da an kam aus der Wohnung der Kleinen die südamerikanische Musik nicht mehr, die er ihr zugeschrieben hatte, die aber offenbar ihr finnischer Exfreund gehört hatte. Eines Morgens beschloß Maik, ihr beizubringen, was es heißt, Grußarbeit zu leisten. Er klingelte an ihrer Tür. Sie öffnete und bekam einen Schreck, den er nur kalt betrachtete. Sie blieb hinter der Wohnungstür stehen und streckte den Kopf in die Lücke. Maik ging einen Schritt zurück und fragte, was er ihr getan habe, warum sie ihm auf diese verletzende Art und Weise aus dem Weg gehe. Warum sie keinen minimalstes Einverständnis signalisierenden alltäglichen Gruß zustande bringe, wenn man sich im Treppenhaus begegne. Sie sagte kein Wort und schaute immer noch auf seine Lippen, als er mit seiner Ansage fertig war. Sie hielt eine Hand auf den Mund und schaute nach unten. Sie hob die Hand zur Seite, in Ohrhöhe und streckte den Zeigefinger an die Schläfe und schüttelte den Kopf. Sie gestikulierte nicht wie andere, die nicht sprechen können, sie versuchte nicht zu sprechen, obwohl sie nicht sprechen konnte, sie sah wie immer traurig aus mit geschlossenem Mund. Er fragte, ob sie ihn verstehe. Sie schüttelte den Kopf, dann nickte sie. Ob sie die Sprache verloren habe. Sie nickte. Sein Lachen über diese vermeintlich freche Antwort blieb ihm im Halse stecken. Sie knallte die Tür zu. Maik ging in seine Wohnung zurück und wußte nun endlich, was er ihr angetan hatte.

Er interpretierte, registrierte zuviel, bezog zu vieles auf sich, erstickte an überflüssigen Dateien. Sein Stamm kein Stamm mehr, er hatte Rollen darunter, und der kräftige lange Maik Steiner wurde durch die nichtigsten Begegnungen hier- und dahin gestupst gerollt geschoben und fand sich dann irgendwo anders irgendwie wieder. Unser Kontakt riß für drei, vier Jahre ab. Bis zu diesem Anruf.

»Warum denn im Radiohaus?«

»Wenn du mich treffen willst, mußt du ins Radiohaus kommen.«

»Wieso denn nachts?«

»Am Tag schlafe ich.«

»Warum denn, was ist los?«

»Du mußt nicht.«

Aufgelegt.

Warum frage ich so viel, fragte ich mich. Und warum so ungeduldig ... Er wird eine Radioproduktion gehabt haben nachts, eine Hörspielaufnahme oder ähnliches. Das Radiohaus ist nicht weit von meiner Wohnung entfernt. Ich ging in der milden Luft eines späten warmen Herbstabends zu Fuß dorthin. Mir ist selbst das Datum in Erinnerung. Es war der Abend vom allerersten *Tag der Einheit*, sozusagen die Nacht der Einheit. Die meisten waren in Feierlaune im Umland unterwegs – die Stadt halb leer von Bewohnern und halb voll von Kurzurlaubern.

Das Radiohaus ist auf einer Anhöhe gelegen, die der Städter kaum bemerkt. Wie so oft war der Himmel über der Stadt in dieser Nacht nicht dunkel. Seine Farbe war blauviolett, der manchmal das Blau ausging. In allen Farben zappelten Laserstrahlen in der Luft, unter den Wolken, oder sie schnitten kalte Linien in den Himmel. Kurz vor dem Radiohaus, schon auf der Anhöhe, rollte eine Parade Polizeifahrzeuge mit blau kreisenden Lichtern und frischen Einsatzkräften in die Stadt. An mir rasten sie dann vorbei. Vor der großen Autobahnzubringerkreuzung schalteten sie die Martinshörner ein.

Der fernsehschauende Pförtner schickte mich nicht in eines der Studios, sondern ins Büro vom Leiter vom Dienst. In dem großen Haus war es so still, daß ich am Ende eines Ganges noch die Schritte vom Anfang nachschwingen hörte. Das Büro lag direkt neben dem einzigen in der Nacht betriebsbereiten Sendestudio, wo Nachrichten, Verkehrshinweise und Sondermeldungen verlesen wurden. Die Musik des Nachtprogramms spielte ein anderer Sender zu. Ich klopfte. Niemand antwortete. Die Tür war verschlossen.

Vorsichtig öffnete ich die Tür des Regieraums, und auf Zehenspitzen ging ich hinein. Ich erkannte eine Toningenieurin, die mit dem Rücken zu mir saß. Neben ihr, ein

Bein über das andere geschlagen, zurückgelehnt und die Hände am Hinterkopf gefaltet, den Leiter vom Dienst. Sie schauten durch eine dicke Scheibe zu dem Mann im Aufnahmeraum, der einen Hinweis auf eine Autobahnunfallstelle vorlas. Niemand bemerkte mich. Der Leiter nickte mit kaum einer Bewegung, einem Nicken wie aus den Augenwinkeln heraus, zu der Toningenieurin, die zügig zwei Regler herunter und zwei andere Regler hinauf schob. Nach einem kurzen Werbejingle in eigener Sache spielte sie die Musik von dem anderen Sender ein.

»Was kann ich für Sie tun, um diese Uhrzeit«, fragte der Leiter vom Dienst, ohne sich umzudrehen. Er starrte auf die Scheibe vor sich. Die Uhr darüber zeigte kurz nach Mitternacht. Auf die dicke Scheibe schauend, verriet ich ihm, daß ich mit Maik Steiner sprechen wolle. Er nickte in die Scheibe und zeigte zu der Tür, die sich links von uns öffnete. Ich mußte zweimal und dann noch einmal hinschauen, um in dieser Erscheinung, die da auf mich zukam, Maik zu erkennen. Noch nie war sein Händedruck mir so lasch vorgekommen.

Er führte mich in ein kleines Büro, an dessen Tür stand *Sprecher vom Dienst*. Die Stühle darin waren wie unseren damaligen Schulzimmern entnommen. Sie paßten nicht zu dem ehemals popbunten Sofa und dieses nicht zu der schultafelgrünen Tischplatte, an die wir uns setzten, und zu dem ausgeblichenen Flickenteppich. Dazu paßten Maiks Stullenpapier und die mir verknotet vorkommenden Handbewegungen, mit denen er sich an sein Thunfischbrot heranmachte. An den Wänden alte Rollschränke mit hängenden Handakten. Ich hörte den Leiter vom Dienst sein Büro nebenan betreten und in einen Bürostuhl plumpsen. Alle paar Sekunden platschte ein Tropfen aus

Maiks Thunfischbrot auf einen ausgebreiteten Tageszeitungswirtschaftsteil, dessen Schrift zu mir hin zeigte, ich saß ihm gegenüber.

»Wie geht's?«

Er schaute mich an, als hätte ich einen Fehler gemacht.

»Habe ich richtig gehört? War das eben deine Stimme, die die Verkehrshinweise vorgelesen hat?«

»Schon der vierte schwere Unfall heute abend. Alle im südlichen Ring. Da geht seit Mittag nichts mehr. Die Mitte ist auch dicht. Einheitsfest.«

»Sag mal, wie soll ich mir das vorstellen hier? Aushilfsjob?«

»Sprecher vom Dienst. Wie es an der Tür steht. Und du? Was macht die Kunst?«

»Bist du fest angestellt?«

»Zeitvertrag.«

»Und die Schauspielerei?«

»Nix mehr da. Deswegen habe ich gefragt, was die Kunst macht. Kunst, was war das noch mal?«

Er schaute von seinem Thunfischbrot auf und leer vor sich hin. Den öligen Rest der Mahlzeit knüllte er in das Zeitungspapier und zwirbelte es mit der einstudierten Bewegung eines Bürobasketballspielers in den Papierkorb am anderen Ende des kleinen Zimmers.

Nicht nur unrasiert, sondern ungepflegt. Hautfarbe? Das Gegenteil von Hautfarbe. Der Hosenbundknopf fehlte. Der Hosenbund ragte über den Gürtel hinaus und war dabei, sich in die Lücke zwischen zwei Hemdknöpfen zu schieben. Maik hatte einige Kilo abgenommen. Er versuchte es mit Koteletten. Sein Gesicht zeigte Falten, die mir neu waren. Und zum ersten Mal fiel mir auf, daß er den Kopf schräg hielt, wenn er mich anschaute. Hatte er auch früher die Hände so oft an die Schläfen gedrückt oder mit ihnen in den Haaren gekrault, wenn er etwas sagte? Oder unter dem Tisch rasend mit den Füßen gewippt?

»Nein, laß es«, sagte er, »ich würde es sowieso nicht verstehen. Das gibt es: Man hat einen Sinn für Kunst und macht Kunst. Und dann verliert man den Sinn dafür und macht keine Kunst mehr und findet nicht den geringsten Zugang mehr dazu. Kunst wird dann so ähnlich wie früher Physik. Und inzwischen legt man das Feuilleton beiseite und liest lieber einen Artikel über Astro-Teilchenphysik, morphogenetische Felder oder Nanotechnologie.«

»Bist du wieder verreist gewesen?«

»Wie lange hast du Zeit?«

»Wie lange arbeitest du heute nacht?«

»Bis sechs Uhr früh.«

»Fang einfach an.«

# FÜNFTES KAPITEL

Die Ablagen und nicht zugestellten Flächen in Maiks Dreizimmerwohnung waren voller unerledigt liegengebliebener Notizzettel. Papiere zwischen anderen Papieren in Regalen, unter dem Gewicht dicker Telephonbücher, im Kleiderschrank, auf der Hutablage. Wenn er etwas suchte, fielen ihm Zettel, Schnipsel, Visitenkarten entgegen, bis die Zimmer in Staubwolken standen. Er wußte nicht, worum es sich handelte, wovon die Zettel erzählten. Sie kamen ihm vor wie Botschaften aus einem anderen Leben. Seine Wohnung kam ihm vor wie ein Ort, wo das Material für ein Archiv hingeschafft worden, wo dann aber keines entstanden war. Zuletzt suchte er Ringos Telephonnummer in einem Stapel mit Rechnungen unter einem Stuhl in seinem Schlafzimmer. Fast ein Jahr lang hatte keine Frau es mehr betreten. Dann fiel ihm ein, daß er Ringos Nummer möglicherweise niemals aufgeschrieben hatte.

Er wollte zurückrufen, das war alles. Ihm waren ein paar Fragen eingefallen zu dem Gestammel, das Ringo am Telephon von sich gegeben hatte. Was hatte Ringo erzählen wollen? Daß er von Vera verlassen worden war? Daß er inzwischen gelernt hatte, Feuer zu schlucken? Daß er Information für seine *Memoiren* brauchte? Er wollte Information über Maiks gemeinsame Zeit mit Vera. Er wechselte aber so häufig die Themen, daß Maik nicht dazu kam, einen Gedanken fortzuführen. Oder hatte Ringo ihm sagen wollen, wo Vera und Sebastian sich rumtrieben, und es sich dann für ein späteres Telephongespräch aufgehoben? Danach wollte er Ringo fragen, fiel Maik nun wieder ein. Er hatte die Telephonnummer in seinen staubbeflockten Stapeln gesucht, um Ringo zu fragen, ob er wisse, wo Vera und Sebastian seien. Aber er hatte keine Telephonnummer. Er hatte nur diese Frage.

Ringos erster Anruf. Selten hatte Maik etwas so Höfliches gehört. Ein formvollendeter Einstieg in ein Telephongespräch mit jemandem, dem man vor Jahren einmal flüchtig begegnet war, in Sommersell, im Ziegelhof. Ihn nie vergessen, weil auch er mit der Frau, die man selber geliebt, ein Kind gezeugt hatte. Dann das Gerede von seinen *Memoiren*.

»Bin ich schon so alt, daß ich auf dem Zeitzeugenstuhl sitze?«

»Du vielleicht nicht. Aber ich.«

»Was willst du wissen?«

»Ich will wissen, wer Vera eigentlich ist.«

»Hast du das in den Jahren mit ihr nicht mitbekommen?«

»Wo sie herkam, wen sie damals kannte.«

»Hast du einen Verdacht?«

»Was für einen Verdacht?«

»Das hab ich *dich* gefragt.«

»Ich könnte also einen Verdacht haben?«

»Hat sich so angehört.«

»Und wenn ich einen Verdacht *hätte*?«

»Dann könntest du ihn mir sagen.«

»Nicht am Telephon.«

»Von wo aus rufst du an?«

Maik hörte ihn schwer atmen. Etwas klapperte im Hintergrund. Es hörte sich an, als würde an etwas gerieben. Er stotterte, sagte fünfmal *ich*.

»Bin gut aufgehoben, mach dir keine Sorgen. Hab es schön ruhig hier.«

Aufgelegt.

Vierundzwanzig Stunden später, ohne jegliche Vorrede und alles andere als höflich: Ringo.

»Sie läßt mich nicht zu meinen Kindern. Ich ich ich werd wahnsinnig. Läßt sie dich?«

»Ich hab sie nicht gefragt. Sag mir ihre Adresse.«

»Sag mir, wen ihr früher gekannt habt.«

»Wann denn genau?«

»Aber nicht am Telephon!«

»Was schlägst du vor?«

»Ich ich ruf dich wieder an.«

Aufgelegt.

So ging das weiter, Abend für Abend, eine Woche lang. Beim nächsten Mal fragte Maik ihn, welche Erlebnisse ihn veranlaßt hätten, seine Memoiren zu schreiben. Maik hörte Ringo einen tiefen Zug nehmen. Seine Stimme wurde brüchiger. Er erzählte von seinen vier Wohngemeinschaften, seinen fünf Kindern und seinen vier Frauen, die ihn alle verlassen hätten. In keinem Fall wußte er, warum er verlassen worden war. Er hätte in letzter Zeit Kontakt zu ihnen und seinen Kindern gesucht und wäre abgewiesen worden. Die deprimierende Geschichte eines Mannes Mitte Dreißig, der alles verloren hatte. Kam Maik nicht unbekannt vor. Doch schien Ringo noch nicht so tief gefallen zu sein, daß er seine Lage kalt und nüchtern beschreiben konnte. Jede Wohngemeinschaft eine *kreative*. Hier eine Weberin, dort ein Korbflechterehepaar, hier der Schafhirt, der Ziegenkäse verkauft, dort der Marionettenbauer, nicht zu vergessen die Zirkusfamilie und der Bauer, der beim Kühemelken Opernarien singt. Er schwärmte von seinem Schaustellerwagen, über fünf Meter lang und zwei Meter siebzig hoch, von den selbstgeschnitzten Musikinstrumenten. Beinah hätte Maik überhört, daß Ringo eines Tages eine Kücheneinrichtung zertrümmert hatte, den Guß herausgerissen, den Badeofen verrückt und umgekippt, alles umgeschmissen, kurz und klein geschlagen. Es folgte ein Jahr unter Drogen in einer Nervenklinik, in dem er nur hin und her wackeln, nicht gerade gehen, seinen Schleim nicht mehr herunterschlucken und nicht mal eine Zigarette drehen konnte. Die von ihm immer unbeantwortet gebliebenen Unterhaltsforderungen seiner Frauen waren zu einem Haftbefehl angewachsen.

»Zahlen konnte ich nicht, also mußte ich flüchten. Als Theatermensch und Lederhandwerker, als Kostümbildner, als Schmuckhersteller, Pantomime und Zauberer, als Kabarettist und Puppenspieler, auch als Feuerschlucker und Müslihersteller, als Marionetten- und Musikinstrumentenschnitzer konnte ich nicht genügend Geld verdienen für mehrere Personen. Es reichte immer nur für mich. Ich wollte mich weiterentwickeln. Im Gefängnis habe ich mein Malen verbessert.«

»Für wie viele Kinder mußt du denn zahlen?«

»Für alle fünf, was dachtest du?«

»Auch Vera will Unterhalt von dir?«

»Was dachtest du?«

Ringo hörte nicht, was er selbst sagte. Er war dem Irrtum erlegen, viel erlebt zu haben. Was hatte er überhaupt getan? Er hatte es während unserer Telephonate in Nebensätzen gesagt. Zwei Jahre Kräuter gesammelt und Marionetten geschnitzt. Zwei Jahre nur meditiert. Ein Jahr nur im Bett gelegen. Ein weiteres Jahr über etwas nachgedacht. Selbst die Flucht trat er, wie er sagte, *in langsamer Art* an. Dann ein Jahr Klinik, ein Jahr Gefängnis und vier Wochen Krankenhaus, weil er bei einem Fußgängerzonenauftritt zuviel

Feuer geschluckt und sich eine Rauchvergiftung eingefangen hatte.

Maik wollte zurückrufen, aber er hatte Ringos Nummer niemals aufgeschrieben. Nun war sein Schlafzimmer verstaubt, und er saugte das Gröbste weg. Es war der Abend, an dem Ringo nicht angerufen hatte. Wahrscheinlich hielt er sich nach Klinik und Knast sowieso woanders auf, dachte Maik. Dann der nächste Abend.

»Gut, daß du anrufst.«

»Ich dachte, ich nerv dich nur.«

»Nein. Laß uns ins Geschäft kommen. Laß uns Informationen tauschen.«

»Nicht am Telephon!«

»Wo soll ich hinkommen?«

»Was willst du tauschen?«

»Ich sage dir, was du wissen willst, du sagst mir, was ich wissen will. Nicht am Telephon.«

»Einverstanden. Hast du ein Fax?«

»Ja.«

Eine halbe Stunde später erreichte ihn die Adresse zusammen mit einer Zeichnung, die den Weg dorthin beschrieb.

Nach seiner ersten Reise hatte er jegliche Lust verloren, weiter nachzuforschen in Sachen Sebastian und Vera. Als er wieder zurück war, erlitt oder erduldete er eine Art Vergessensschub. Er war mit einigem neuem Wissen zurückgekommen, und das erste, was er dann tat, war eine Unterlassung: Die neue Information lag brach; Maik machte nichts aus ihr. Er hätte zum Hagenplatz fahren können, um nachzuschauen, ob Hermann dort noch wohnte. Aber er hatte schon vorher nachgelassen. Er hätte damals dableiben sollen, nachdem Günther vom Stuhl gefallen war. Nachdem Maria das Notizbuch aus seiner Brustinnentasche genommen hatte. Damals war er am selben Abend noch zurückgefahren, nachdem Maria und er einander versprochen hatten, in den nächsten Tagen zu telephonieren. Keiner von beiden hatte angerufen.

Ein paar Jahre später, während eines seiner täglichen Gewaltmärsche (»Das war aber nur meine Gegengewalt«, sagte Maik zu mir), kam ihm in einem für seine Verhältnisse einigermaßen kontinuierlichen Gedankenstrom seine erste Reise wieder in den Sinn. Aber nicht, indem er an *seine* Reise dachte, sondern indem er die Reise eines anderen vor sich sah.

»Der Typ hat sich völlig verarschen lassen«, sagte er vor sich hin.

»Hat Vertrauen zu den falschen Leuten entwickelt und die falschen Fragen gestellt.«

»Warum hatte Maria ihn nicht mehr angerufen?«

»Weil sie ihm gar nicht helfen wollte. Weil sie ein eigenes Spiel spielte.«

»Warum ist er nicht hinter ihr her, als Günthers Tagebuch weg war?«

»Weil er Schiß hatte. Volle Hosen und auf Entdeckungsreise, wie soll das gutgehen?«

Dem Mann muß geholfen werden, dachte Maik.

Er war neugierig. Er wußte nichts Neues. Er wollte die Orte wiedersehen, an denen er damals gewesen war. Von Berlin aus war nichts zu erreichen. Es gab zwischen der Stadt und den Landhöfen keine Kontakte, die er kannte. Er war am Hagenplatz herumgestreift und hatte kein Haustorschildchen mit der Berufsbezeichnung Heilpraktiker entdeckt. Er mußte sich bewegen. Nur vor Ort könnte er etwas in Erfahrung bringen. Es hatte sich ein beträchtlicher Haufen von Fragen angesammelt. Sie machten einen immer größeren Anteil an dem Gedankenwirrwarr aus, das ihn Tag für Tag belästigte, ihn anflog und wieder abzischte, aber nie anschaulich dablieb, um in Ruhe gedacht und weitergedacht zu werden. Es gab keine Ruhe. Es gab kein Denken. Er war auf der Flucht. Er hatte die Automarke gewechselt, hatte sich um eine Prestigeklasse zurückgestuft, doch wieder eines mit vier Türen genommen. Erst wenn es über vier Türen verfügte, hatte er das Gefühl, in einem Auto zu sitzen.

Eine der Fragen, mit denen er sich herumschlug, war die, warum Vera von Ringo Unterhaltszahlungen verlangte und einklagte, ihn und Günther aber damit verschonte. Was war der Unterschied zwischen seinem Sohn und Günthers Tochter auf der einen, sowie Ringos Kindern auf der anderen Seite? War sie damals nur zu fahrlässig und gutgläubig, daß sie schon durchkommen würde? Selbst wenn es so gewesen wäre und sie ihre Meinung später geändert hätte, hätte sie von Günther und ihm nachträglich noch Zahlungen verlangen können. Sie hatte es nicht getan. Nie. Keinen Pfennig gewollt.

Maik fuhr auch deswegen los, weil er an die Kette der letzten grausamen Tage nicht noch weitere hängen mochte. Er wachte mittags auf und hatte einen einzigen Wunsch: Er wollte, er mußte weg. Zehn Stunden schlief er, vierzehn Stunden litt er, und täglich, meistens während seiner Stadtstreunerei, hatte er zehn aufgehellte Minuten, in denen er sich sagte, da komme er durch, und zwar ganz allein. Dann überlegte er, wieviel Stoff er noch hatte und wann er welchen holen mußte. Er wußte, daß er so nicht durchkommen würde. Er wußte, daß er mit dem Koksen aufhören müßte. Und vergewisserte sich noch einmal, ob er wirklich so viel zu Hause hatte, wie er dachte, oder ob er an diesem Tag noch Nachschub holen mußte.

Er ging bis zum U-Bahnhof Neukölln und die Emser Straße hoch. Den Bäcker gab es nicht mehr. Das Geschäft stand leer. In Günthers Eisdiele hatte eine Pizzeria ihr Glück versucht. In dem Laden stand noch eine Kühlvitrine. Die Flugzeuge in der Einflugschneise waren nur noch halb so laut und klangen wie in der Bahndammsenke vorüberhuschende Kurzzüge. Er stellte sich auf den Bürgersteig gegenüber, schaute die Fenster im vierten Stockwerk an, hinter denen er gelebt hatte, und weinte.

»Man nennt es weinen«, sagte Maik zu mir, »aber meine Empfindung war, daß eine Stelle in mir, für die ich nichts empfand, Wasser abließ.«

Er fühlte sich clean. Ein Lächeln huschte über sein Gesicht. Er überlegte, ob die Menge, die er noch hatte, für diesen Tag reichen würde. Er stellte sich vor, an diesem Tag gar nichts zu nehmen. Morgen würden seine Glieder bleischwer sein, dann von Tag zu Tag weniger. Es war ganz einfach, aufzuhören.

Als er wenige Tage später die Stadt verließ, hatte er nichts dabei. Er fuhr Ringo entgegen und dem Stoff davon. In seinem täglichen Normalwahn konnte er mit der Droge nicht aufhören. Zu viele Orte und Tätigkeiten waren mit dem Gefühl eines warmen Stroms unter dem Brustbein verbunden sowie mit dem Selbstgefühl, jegliches, wenn auch auf der Oberfläche, in unheimlicher Schnelligkeit und auf jeden Fall flotter als alle anderen zu kapieren. Unterwegs würde es ihm leichter fallen, aufzuhören. Wenn auch noch dazu gehörte, daß er dauernd an die Droge dachte. Er konnte nicht einfach aufhören. Er mußte abhauen, mit Ringos Fax auf dem Beifahrersitz, das er nach fünf Stunden Autobahn hinter der Ausfahrt Geiselwind wieder anschaute und mit seiner Straßenkarte verglich.

Jede halbe Stunde bog er in eine Straße kleinerer Ordnung ab. Auf die Landstraße – nach der Autobahn – folgte eine Teertrasse ohne Seitenmarkierungen, die als Ortsumgehungsrennstrecke genutzt wurde. Er fädelte sich in einen unbefestigten einbahnigen Autoweg ein, der alle hundert Meter mit Ausweichbuchten versehen war, und fuhr schließlich, der durch Autoreifen plattgewalzten Spur folgend, über eine Wiese, die an einem allein am Waldrand stehenden ansehnlichen zweistöckigen Haus endete. Er parkte und verglich den Weg, den er gefahren war, mit der Zeichnung auf Ringos Fax. Alles richtig gemacht, dachte er und schaute ungläubig die vor noch nicht langer Zeit erneuerte Fassade an. Sein Auto war das einzige dort. Er hatte aufgeraucht – nichts hatte sich getan – und stieg aus.

Kein Klingelknopf, keine Glocke, von der ein Seil herabhing. Selbst das Zuschlagen der Autotür, selbst Maiks ungewollter Klümpchenhuster mit anschließendem Auf-den-Boden-Spucken war für niemand im Haus ein Signal. Die schwere Tür war angelehnt. Jetzt ging das wieder mit dem Husten los, erinnerte er sich. Der Stoff klebte sich nicht nur an den Nasenschleimwänden fest, sondern auch, wie beim schwersten Raucher, in den Bronchien. Man merkte es nicht, wie die Raucher. Man merkte es erst, wenn meistens morgens die Kruste erwärmt war, einen Hustenreiz auslöste und aschgrauer Schleim ins Waschbecken klatschte. Maik stand in einer kleinen Halle vor mehreren geschlossenen Türen und einer Treppe, die nach oben führte. Ein hübsches bürgerliches Haus, dachte er, keinesfalls würde man dort einen mittellosen Durchgedrehten vermuten, der seine *Memoiren* schrieb. Er nahm an, daß die, die dort wohnten, ihm ein Zimmerchen überlassen hatten. Er klopfte gegen die Türen und öffnete sie. Er schaute in einen unbenutzten oder frisch aufgeräumten Wohnsalon. Er schaute in eine zweite Halle, von der zwei kleine Türen abgingen, Toilette und Bad. Die dritte Tür, unter der Treppe, führte in einen langen dunklen Flur. Er hörte eine Stimme und ging geräuschlos, dabei einen Nachhuster unterdrückend, dem kleinen Lichtspalt am Ende des Flurs entgegen.

»Ich bin wie ein Wirbelwind aus der Beziehung herausgefegt worden, die sie beendet hat. Ich verstehe bis heute nicht, warum sie mich alle verlassen haben, bei keiner meiner Frauen verstehe ich das. Sie sind gekommen, um mit mir zu verschmelzen, und sie haben meine Kinder zur Welt gebracht. Aber keine von ihnen ist geblieben.«

Er lag in einem dunklen großen Zimmer in einem Fünfziger-Jahre-Fernsehsessel mit Fußbank, der fast zu einer Liege verstellt war. Das erinnerte an eine Versuchsreihe. Der Sessel sah aus, als fehlten ihm nur noch die Sicherheitsgurte. Eine Versuchsreihe, um die Reaktionen von Menschen unter veränderten, vielleicht extrem veränderten Bedingungen zu erforschen. Die breiten Armlehnen maßen jede Temperaturschwankung des Pulsstroms … Nein, da lag Ringo und schlief.

»Nachdem ich in der Klinik meine härtesten Erfahrungen mit mir selbst gemacht hatte und auf dem Weg der Besserung war, bin ich zum Maler geworden. Es war meine Arbeitstherapie. Die ging sechs Tage die Woche vormittags von neun bis zwölf Uhr, und nachmittags von eins bis vier.«

Maik röhrte ein Klümpchen aus dem Hals und schluckte es herunter. Ringo schlenkerte den Kopf zweimal nach rechts und zweimal nach links. Er hob eine Hand, ohne etwas zu sagen, und steuerte sie zur Stop-Taste seines Kassettenrekorders. Um aus dem Sessel zu kommen, verstellte er ihn unter dem Geächze angerosteter Scharniere in die Sitzhaltung.

»Die Tür war offen.«

»Maik?«

»Ja?«

»Die Tür ist immer offen.«

»Ist das nicht gefährlich?«

Ringo hob sich aus dem Liegestuhl und schleppte sich zur Fensterfront. Er öffnete die Doppeltür zum Garten. Der Garten schien an die Fenster herangewachsen zu sein. Es war nur ein schmaler Streifen Himmel zu sehen. Die Türflügel wurden von dem direkt vor der Schwelle wachsenden Grünzeug eingedrückt. Jemand hatte Ringo einen Kochtopf auf den Schädel gestülpt und alle Haare abgeschnitten, die unter dem Rand hervorstanden. Es war der unfreiwilligste Haarschnitt, den Maik kannte. Im Vergleich zu früher kam Ringo ihm aufgeschwemmt, sicherlich ein Dutzend Kilo schwerer und behäbiger vor.

»Das ist ein offenes Haus.«

»Verstehe.«

»Können wir anfangen?«

Nicht Blätter oder Papierstapel, sondern Tonkassetten in verschiedenen Größen lagen auf seinem Schreibtisch, ein in Gartentürnähe auf zwei Böcke gelegtes Türblatt. Darüber, auf einem Regalbrett, Kassettenrekorder, Diktiergeräte und Mikrophone. Ringo stellte zwei Stühle an die Schreibtischecke und zwei Flaschen Mineralwasser auf die Platte.

Seine Unterlippe bewegte sich, als erzählte er sich Handgriff für Handgriff, den er zu tun hatte. Alles, was er in die Hand nahm – Stühle, Wasserflaschen, Rekorder, Kassette, Kabel, Mikrophon – umfaßte er mit beiden Händen. Trotzdem zitterten sie wie er. Wahrscheinlich konnte er gar nicht schreiben.

»Wird das ein Interview?«

»Ja, ich nehm es auf Band auf, denn ich *lasse* schreiben.«

»Nicht vor dem Mikrophon.«

»Wieso?«

»Das ist wie dein *Nicht am Telephon*.«

»Ich arbeite aber so!«

»Ich nicht.«

Auf dem Stuhl sitzend, nach vorn gebeugt, mit den Armen nah an den Knien auf den Oberschenkeln abgestützt, die Schultern über die Ohren gezogen, blickte er mit rollenden Augen abwechselnd zu Maik, dem Mikrophon und dem Kassettenrekorder. Seine Unterlippe zuckte. Die Augenbrauen schlossen sich in der Mitte zu einem kleinen Zeltdach. Darüber eine Stirn wie ein Unwetterhimmel. Und ein voller, fragender Mund.

»Kein Problem. Dann können wir es uns da bequemer machen.«

Ringo zeigte auf eine Sitzecke aus stumpfem schwarzen Kunstleder. Er blinzelte die Wasserflaschen und Maik auf eine Weise an, daß Maik wußte, er sollte sie hinübertragen. Er schnipste mit dem Ringfinger gegen die Unterseite einer Zigarettenpackung und nahm die hervorgesprungene Zigarette direkt mit dem Mund auf. Maik gab ihm Feuer. Dieses Zimmer hatte er nicht selbst eingerichtet. Er hatte sich in einem eingerichteten Zimmer niedergelassen, nur hier und da eigene Dinge wie Musikinstrumente, Marionettenfiguren oder Puppen zu den vorhandenen Dingen hinzugestellt. Die Zigarette behielt er im Mund. Ab und zu fiel Asche auf den Boden.

»Ich weiß, wo Vera wohnt«, sagte Ringo, »aber ich komm nicht mehr an sie heran.«

»Wo wohnt sie?«

»Sie ist wieder mit Udo zusammen. Früher hat sie mich wenigstens ab und zu zu den Kindern gelassen. Das ist vorbei. Sie kennt mich nicht mehr. In ihrem Leben bin ich nur eine Episode gewesen. Dabei hat diese Frau zwei meiner Kinder gezeugt ... Du erzählst mir erst alles über Udo.«

»Ich habe ihn ewig nicht gesehen.«

»Wie habt ihr euch kennengelernt?«

Maik wollte im Grunde nur einen Ortsnamen wissen, Ringo aber wollte die ganze Geschichte von ihm, Vera und Udo hören. Maik redete sich warm und plauderte von früher, besonders von der gemeinsamen Zeit in der Einflugschneise. Ringo unterbrach ihn nur selten. Alle paar Minuten nuschelte er an seiner Zigarette vorbei eine Zusammenfassung des Gehörten ins Mikrophon. Wenn Maik dann seine Erzählung fortsetzte, achtete er jedesmal darauf, daß die Kassette sich nicht mehr drehte.

»Wer hat euch besucht?« ... »Wen habt ihr im *Marrakesch* getroffen?« ... »Wer waren Udos Freunde oder Bekannte?« ... »Wer waren Veras Vertrauenspersonen?« ... »An welchen Menschen hat sie geglaubt damals, auf wen hat sie gehört?«

Maik antwortete, so gut er konnte. Ringo übertrug die Information auf sein Tonband, so gut er konnte. Nach allen Vornamen ließ Ringo deutliche Pausen, als wollte er den Nachnamen oder andere Information später in die Lücke sprechen. Er ließ nicht erkennen, welche der erwähnten Namen ihm etwas sagten, welche ihm neu waren.

»Ich verstehe nicht, was du wissen willst.«

»Ich will wissen, wer hinter Udo und Vera steht.«

»Steht da jemand?«

»Die können sich die riesige Anlage in Huisheim gar nicht leisten. Sie können gar nicht diesen Aufwand beherrschen, der da getrieben wird. Huisheim, das ist eine Maschine!«

»In Huisheim. Danke für die Information.«

»Hab's nicht vergessen.«

»Bist du dagewesen?«

»Das kann man sagen.«

»Warum bist du nach so vielen Jahren da wieder hin?«

»Was heißt viele Jahre? Wir waren bald nach der Trennung damals wieder zusammen. Bloß sind wir überall rausgeflogen, mit dem Neugeborenen. Wir sind von Hof zu Hof gezogen, ohne Geld, und konnten unsere Kinder nur noch von dem ernähren, was wir auf den Feldern fanden oder in den Wäldern. Wir haben dem Kleinkind Korn zu essen gegeben. Es wurde krank davon und mußte ins Krankenhaus. Danach ging Vera zu Udo zurück, der schon in Huisheim lebte. Vera ist immer zu Udo zurück. Auch nach eurer Zeit ist sie zu Udo zurückgegangen.«

»Wie sieht es aus bei denen in Huisheim?«

»Ich bin nur bis in die Küche gekommen. Dort haben sie mich beleidigt. Ich war kurz davor, Udo den Arsch umzubringen. Sein blödes, vorschlaues Grinsen, ich sehe es immer noch. Dann habe ich die Küche auseinandergenommen, komplett. Danach bin ich eingeliefert worden. Sie haben mich zu einem anderen Menschen gemacht – wie du siehst.«

Maik erwartete eine Bemerkung über die Veränderung, die auch in seinem eigenen Gesicht nach all den Jahren zu erkennen sein mußte. Er hatte Lust, eine Line zu nehmen, aber er hatte nichts dabei. Er war stolz darauf, nichts dabei zu haben, und fragte sich panisch, was er am Abend tun … wie das weitergehen würde. Ringo schichtete Kassettenstapel um zu anderen Kassettenstapeln und nuschelte etwas vor sich hin. Er trug einen Kassettenstapel in einen Nebenraum und brachte aus dem wiederum welche mit, er tat das mehrmals, hin und her, hin und her. Er steckte den Telephonstecker in die Dose, stellte das Tonband an, rief jemanden an und führte das Gespräch hinter der angelehnten Tür zum Nebenzimmer. Er kam zurück, stoppte das Tonband, zog den Stecker aus der Dose und schichtete seine Kassetten um. Er legte eine Platte mit dem alten Knistern des Jazz auf, *Wes Montgomery*. Er hatte vergessen, daß Maik noch bei ihm im Zimmer saß. Maik wurde sich immer sicherer, daß er in den vergangenen Minuten unsichtbar geworden war. Er hatte ein ähnliches Gefühl von Raserei in Bewegungslosigkeit, als wenn er eine Line genommen hätte. Er spürte jede Haarwurzel. Dann dieser Schrei.

»Wer wohnt denn jetzt in Sommersell«, hatte Maik gefragt.

»Matthias und Hedi und ihre Leute. Wichtiger ist, wer dahintersteht.«

Erst dann hatte er diesen Schrei von sich gegeben. So war das also, wenn jemand für eine Sekunde aus der Haut fuhr. Die Augen fuhren aus, vor Schreck.

»Wo kommst denn du auf einmal her?«

»Wie bitte?«

»Du warst doch schon weg.«

»Ich war nicht weg.«

»Erzähl doch nichts.«

Ringo riß den Kopf hoch, seine Pupillen kreisten. Er schien sich zu erinnern und in die gemeinsamen Raum-Zeit-Vorstellungen zurückzukehren. Er wischte mit den Fingern seine Augen aus und streifte den Schleim am Hosenbein ab.

»Hedi?«

»Ja, aber wer steht dahinter?«

»Wer steckt dahinter?«

»Wenn ich das wüßte.«

»Darüber schreibst du?«

»Ich will es herausfinden.«

Du siehst nicht so aus, als würdest du es herausfinden, dachte Maik.

»Warum hast du die Küche in Huisheim auseinandergenommen?«

»Ich wollte meine Töchter sehen. Sie ließen mich nicht zu ihnen. Wenigstens ihr Kinderzimmer wollte ich sehen, irgend etwas. Ich war schon reif für einen Auftritt, aber ich bin ruhig geblieben. Dann dieses Photo. Das äußerste eines kleinen Stapels, der an der Mikrowelle lehnte. Etwas war mir vertraut. Und ich sehe meine Miriam, aufgetakelt und zurechtgemacht wie fürs Bordell, neben so schmierigen Wollpulloverträgern, die sie in ihren Pranken halten, so wie sie wahrscheinlich ihre Nutten anfassen. Ich bin geplatzt. Sie war kein Kind mehr, und sie war erst zehn!«

Den Schluß hatte Ringo hingebrüllt, errötet, spuckend. Maik bekam eine Ahnung von der Kraft, die er in sich hatte, und wie das größte Möbelstück in diesem Raum, ein massiver Schrank, hätte mißhandelt werden können, wenn Ringo es gewollt hätte.

»Aber irgend etwas stimmte nicht«, sagte Ringo, »es ist

alles so unwirklich gewesen. Ich glaube, es war ganz anders. Sie schauten mir zu. Sie schritten nicht ein. Sie saßen Spalier. Sie ließen mich ihre Küche auseinandernehmen. Ich tat es im Namen meiner Kinder. Ich rief ihre Namen. Aber Vera sagte: ›Sie gehören dir nicht, die Kinder.‹ Sie machte mich nur noch verrückter und wilder. Dann sagte sie: ›Die Kinder gehören auch mir nicht.‹ Da hörte ich auf, soweit ich weiß. Ich wollte fragen, wem meine Kinder gehören, aber ich fiel um und war weg.«

Ringo schwitzte aus allen Poren. Er war längst aufgestanden und hatte die Szene mehr vorgespielt als nacherzählt. Maik fürchtete, Ringo könne in seinem Zitierrausch eines der alten Möbel in seiner neuen Unterkunft verwechseln mit dem Zeug, das er in Huisheim zertrümmert hatte.

»Sie wollten, daß ich durchknalle, bei ihnen in der Küche.«

Eine Mitarbeiterin betrat grußlos Maiks Sprecherzimmer und legte einen Satz Blätter auf seinen Tisch. Er überflog die Ein-Uhr-Nachrichten, um herauszufinden, ob eine neue Meldung hinzugekommen, die er vorher zu lesen, oder ob ein neuer Name aufgetaucht war, um dessen korrekte Aussprache er sich zu kümmern hätte. Bis auf den ersten Satz, der auf diesen besonderen Tag hinwies, waren es dieselben Nachrichten wie um Mitternacht. Er hielt den Papierstapel in Händen, mit einer Spitze nach unten, und glättete die Stoßkanten, indem er den Stapel zwischen seinen Fingern hin- und herrüttelte.

»›Vera hörte auf Udo, und Udo hörte auf jemand anderen‹, hat Ringo gemeint«, sagte Maik zu mir.

»Auf wen?«

»Das wollte Ringo von mir wissen, indem er nach Veras

und Udos früheren Bekannten fragte, aber ich konnte es ihm nicht sagen. Dachte ich jedenfalls. Er behauptete, Udo hätte immer auf jemand anderen gehört. Auch damals in Sommersell. Dort soll er der Statthalter eines geflüchteten Gurus gewesen sein und soll dessen Geschäfte in Deutschland zu Ende gebracht haben ... ›die Kinder dort kaputtgemacht ... bis sie stumm oder taub oder wahnsinnig waren‹, hat Ringo gesagt.«

Maik putzte sich die Nase, grapschte nach den Nachrichtenblättern, als hätte er sie vorher nicht zu einem ordentlichen Stoß gerüttelt, und bog die Ecken rechts oben und links unten auf, so daß die Papiere innerhalb von Sekunden aussahen, als seien sie durch alle Hände in der Etage gegangen.

»Ich habe Ringo gefragt, woher mir der Name Hedi bekannt vorkommen könnte. Er wühlte in seinen Kassettenbeschriftungen und sagte ›Mariendorf‹. Ich erinnerte mich dunkel an etwas, das Vera mir an unserem allerersten Tag im Norden Berlins erzählt hatte ... Mir war klar, ich mußte nach Sommersell ... Hol was zu trinken, der Automat ist am Ende des Gangs«, sagte Maik schon vor der Tür.

Ich zog ein paar Dosen Cola, stellte mich in Maiks Zimmer ans Fenster, rauchte eine Zigarette und schaute den Blaulichtkolonnen nach, die sich immer noch Richtung Innenstadt bewegten. Die Nachrichten quäkten aus einem kleinen Hausradio an der Wand und waren zumeist lokaler Natur. Ich erkannte Maiks Stimme zu Anfang nicht wieder. Ich hörte irgendeinen Sprecher seinen Beruf ausüben.

»Sie wollten, daß ich durchknalle, bei ihnen in der Küche ... Aber sie haben nicht damit gerechnet, daß ich wieder aufstehe ... Vera ist vor kurzem hiergewesen ... Ich habe mich gefreut, sie wiederzusehen, aber sie hat mir gedroht für den Fall, daß ich noch einmal nach Huisheim komme … Sie wollten, daß ich durchknalle.«

Das war sein letzter Satz, dann nickte Ringo ein. Vorher wollte er Tabletten nehmen. Er hatte Wasser in ein Glas geschüttet und hielt das Röhrchen noch mit einer Hand umgriffen. Zwei Finger der anderen waren um den Verschluß geklammert. Sein Kopf kippte zur Seite. Seine Arme lockerten sich. Das offene Röhrchen fiel hinunter. Kleine rosa Hochglanzpillen verteilten sich auf dem Kunstlederschwarz und seinem Schoß. Ringo schnarchte. Maik erhob sich und versuchte so still wie möglich zu sein. Er wollte ein wenig in dem Zimmer umhergehen, doch es ging nicht ohne Geräusche. Er schaute auf die kassettenübersäte Tischplatte, er las einige Kassettenbeschriftungen. Er rührte nichts an. Am Ende des dunklen Flurs, in der Vorhalle, waren Besen und Schrubber an die Wand gelehnt, auf dem Boden ein Wassereimer und verschiedenfarbige Lappen. Als er gekommen war, waren diese Dinge nicht dort gewesen. Die Haustür war nicht mehr angelehnt, sondern eingeklinkt. Im Bad wurde die Spülung betätigt. Er verließ das Haus auf Zehenspitzen.

Kramte gedankenlos in den Brusttaschen seines Hemdes. Drehte sich zu dem Haus um, in dem einmal Herrschaften gewohnt hatten oder immer noch wohnten. Lehnte sich auf den Beifahrersitz und wühlte mit der Linken im Handschuhfach. Über dem Armaturenbrett sah er eine Frau mit Kopftuch und Schürze aus dem Haus treten, sie wrang einen Lappen aus und betrachtete Maiks Wagen. Sie sah ihn nicht, sein Kopf war zu tief. Sie verschwand wieder im Haus. Auch im Handschuhfach fand er nicht das, was er suchte. Dann fiel ihm ein, daß er nichts mitgenommen, daß er nichts dabei hatte. Am Vorabend hatte er das letzte halbe Gramm auf einer Kachel zerhackt, hatte er beschlossen endlich aufzuhören mit dem Quatsch und jede Stunde eine Line genommen, bis die Kachel leer war. Sein Reflex war nun, zu überlegen, wo er etwas kaufen konnte. Sein Reflex auf diesen Reflex: den Kopf zu schütteln und sich seinen Wunsch zu verbieten. Er war müde. Eine Line hätte ihn wach gemacht. Als er in der Dämmerung den Wagen zurück über Wiese, Feldweg und Ortsumgehungsrennstrecke lenkte, konnte er an nichts anderes denken als an eine funkelnde Line. Sein Körper bekam nicht, was er gewohnt war, und signalisierte beim Anblick der ersten Restaurants einen riesigen, lange unterdrückten Hunger.

Maik, am Katzentisch, hastete durch das Menü wie ein Ausgehungerter. Nachdem er fertig war, hätte er noch eines bestellen können. Andere, die nur Appetit hatten und ihre Abendessenseinladung zum Gelingen brachten, schauten ihn an wie einen Aussätzigen. Maik merkte, daß sie ihre Blicke nicht von ihm lassen konnten, weil sie bei aller Unterscheidungsnot sich gleichzeitig wünschten, ebenso schamlos zu tafeln. Während der Zigarette danach kroch eine Müdigkeit in seine Glieder, als hätte er tagelang nicht geschlafen. Alles an ihm war schwer, wie gelähmt, und er mußte eine Tonne wiegen. Daß die Erde unter ihm noch hielt ... Am Morgen im Hotelzimmer war eine weitere Tonne Gewicht hinzugekommen. Er hatte geschlafen wie ein Stein und fühlte sich nach dem Aufwachen genauso schwer und klobig. Als hätte er eine Woche durchgearbeitet. Er überschlug all die Lines, die er zuletzt genommen hatte, und kam zu dem Schluß, daß er zwei Monate durchgearbeitet hatte und soeben aufgestanden war wie am ersten freien Tag danach. Wenn er eine Line genommen hätte, wäre er schnell auf Touren gekommen. So hatte er es immer gemacht. War er schwer gewesen, hatte er sich leicht gemacht. Er blieb schwer und brauchte eine Stunde, bis er fertig war und sich dann doch nicht traute, in den Frühstücksraum zu gehen. Er ließ sich etwas aufs Zimmer bringen.

Am liebsten wäre er sofort nach Huisheim gefahren, aber Sommersell, abseits all der anderen Häuser und Höfe gelegen, die er vom letzten Mal kannte und wieder aufsuchen wollte, wäre, wenn er sich ins Fränkische aufgemacht hätte, ziemlich weit entfernt gewesen. Maik sah die Kinder mit den Augenklappen vor sich, die in den dunklen Zimmern knien mußten, als Udo, Linda und Lindas Mutter dort das Regiment innehatten. Die saubere Anlage. Die Lüge von Lindas Mutter. Die Kinder. Die Kopfhörer. Was aus diesen Kindern geworden sein mag. Maik mußte sich nicht auf die Straße konzentrieren. Eine neue, kaum befahrene Autobahn, damals im Bau, brachte ihn über Brücken und durch Berge bis auf einen Kilometer an sein Ziel heran. Bis zur zentralen Kreuzung von Sommersell erkannte er nichts wieder. An der Kreuzung wußte er aber, in welche Richtung er abzubiegen hatte. Am Straßenrand ein weißes Schild mit einem Pfeil in die Richtung, die auch seine war, und der grünen Aufschrift *IDEE*. Er mußte bis ans Ende dieser Straße fahren und dann auf jene kleine Anhöhe abbiegen, wo er sich eine Nacht lang herumgetrieben hatte. Auch an dem Abzweig zur Anhöhe war ein *IDEE*-Schild. Maik hielt an, um das Kleingedruckte darunter zu lesen: *INSTITUT DER EXPERIMENTELLEN ERFAHRUNG*. Inzwischen hatte er nicht mehr das Gefühl, eine Tonne schwer zu sein, sondern fühlte sich wie siebzig Kilo. Er war zum ersten Mal an diesem Tag spürbar wach.

Das Auto rollte an dem Gelände vorbei. Er schaute

durch einen hohen Zaun auf das Haupthaus und die beiden Flügelgebäude. Jeder fünfte Zaunpfahl war ein Lampenmast. Nachts beleuchteten sie die Grenze. Auf dem ehemals großen Feld standen flache Neubauten. Drumherum Zelte, Schaustellerwagen, Wohnwagen und kleine Hütten. Dazwischen Spielplätze und kleine Stuhlgruppen. Bewohner gingen hin und her. Nichts schien mehr so heimlich geschehen zu müssen wie damals. Er stoppte. Stieg aus und betrachtete ein Dorfleben, das das Dorf Sommersell nicht vorzuweisen hatte. Jemand am Eingangstor gab ihm ein Zeichen, wo er das Auto lassen solle. Zwei junge Männer befestigten die Ränder des neuen Parkplatzes und grüßten freundlich.

Auch der kleingewachsene Mann am Eingangstor, der auf einem Barhocker saß und sich über ein Stehpult nach vorn beugte, grüßte freundlich und machte sogar einen Diener. Aus diesem Grund konnte Maik nicht, wie er es vorhatte, einfach an ihm vorbeigehen und das Gelände betreten.

»Du bist noch nicht hiergewesen.«

»Wie bitte?«

»Das sehe ich. Das sehe ich dir an.«

Der Kleine schaute überlegen und genoß Maiks verdadderten Gesichtsausdruck.

»Ich sitze jeden Tag am Tor. Ich kenne jeden.«

»Und was ist nachts?«

»Nachts ist zu.«

»Kann man sich hier umsehen?«

»Unser Café ist für alle da. Du bist willkommen.«

Geübt zog er aus verschiedenen Fächern Broschüren und Faltblätter hervor, schob sie in einen rosa *IDEE*-Umschlag, zeigte mit ihm zu dem neuen lindgrünen Flachbau neben dem Flügelhaus und gab Maik die Papiere. Vor dem Café überprüfte Maik, ob mit ihm alles in Ordnung war oder ob irgend etwas Verrutschtes an seiner Erscheinung diese Aufmerksamkeit um ihn herum auslöste. Alle paar Meter schauten Vorübergehende ihm in die Augen und wünschten einen guten Tag. Er wurde gemustert wie ein Neuling. Und so kam er sich, vor seinem Cappuccino sitzend, auch vor. Sie redeten über ihn. Er war der mit dem rosa Umschlag. Und fand es endlich in Ordnung. So hörte auch das Schwitzen auf.

*Mensch … Dorf … Gemeinschaft … Natur … Kreativität … Pflege … Alternative … Gruppe … Heilung … Frieden …* – Kam Maik alles bekannt vor. Das Vokabular war dasselbe geblieben. Auch damals, als sie nichts weiter als gute Absichten hatten, hatten sie diese Schlüsselbegriffe benutzt. An ihnen hatte man sich erkannt.

*Konferenzen … Kurse … Seminare … Werkstätten … Feriencamps … Aktionen … Festivals …* – Das waren auch damals ihre Pläne gewesen: Zugang für alle. Offene Häuser (in die allerdings, im Gegensatz zu Ringos Bleibe, auch jemand kommen wollte). Austausch über noch nicht gelebte Lebensweisen.

*Projekt … Tauschkultur … Teilnahme .. Aktives Mitglied … Fördermitglied … Netzwerk …* – Damals hatten sie Ideen, aber Scheu vor Arbeit und dem Teufelszeug Geld, das man benötigte, um etwas auf die Beine zu stellen. Für welches *IDEE*-Angebot – Kurs, Seminar, Camp – er sich auch entscheiden würde: Alles kostete. Sie nahmen Geld selbst von denen, die zu ihnen kamen, um zu arbeiten oder bei der Ernte zu helfen. Sie erhielten keinen Lohn. Sie zahlten für die Unterkunft. Er legte die Papiere, bis auf eines, in den Umschlag zurück. Er schaute sich im Café um und dachte, daß vielleicht auch er, nach einer jahrelangen Odyssee über mehrere alternative Höfe, in so einem Camp wohnen würde, wenn er damals weiterhin an die Sache geglaubt hätte und dabeigeblieben wäre. Aber nein, das Wort *Gemeinschaft* roch ihm zu stark. Ein getünchter Frieden lag über allem. Auch in dem Café. Menschenmengen waren, seit er Koks nahm, sowieso nicht seine Sache. Kann man jemanden zwingen, schön zu sein? Kann man jemanden zwingen, glücklich zu sein? Offenbar konnte man.

»Grüß dich, was macht die Kunst?«

Es gab keine Tische für zwei oder vier Personen, es gab sie nur für Gruppen. Ans Ende seines Tisches hatten sich ein paar Bewohner mit Müslischalen gesetzt, die sie am Tresen erhalten hatten. Matthias Welke und Hedi Finckenstein, da waren sie, auf der letzten Seite der Broschüre, die auf dem Umschlag lag. Sie saßen mit anderen, die kaum zu erkennen waren, unter freiem Himmel, und lächelten in verschiedene Richtungen und schauten in die Weite, nicht zu den anderen. Kein entspanntes, zurückgelehntes Lächeln aus Wohlgefühl, sondern ein Zeigelächeln, das nicht äußere, sondern innere Schönheit behauptet. Kurz gesagt, sie sahen total angestrengt aus.

»Der kennt mich nicht mehr.«

»Der denkt an was anderes. Wahrscheinlich an seine Sorgen.«

Maik kannte die Gesichter von Matthias und Hedi aus dem *Marrakesch.* Nur die Haare waren kürzer geworden. Maik fand sie, die etwas älter waren, damals interessant, er wollte an sie heran, von ihnen etwas über das Leben wissen. Aber er war nicht an sie herangekommen. Sie waren meistens von einem Zirkel Zuhörer umgeben, die Quarkspeisen löffelten und Kräutertees schlürften und die Worte von

Matthias und Hedi in sich aufsaugten. Oder die beiden hatten Maik nicht beachtet, wenn er doch einmal in ihrer Nähe war.

»Sprich ihn doch an.«

Wenn er richtig sah, flirteten gerade zwei Frauen von einem ziemlich weit entfernten Tisch aus mit ihm, jedenfalls versuchten sie ihn zu einem Lächeln zu provozieren. Er spürte, wie lange er nicht mehr unbeschwert jemandem zugelächelt hatte. Die dafür erforderlichen Gesichtsmuskeln schienen verschwunden zu sein, oder abgeschlafft.

»Maik Steiner, sehe ich richtig? Maik Steiner?«

»Ja?«

Er hatte keine Ahnung, wer das war.

»Kommst du nicht drauf? Du erwartest mich hier nicht.«

Die Stimme gehörte nach Berlin, so viel war klar. Wer hatte immer so gelispelt, wer so müde Augenlider gehabt? Er war es, mit Vollbart.

»Harri?«

Maik kannte ihn nur von Tailer. Er hatte ihn nie anderswo gesehen. Und schon gar nicht mit Bart. Harri nickte, und die beiden anderen Männer neben ihm lächelten Maik an.

»Du hier? Gefällt's dir?«

»Scheint ein interessantes Projekt zu sein.«

»Das beste weit und breit.«

Harri hörte nicht auf, das Sommersell-Projekt zu loben, er schien Maik überzeugen zu wollen. Nach ein paar Minuten klang sein Wortschwall wie eine Rechtfertigung. Seine Klamotten waren aus grobem, ausgewaschenem Leinen, da und dort mit einem Braun- und einem Grünstich versehen. Die Kleidung der meisten dort war aus Leinen. Sie hatten irgendwo eine Tonne Leinen liegen und einen Schneider gehabt, der nur diese speziell harten Nähte konnte – eine Unfähigkeit, die zu seinem Markenzeichen geworden war. Die beiden anderen Männer saßen nicht mehr an dem Tisch. Maik hatte sie nicht weggehen sehen.

»Aber erzähl: Wie kommst du hierher?«

»Ich bin nicht zum ersten Mal hier. *Du* wohnst doch hier. Wie bist *du* hierher gekommen?«

»Ich bin fertig mit Berlin.«

Maik hatte schon länger das Gefühl, daß die Wahrheit solcher Antworten in ihrem Gegenteil zu finden war. Ob er mit Berlin oder Berlin mit ihm fertig war – die Netze waren mit der Zeit so eng geschnürt, daß er keine Luft mehr bekam in der großen Stadt. Dann war man reif für einen Satz wie »Ich bin fertig mit der Stadt« – wo die fühllose Stadt doch den einen oder anderen noch mühelos verkraftet hätte. Harri hatte sich auf die Lippen gebissen. Eine der gelben Pusteln auf der Unterlippe war aufgeplatzt. Eiter lief an seinem Kinn hinunter, der Spur folgend, die die wässrige Flüssigkeit gelegt hatte, die als erste aus der Lippe floß und den Weg schmierte, auf dem die andere, dickflüssige, nachsuppte. Er wischte mit dem Handrücken drüber und den Handrücken an der Innenseite des Ärmels ab. Wenn er einmal sagen müßte, aus welcher Farbe die Leinenklamotten waren, die sie in Sommersell trugen, dann wäre *eiterfarben* ein treffendes Wort, dachte Maik.

»Kennst du Matthias und Hedi?«

»Alle hier kennen Matthias und Hedi.«

»Kennst du sie noch aus Berlin, aus Mariendorf?«

»Die sind schon lange nicht mehr in Berlin.«

»Wohnen sie hier?«

»Kommt vor. Willst du hier einziehen?«

»Mal sehen.«

»Und die Schauspielerei?«

»Ich brauch mal was anderes.«

»Ein bißchen Entspannung würde dir ganz guttun.«

»Wie bist denn du hierher gekommen?«

Das hatte gesessen. Man sah ihm also an, wie ausgebrannt er sich fühlte. Ihm konnte man mühelos ins Gesicht sagen, er solle sich mal entspannen. Wie man es einem rät, der zu leicht reizbar und andauernd kurz davor ist, aus der Haut zu fahren. Oder wie man es einem rät, dem man ansieht, daß er an sich selbst Raubbau betrieben hat und Pflege benötigt. Maik wußte das alles, aber er wollte es nicht gesagt bekommen. Er fühlte sich unterlegen. Weder hatte er diese eiterfarbenen Klamotten an, noch floß ihm Eiter von der Unterlippe, aber Harri hatte es mit diesem einen blöden Satz geschafft, daß Maik sich noch kaputter fühlte und auch meinte, er sähe viel kaputter aus als die anderen in dem Café.

»Wie bitte?«

Er hatte Harris Antwort nicht gehört. Er gab ihm ein Taschentuch und zeigte mit dem Finger auf die Lippe.

»Ich habe den besten Fehler meines Lebens gemacht.«

Sie gingen vor die Tür, Harri wollte rauchen. Maik hatte das Gefühl, die anderen schauten ihm nach und redeten über ihn. Er mußte auch eine rauchen.

Der beste Fehler seines Lebens: Er wollte sich einmal selbständig machen mit dem Verkauf von Lederkleidung und Lederutensilien. Stellte sich die Bude voll im guten Glauben, er werde genügend Leute finden, die das Zeug für ihn verkaufen – und blieb auf dem Kram sitzen. Hatte Schulden, fünfstellig, und nur noch eine Chance: Die Schuld abzuarbeiten in einem *IDEE*-Dorf.

»Und was arbeitest du hier?«

»Ich arbeite in der Lederwerkstatt. Wir schneidern Klamotten – alles, was man so braucht.«

»Ich denke, das verkauft sich nicht.«

»Irgendwie doch. Jetzt tun es andere.«

Er grinste. Sie gingen auf einen alten Anbau hinter dem Haupthaus zu, offenbar ein ehemaliger Stall.

»Bei wem hattest du Schulden?«

»Bei meinem Bezirksleiter. Das war noch in Berlin.«

»Und was hat dein Job mit hier, mit Sommersell, mit *IDEE* zu tun gehabt?«

»Das hängt alles zusammen.«

»Wie?«

»Irgendwie. Wenn ich meine Schulden hier abarbeiten kann, muß es doch zusammenhängen.«

Ein Junge in blauem Overall, mit Kugelschreiberleiste über der Brusttasche, mehrere A-4-Blätter in einer Hand, klopfte gegen die Tür des Anbaus. Über der Tür war ein Schild: *Lederwerkstatt.* Niemand öffnete. Harri ging zu ihm hin.

»Kann ich dir helfen?«

»Ich komme von Trommel und soll Ware abholen.«

Harri schaute auf die Uhr. Die Tür der Lederwerkstatt wurde geöffnet. Eine Frau streckte ihren Arm am Türrahmen hoch und stemmte die andere Hand gegen die Hüfte. Sie gähnte, bis ihr Gesicht hinter ihrem Mund verschwand.

»Ah, der neue. Bei uns ist bis halb zwei Pause. Komm mit dem Wagen aufs Gelände, direkt an die Tür hier. Es ist mehr geworden.«

Harri zündete sich noch eine an, tat ein paar Schritte zur Seite, neben das Haus, und schaute über das abfallende Feld hinab in das Tal. Maik ging ihm nach und schaute nicht ins

Tal, sondern auf den weißen Strich, der über die Bahnbrücke flog und in dem Loch im Berg verschwand.

»So ein Zufall.«

»Es gibt keinen Zufall.«

»Ich weiß.«

»Warum sagst du es dann?«

»Hör dir ein paar Namen an und sag mir, ob du die Menschen kennst. Kennst du Vera?«

»Nein.«

»Sebastian?«

»Nein.«

»Kennst du Udo?«

»Udo arbeitet in der Töpferwerkstatt.«

»Das ist er nicht. Kennst du Maria?«

»Ich kenne Marie.«

»Danke.«

»Was ist denn mit *dir* los?«

»Ich suche jemanden.«

»Hier?«

»Ich glaube nicht.«

»Wo dann?«

»Huisheim?«

»Kenn ich.«

»Wieso kennst du dann Udo nicht?«

»Ach Udo aus Huisheim! An den hab ich grad nicht gedacht.«

»Warum?«

»Das ist 'ne andere Etage.«

»Was hast du in Huisheim gemacht?«

»Da hab ich mich vorgestellt.«

»Bei Udo?«

»Ja. Dann bin ich hierher gekommen.«

»So ein Zufall.«

»Gibt es nicht.«

»Ich weiß. Hast du eine Telephonnummer?«

»Du kannst mich über die Zentrale erreichen.«

»Mach's gut, Harri.«

Maik drückte die Zigarette aus, klopfte ihm auf die Schulter und ging, den rosa *IDEE*-Umschlag unter dem Arm, dem Ausgang entgegen. Der Junge, der die Ware aus der Lederwerkstatt abholen wollte, rollte ihm in einem weißen Lieferwagen mit weiß überklebten Seitenflächen entgegen. War darunter einmal eine dunkelblaue Schrift gewesen? Maik wedelte mit seinem rosa Umschlag dem kleingewachsenen Mann hinter dem Stehpult zu. Er setzte sich in sein Auto. Ihn überkam große Lust, eine Line zu nehmen, aber er hatte nichts dabei. Er umkrallte das Lenkrad und sagte sich, daß er Lust hatte, eine Line zu nehmen und daß er nichts dabei hatte. Er schaute durch die Windschutzscheibe, als stelle er sich vor, hundertachtzig zu fahren, und murmelte seinen Satz vor sich hin. Er breitete die Straßenkarte über dem Lenkrad aus.

»Der zweite Tag nach dem Aufhören war der schwerste«, sagte Maik zu mir, »das wußte ich, das ist immer so. Der erste Tag, an dem du aufhörst, schafft dir kein Problem. Du merkst es gar nicht. Du bist noch so voll von dem Zeug, daß es eigentlich nur eine einzige Veränderung gibt: Du hast weniger Durst. Aber am zweiten Tag wachst du so platt auf, als hätte dich dein Kreislauf verlassen. Du kommst zwar auf die Beine irgendwie, aber du wirst alle zwei Stunden todmüde und willst schlafen. Oder koksen. Aber das eine wollte ich nicht, und das andere konnte ich nicht.«

»Was hast du dann getan?«

»Ich bin ausgestiegen und habe einen Spaziergang um das *IDEE*-Gelände gemacht, immer am Zaun entlang. Von dem rückseitigen Feld aus schaute ich dem Jungen zu, der braune Kisten aus der Lederwerkstatt trug und in seinen Lieferwagen schob. Dann fiel mir das Nummernschild auf. Es war aus dem Landkreis, in dem sich damals die Mühle und der Ziegelhof befunden hatten. Das hat mich wieder wach gemacht. Ich wollte ja sowieso in diese Richtung fahren.«

»Bist du ihm nachgefahren?«

»Wollte ich. Hab mich ins Auto gesetzt, die Augen zugemacht und bin eingeschlafen. Der Lieferwagen war weg. Und ich hatte wieder das Gefühl, eine Tonne zu wiegen. Der zweite Tag ist eben der schwerste.«

Maik schleppte sich, dem Kleinwüchsigen mit dem rosa Umschlag zuwedelnd, auf das *IDEE*-Gelände, um einen starken Kaffee zu trinken. Sie hatten nur welchen ohne Koffein. Er nahm einen Liter Mineralwasser und stürzte ihn auf dem Weg zum Pförtner in sich hinein.

»Ich würde mich gerne mal mit Matthias Welke oder Hedi Finckenstein unterhalten.«

»Wann soll es denn sein?«

»Am besten sofort.«

»Du hättest erst wieder ab nächste Woche eine Chance.«

»Muß ich einen Termin machen?«

»Brauchst du nicht. Wenn sie hier sind, sind sie auch zu sprechen.«

Weit hinten auf dem Gelände stand Harri und schüttelte den Kopf. Maik winkte ihm zu und stieg ins Auto. Er fuhr langsam. Er war stolz auf sich, nichts mitgenommen zu haben. War stolz darauf, sich zu beweisen, daß er es nicht brauchte. Er fuhr langsam, weil er es mit einem Gefühl zu tun hatte, das er kaum noch kannte: Er war nüchtern. Er dachte nach. Wie das alles zusammenhing, Ledervertrieb und Gemeinschaftscamp. Nachdem ihm eineinhalb Tage lang alles ziemlich grau vorgekommen war, nahmen die Dinge wieder Farben an – wie wenn er gerade etwas genommen hätte.

Das war auf der Autobahn. Er hatte die linke Seitenscheibe heruntergekurbelt, sich auf der rechten Spur eingeordnet und sich den Fahrtwind durchs Haar spielen lassen. Ich fahre meiner Geschichte hinterher wie ein mittelmäßig interessierter Tourist oder wie ein unterbezahlter Ahnenforscher, dachte er. Wo ist das Gefühl? Warum brenne ich nicht, wenn es brennt? Wo bin ich gewesen?

Zwei Stunden später kam er am Ziegelhof an.

»In Wahrheit hatte ich jahrelang nicht mehr an Sebastian oder Vera gedacht«, sagte Maik zu mir, »und wenn es geschah, dann mit einem Kopfschütteln vor mir selbst oder in sentimentaler Anwandlung. Dann konnte es mir nicht schnell genug gehen, sofort alles wiedergutzumachen. Klar, daß sich so nichts änderte und ich weiter um mich selbst kreiste. Aber hatte ich überhaupt etwas wiedergutzumachen? Nicht Vera und Sebastian hatten meine Neugierde geweckt, sondern Ringos Anrufe. Die kamen zu einem Zeitpunkt, als ich in Berlin festklebte wie ein Kokskrümel. Deswegen diese Reise.«

Der Ziegelhof war umgebaut, das alte Haus abgerissen, ein nichtssagender Flachbau hingestellt. Irgendeine GmbH. Von dem damaligen Ambiente war nichts mehr wiederzuerkennen. Sie hatten keinen Baum stehen lassen. Eine funktionale Anlage für Produktion, An- und Abfuhr, hinter Stahlgittern. Dort würde Maria sicher nicht mehr wohnen.

Er fuhr ins Dorf hinein, hielt vor der Kirche und betrat das Gasthaus, in dem er einmal ein paar Tage gewohnt hatte. Zum Mittagessen war er zu spät, er bekam noch eine Platte mit Brot und Wurst. Die Haare des Wirts waren grau geworden. Er erkannte Maik nicht wieder. Maik saß in der äußersten Ecke des Lokals, an einem Fenster mit grobmaschigen Gardinen. Alle paar Minuten bog ein LKW um die Ecke. Die Gabel auf dem Teller zitterte. Die Fahrer bremsten vor der Kurve, schalteten runter und gaben im Kurvenausgang Gas, tieftourig und vibrierend. An diesen akustischen Ablauf gewöhnt, schaute Maik in der Beschleunigungsphase des nächsten LKWs durch die rostgelbe Gardine und las auf dem Fahrzeug die dunkelblaue Aufschrift *Trommel.*

Maik zahlte und fuhr die paar Meter zu dem Parkplatz, wo sein früheres Auto einmal abgeschleppt worden war. Es war ein Mitarbeiterparkplatz der Schlachterei Trommel. Die Ledersachen in Sommersell waren für Trommel abgeholt worden. Sommersell war ziemlich weit entfernt, das Ganze, dachte er, also entweder eine zufällige Namensgleichheit oder ein überregional vernetztes Unternehmen. Nur: Was hatten Fleischwaren und Ledersachen miteinander zu tun? Und was hatte das alles mit den Leuten von *IDEE* zu tun? Was hatten Matthias Welke und Hedi Finckenstein, die Apokalyptiker und Gemeinschaftsanbeter, mit dem Fleischdealer Trommel zu tun? Trommel war der größte Arbeitgeber weit und breit. Auf dem Parkplatz standen über hundert Autos. Die LKWs sorgfältig aufgereiht vor ihren Ladeluken, die so eng waren, daß man nicht sehen konnte, was da geladen wurde. Ein kräftiger Mann in Maiks Alter mit weißem Hemd, roter Krawatte und roten Hosenträgern schloß das Fenster, in dem der ältere Mann, der alte Trommel, vermutete Maik, damals gestanden und ihn zurechtgewiesen hatte. Maik hielt nach weißen Lieferwagen Ausschau, die dem ähnelten, den er am Mittag auf dem *IDEE*-Gelände gesehen hatte. Auf dem peinlich saubergehaltenen Gelände waren aber nur große Fleischtransporter und ihre Anhänger geparkt. Die lebenden Schweine wurden in alten Wagen mit Holzgeländern zum Schlachthof gebracht. Das Fleisch der toten Tiere wurde in nagelneuen summenden Kühlwagen abtransportiert.

»Hier, das muß sofort auf Sendung. Jetzt schlagen sie sich die Schädel ein.«

Der Leiter vom Dienst war, ohne anzuklopfen, eingetreten und und hatte Maik zwei Blätter auf den Tisch gelegt. Maik schaute auf die Straße. Der Leiter vom Dienst blickte auf die Uhr über der Tür und verglich sie mit der an seinem Armband. Er war eindeutig der Meinung, daß ich in diesem Büro nichts zu suchen hätte. Aber er sagte nichts. Maik überflog, was auf den Blättern stand.

»Wahnsinn ... Am Alexanderplatz prügeln sich Nazis und Türken. Es hat eine Explosion gegeben. Die Polizei geht nicht rein, sondern sperrt weiträumig ab.«

»Wahnsinn.«

Maik verließ sein Büro durch die Tür zum Flur. Kurz danach hörte ich ihn die Meldung durchgeben. Nach der Explosion sei ein Großbrand entstanden, den die Feuerwehr zur Zeit lösche. Es fuhren keine Polizeifahrzeuge mehr den Berg vor dem Radiohaus hinunter. Sie schienen inzwischen alle in der Innenstadt zu sein. Es kamen auch keine zurück. Einige Kilometer stadtauswärts war eine der größten Polizeikasernen. Maik empfahl den Leuten im Stadtzentrum, ihre Fenster zu schließen, da sich möglicherweise giftige

Stoffe entzündet hätten. Und er riet allen ab, heute nacht noch die Einheitsfeier im Stadtzentrum aufzusuchen.

Kaum eine Minute später stand der Leiter vom Dienst wieder im Büro.

»Was war denn das?«

»Hab ich was vergessen?«

»Das hat sich ja angehört wie ein Glückwunsch zum Geburtstag.«

»Heute ist Tag der Einheit oder Nacht der Einheit. Alle feiern.«

»Aber die Mitte brennt! Und Geburtstag feiern wir erst in einem Jahr! Etwas mehr Sachlichkeit könnte nicht schaden.«

Er ließ keine Widerrede zu und verschwand hinter seiner Bürotür.

»Ist der dein Chef?«

»Kann man so sagen.«

Maik fuhr weiter und hielt vor der ehemaligen Mühle, in der Freds Truppe damals gehaust hatte. Immer noch schien dort eine WG zu wohnen, ärmere Landbevölkerung, im Unterschied zu umliegend ansässigen Landwirten und Hausbesitzern, denen es sichtlich besser ging und die einiges darauf gaben, das zu zeigen. In der Mühle zeigte man offenbar nach wie vor, daß man so nicht war. Maik öffnete die nächste Literflasche Mineralwasser und klopfte gegen die Haustür. Innen tat sich nichts, aber ein hagerer junger Mann mit einem Notizbuch in der Hand betrat den Hof.

»Hi.«

»Hi.«

»Wohnt Maria hier?«

»Nein, Maria wohnt hier nicht.«

»Wer wohnt denn hier?«
»Hier wohnt niemand mehr. Alle ausgeflogen.«
»Du auch nicht?«
»Ich halte mich hier auf.«
»Da hängt doch Wäsche.«
»Das ist meine.«
»Wo wäschst du die?«
»Im Fluß.«
Das Knochengerüst lebte offenbar in der Hundehütte, die um einen holzgezimmerten Anbau erweitert war. Daneben der Wäscheständer. Vom Hausverteiler führte ein Kabel zu einem Fernsehgerät mit briefmarkengroßem Schirm und einer zwei Meter langen Antenne.
»Wo kommst du her?«
»Wo ich herkomme? Schwitzt du?«
»Aus Sommersell? Von der Mühle? Aus Huisheim?«
»Wer bist denn du?«
»Sag schon.«
»Du bist aus Huisheim.«
Er krümmte sich zusammen in seiner Hütte.
»Was willst du?«
»Information.«
»Udo hat dich geschickt.«
»Keine Angst, ich bin Einzelkämpfer.«
»Scheiße. Irgendwann kriegen sie mich.«
»Hier, trink was … Bist du abgehauen in Huisheim?«
Er robbte aus seiner Hundehütte hervor, lehnte sich an sie und trank.
»Was willst du von mir?«
»Du … Wir haben uns hier zufällig getroffen … Mich interessiert, wo Maria ist.«
»Was hast du mit Huisheim zu tun?«

»Udo ist der Chef in Huisheim?«

»Was weißt denn du?«

»Wo willst du hin?«

»Wo gehst *du* hin?«

»Ich fahr gleich nach Huisheim.«

»Leck mich.«

»Kennst du Vera?«

»Leck mich.«

»Kennst du Sebastian?«

»Was willst du von Sebastian?«

»Was weißt du von Sebastian?«

»Leck mich.«

Maik setzte sich in sein Auto und wollte nach Huisheim. Gelungener Auftritt, dachte er. Vorher fuhr er zum Fluß hinunter und am Ufer entlang. So konnte er sein Ziel nicht verfehlen. Es war so nah. Der Autobahnbrückentorso von damals war abgerissen worden. Die Landschaft liegengeblieben. Unbeachtet. Wuchernd. *Zonengrenzbezirk*, immer noch. Das Seil war straff über den Fluß gespannt, die Fähre schien in Betrieb zu sein. Der Schelch befand sich in der Mitte des Flusses, der Fährmann an der Spitze. Maik ging unter dem *Fergengut*-Schild hindurch und an den Kräuterbeeten vorbei zu dem Platz vor der kleinen Hütte, wo Stühle und ein Tisch standen. Drüben legte die Fähre an. Das Seil und die Holzbalken knirschten. An dem Tisch saß eine dunkelhaarige junge Frau mit der Haltung eines Mädchens. Maik grüßte sie freundlich. Er wagte nicht, sich an den Tisch zu setzen, den sie vielleicht mit dem Fährmann teilte, der drüben am Ufer seine Passagiere entließ und herüberschaute.

»Guten Tag.«

»Guten Tag. Setz dich doch.«

Er hatte einen Vollbart wie Günther und war ähnlich groß. Aber doppelt so breit. Er trug dunkle Kleidung und hatte eine Pfeife im Mund wie Günther, aber Günther konnte der Fährmann drüben nicht sein. Günther war tot. Warum duzten ihn an diesem Tag alle? Sie hätte seine Tochter sein können. Er setzte sich auf einen Stuhl, wischte mit der Hand über die Stirn und stellte sich vor, eine Line genommen und hier richtig aufgekreuzt, nicht nur so herangeschlichen zu sein. Dann hätte er sich nicht bitten lassen, sondern sich von selbst auf den Stuhl gesetzt. Das Seil knirschte wieder und zog die Fähre zurück.

»Du bist müde.«

Das war nicht als Frage gemeint. Die Ellenbogen auf dem Tisch, das Kinn in die Mulde beider Handflächen gedrückt, die Unterlippe vorgeflunscht, musterte sie ihn. Sie hatte nicht die geringste Lust, das diskret zu tun. Er ging zum Ufer hinunter und versuchte sich zu konzentrieren. Aber worauf? Und wie? Wie machte man das ohne weißes Pulver? Na klar, auf die Wellen schauen. Er tat das im Schneidersitz, die Ellenbogen auf die Waden gestützt, die Fäuste gegen die Wangen gepreßt. Er schloß die Augen und hörte den Wellen zu – bis der Schelch gegen die Holzmasten rammte und der Fährmann ihn festmachte. Was kam ihm an den Bewegungen des unförmigen Fährmanns bekannt vor? Was war ihm am Gesicht der jungen Frau bekannt vorgekommen, sobald die langen dunklen Haare es nicht verdeckten? Die Fähre verließen ein Rentnerehepaar, das sich beim Fährmann für die Überfahrt bedankte, und ein junger Mann, der auf seinem Motorrad davonbrauste.

»Willst du zum anderen Ufer?«

»Danke, nein.«

»Gut so … Brotzeit, Shula … Bleibst du noch?«

Maik drehte sich zum Tisch und sah, daß die junge Frau dasaß wie vorher. Von ihr ging eine besondere Aufmerksamkeit aus. Sie schien alles zu sehen und alles sehen zu wollen. Sie nickte ihm zu und ging ins Haus. Sie war beinah so groß wie er. Im Sitzen sah sie kleiner aus. Der Fährmann hatte die Form dreier Müllsäcke, die eng zusammengeschnürt waren, zwei unten, einer oben. Er beugte sich langsam. Er öffnete den Kühlschrank, der vor seinem Häuschen stand. Er legte eine Schinkenhälfte und ein großes scharfes Messer auf den Tisch. Er streckte behutsam seine Wirbelsäule.

»Fred?«

»Ja?«

»Maik. Maik Steiner.«

Die junge Frau verteilte zwei Teller und Bestecke auf dem Tisch und setzte sich. *Maik, Maik Steiner*, so hatte er sich früher immer vorgestellt, wenn er jemanden begrüßte, den er duzen würde. So hatte er das gemacht, wenn er wollte, daß die Leute sich seinen Namen merkten. Warum tat er das jetzt? Nach so vielen Jahren. Und warum tat er *das*: Warum stellte er sich andauernd Fragen über sich selbst? Warum war er so schnell im Kopf, obwohl er doch gar nichts genommen hatte? Schneller als er selbst. Vor sich her fliehend. Und warum mußte er diesen ganzen Kram innerhalb von zwei Sekunden denken? Schließlich hatte er nur seinen Namen gesagt. Die junge Frau quetschte Schinken zwischen zwei Brotscheiben und schaute, zubeißend, beide Männer an.

»Kenn ich nicht.«

Maik hatte Fred an der Stimme wiedererkannt. Nun erinnerten ihn auch die Augen des Aufgedunsenen an Fred … Der Junge auf dem Hof der Mühle, mit dem er vorher gesprochen hatte, hatte nicht gesagt, er kenne Sebastian nicht. Sondern er hatte gefragt, was Maik von Sebastian wolle, fiel ihm auf einmal ein. Das klang ganz so, als ob er ihn kennte.

»Mir ist was eingefallen, ich komm gleich wieder.«

Maik ging schnurstracks zu seinem Auto und raste die Uferstraße entlang bis zur nächsten Abbiegung, dann die paar hundert Meter zur Mühle. Die Hütte war leer. Der Kleiderständer ohne Wäsche. Das kleine Fernsehgerät nicht mehr da. Der Junge weg. In der Hütte war nichts liegengeblieben. Er ging einmal um das Haus herum und rüttelte an allen Türen. Sie waren verschlossen. Er ging am Wassergraben entlang und setzte sich auf einen Findling. Er schwitzte. Sein Herzschlag pochte in den Ohren. Er rutschte auf den Kiesboden und lehnte sich an den Stein. Rauchte eine. Er fühlte sich kaputt. Erledigt. Ungesteuert oder ferngesteuert. Er griff sich an den Händen, spürte aber nichts. Keine Resonanz. Ein großes Gefühl nur: Mangel.

»Was willst du von Sebastian?«

Das Gesicht des Jungen ging ihm nicht aus dem Kopf. Wenn über mich geredet wird und die anderen nicht wissen, daß ich derjenige bin, über den sie reden, fragte sich Maik, würde ich die anderen dann fragen, was sie von ihm, also von mir wollen?

Er trank soviel Mineralwasser, wie er konnte, taxierte von seinem Auto aus das Grundstück in der Hoffnung, daß ihm etwas auffiele, das ihn weiterbrächte, und fuhr mit dem Gefühl, etwas vergessen zu haben, zum Fergengut zurück. Wenn Harri sich bei Udo in Huisheim vorgestellt hatte, um bei *IDEE* in Sommersell zu arbeiten, dachte Maik, und wenn er Ledersachen herstellte, die von Trommel vertrieben wurden, kombinierte er weiter, dann hing nahezu alles, was ihm während seiner Suche nach Vera und Sebastian begegnet war, miteinander zusammen, einschließlich des Abstellens älterer unsicherer Kandidaten im Fergengut.

Auf der Uferstraße kam ihm die junge Frau entgegen, die bei Fred gesessen hatte. Sie trug Jeans und einen hellen Pullover, der fast bis zu den Knien und weit über die Hände reichte. In einer Hand hielt sie einen Blumenstrauß. Mit der anderen winkte sie ihm zu, als solle er halten. Er wendete. Sie warf die Haare nach hinten. Es duftete. Keine Marke. Haut und Haare.

»Wo willst du hin?«

»Fahr erst mal geradeaus. Wo bist du gewesen?«

»In der Mühle.«

»Da ist doch niemand.«

»Vorhin war einer da.«

»Wer?«

»Weiß nicht. Ein junger Mann.«

»Wie sah er aus?«

»Hager. Heruntergekommen.«

»Welche Haarfarbe?«

»Weiß nicht. Ich glaub, ich hab ihn nur in Schwarzweiß gesehen.«

»Fahr weiter geradeaus.«

»An wen denkst du?«

»Egal.«

Er präsentierte ihr eine Spazierfahrt – etwas, das er eine Ewigkeit lang nicht mehr getan hatte. Ihre Gegenwart tat ihm gut. Er kurbelte die Fensterscheibe hinunter und ließ den linken Ellbogen hinaushängen. Sie tat es ihm gleich und verstellte ihre Sitzlehne nach hinten. Er suchte eine Musik im Radio.

»Du siehst unglücklich aus.«

Er hatte das Gefühl, schlecht zu riechen, vom Schwitzen, von der Hektik, vom Entzug. Er war unglücklich. Roch man anders, wenn man unglücklich war?

»Fehlt dir *nichts*?«

»Hast du Zeit?«

»Ja.«

»Ich zeig dir was.«

Hatte er Zeit? Er war sich nicht sicher. Sie legte einen Fuß aufs Armaturenpolster und lehnte sich ganz weit zurück, so daß sie Maik anschauen konnte. Sie lächelte, als läse sie in einem vergnüglichen Buch. Er befürchtete, sie mache sich über ihn lustig. Sicher mußte sich ein junges Mädchen wie sie lustig machen über einen alten Sack wie ihn, der in seinem Panzer saß. O. k., er hatte Zeit. Etwas.

»Sag mal, hat der Fährmann das Gedächtnis verloren?«

»Manchmal vergißt er sogar zu kassieren.«

Sie lächelte, aber über etwas anderes, wie er sah.

»Was ist daran lustig?«

»*Du* bist lustig.«

»Ich bin nicht lustig.«

Sie lachte laut auf. Auch er lachte. Und wußte nicht, warum. Ein Mitmachen.

»Du bist komisch.«

»Gestatten: Shula Komisch und Maik Lustig.«

»Angenehm.«

Jetzt *mußten* sie lachen, es gab kein Halten mehr. Shula verschluckte sich. Maik spuckte aus Versehen gegen die Scheibe. Sie fuhren an einer Schafherde mit ihrem Hirt vorüber und lachten. Sie lachten, weil ein Ort Säusel hieß. Sie lachten, weil sie lachten.

»Was bist du von Beruf?«

»Schauspieler.«

»Ich auch.«

Maik lachte nicht mit ihr mit. *Schauspieler* hörte sich in seinen Ohren inzwischen fremd an.

»Was hast du bei Fred gemacht?«

»Ich habe mich mit den Blumen unterhalten. Und mit dem Schilf.«

»Wo fahren wir eigentlich hin?«

»Wir sind gleich da.«

»Was machst du, wenn du nicht mit den Blumen sprichst?«

»Ich bin Sängerin. Manche Pflanzen singen auch. Man kann das aufzeichnen und es sich anhören. Zum Beispiel den Gesang einer Blüte, die sich öffnet. Wir haben das getan. Es dann im Zeitraffer abgespielt. Und ich singe mit der aufgehenden Blüte im Duett. Da stehen die Leute drauf. Leider rauscht es noch zu stark.«

»Wir?«

»Meine Freunde, mit denen ich das mache.«

In der Stadt hatte Maik sich als Stadtstreuner kennengelernt, dessen einziges Ziel es gewesen war, sich treiben zu lassen. Nun kam er sich wie ein Landstreuner vor, der den erstbesten Menschen, der am Straßenrand winkt, einsteigen und sich von ihm auch noch diktieren läßt, wo die Fahrt hingeht. Er hatte mit Fred sprechen wollen. Er hatte nach Huisheim gewollt. Was war auf der Mühle los? Er hatte doch überhaupt keine Zeit!

»Du denkst zuviel.«

Und warum ließ er sich all diese Sachen sagen, er sei müde, er sehe unglücklich aus, er denke zuviel? Was bildete dieses junge Ding sich eigentlich ein? Gleichzeitig sprach es auf eine verquere, von ihm gar nicht gemochte Art etwas in ihm an, das er angesprochen haben wollte. Aber was war das? Er hielt an und stieg aus. Er ging zweimal um den Wagen herum, schüttelte sich jeweils, wenn er in ihrem Rücken war, und stieg wieder ein.

»Was war *das*?«

»Schön, daß wir uns getroffen haben. Ich bin neugierig. Singst du nur mit Blumen?«

»Du machst dich über mich lustig. Du bist völlig verspannt, weißt du das?«

»Ich glaube, du redest zuviel.«

»Was gefällt dir sonst nicht an mir?«

»Du gefällst mir schon.«

»Du gefällst mir auch.«

Ich krieg es nicht hin, dachte er. Selbst dieser läppische Versuch, einen Abstand aufzuziehen, geht daneben. Und heraus kommt das Gegenteil. Er merkte aber auch, daß das Gespräch mit ihr erst durch diese vorübergegangene Spannung eines geworden war. Und schon vorbei: Beide schwiegen, und die Luft knisterte.

»Ich habe eigentlich zu tun.«

»Ich weiß. Hinter dem übernächsten Ort ist es.«

»Wieso weißt du das?«

»Alle, die nicht das tun, was sie zu tun haben, haben eigentlich zu tun.«

Sie verstand seinen Klaps als Zeichen der Übereinstimmung und lehnte sich mit wohligem Gesichtsausdruck in den Sitz zurück: Es war eine Art Schnipser mit den Außenseiten seines Ring- und Mittelfingers. Das Handgelenk locker gehalten und beide Finger schwungvoll abgezogen, gegen die Außennaht ihres jeansverhüllten linken Oberschenkels. Seine Art, ein Kompliment zu machen. Er fuhr wieder schneller, weil er endlich zu dem Ort kommen wollte, den sie ihm zeigen wollte. Er nahm sich vor, die

Klappe zu halten und seine Beifahrerin nicht zu verschrekken. Er war es nicht mehr gewohnt, mit einer Frau in einem Raum zu sein. Seine Frau war das Pulver gewesen, das er bis dahin immer bei sich gehabt oder mit dem er die Abende verbracht hatte. Seit sie in seinem Auto war, hatte er daran nicht mehr gedacht. Er litt nicht darunter, daß ihm irgend etwas fehlte. Er hatte damit zu kämpfen, daß auf einmal zuviel da war. Ganz schnell konnte ihm ein Mensch zuviel werden. Sein Alltag war so regelmäßig, klein und überschaubar, daß ihn schon die Gegenwart eines einzelnen Menschen überforderte, mit dem er nicht gerechnet hatte. Shula dirigierte ihn über die Flußbrücke, in einen Nadelwald hinein. Die Straße führte steil nach oben, und auf der anderen Seite der Erhöhung in ein Tal hinunter. Sie passierten das Ortseingangsschild *Senkenfels*. Kam Maik auch bekannt war. Auf einmal war es dunkel wie vorher an diesem Tag noch nicht.

»Hier habe ich einmal gewohnt«, flüsterte sie beim Betreten des Grundstücks.

Als würde sie jemanden wecken, wenn sie lauter redete. Wie der Name schon sagte, war der ganze Ort in einer Senke, einem kurzen schmalen Tal gelegen, umgeben von steil ansteigenden dunklen Wäldern. Es gab nur eine Zufahrt zu dieser Senke. Sie befanden sich auf dem letzten der an der Straße aufgereihten Grundstücke. Die Sonne stand irgendwo hinter einem der Berge, die das Gefühl vermittelten, sie wären nicht dort und dort und dort hinten, sondern über einem.

»Hast du hier gern gewohnt?«

»Egal.«

Parallel zur Straße plätscherte in einem Sandsteinbett ein Fluß vor sich hin, der sich hinter dem Ende dieser Schneise wahrscheinlich durch den Berg schlängelte. Wie das Dorf, hatte auch das zweistöckige Haus, vor dem sie standen, eine längliche Form. Blaßgelber Putz bröckelte vor sich hin. Die Scheiben waren nicht zerschlagen. Der Hof war geharkt. Manche Fensterläden hingen nur noch an einem Scharnier. Quer von der Eingangstür bis unters Dach zog sich ein nach oben breiter werdender Riß, der das Haus unbewohnbar gemacht hatte. Auf dieser Seite war das Dach einen halben Meter tiefer als auf der anderen. Shula und Maik zwängten sich durch die Schneise zwischen der Hinterseite des Hauses und dem Außenzaun, er folgte ihrer Duftwolke, die ihn fast betrunken machte. Ihm war, als wären sie in einem Tunnel. Warum Tunnel? Da hinten war Licht. Maik sah nach oben. Von seinem Punkt aus gesehen, war eine der Bergwände nur halb so hoch wie die anderen und ließ die Nachmittagssonne auf einen Flecken hinter dem Haus scheinen. Sie erreichten das Ende des Tunnels und standen in einem Blumengarten.

An den Rändern von hohen Sträuchern umgeben, war es ein Flecken bunter Blumen, die nicht nach einer erkennbaren Ordnung angepflanzt waren. Keine akkurate Beetewirtschaft, aber auch nicht wildes Wuchern allein.

»Das ist meins.«

»Wie oft gehst du hierher?«

»Einmal die Woche.«

Shula schaufelte mit den Händen zwei Löcher in die Erde und goß eine Kanne Regenwasser in sie hinein. Sie setzte die vom Fergengut mitgebrachten Blumen in die Mulden ein und füllte diese mit der vorher beiseite geschaufelten Erde. Das Wasser spritzte aus dem zugepappten Loch. Für diese ein, zwei Stunden am Nachmittag reckten die Blumen ihre Hälse der Lücke zwischen den Bergen zu. Shula nahm ihn an der Hand. Sie führte ihn auf einem schmalen Weg durch ein Sonnenblumenspalier in die Mitte dieser Anlage, ein sonnenerwärmtes Oval mit kniehoch gewachsenem Wiesengras. Sie zog ihn hinunter, sie ließen sich nieder.

Und kamen so schnell nicht hoch.

Die Sonne hatte sich auf den Bergkamm gelegt und war dahinter abgesunken. Shula war in seinen Armen eingeschlafen. Beinahe wäre auch er eingeschlafen. Jedoch hörte er Bienen oder Wespen, oder was auch immer, in seiner Nähe summen und war nicht in der Lage, sich der Entspannung hinzugeben. Er schloß die Augen, und die rasenden Bildfolgen, die er sah, hielten ihn wach. Alte Bilder mit Verflossenen. Er blieb ganz still und vorsichtig mit dem duftenden Körper in seinen Armen. Er breitete die Kleidung, die herumlag, über ihr aus und betrachtete seine schlafende Freundin.

»Mir ist schleierhaft gewesen, wie ich zu diesem Geschenk gekommen bin«, sagte Maik zu mir.

Eine Batterie Militärhubschrauber überquerte das Tal im Tiefflug. Shula wurde davon beinah wach. Sie umgriff Maiks Arme. Sie winkelte die Beine an, so weit es ging. Sie krallte die Fingernägel beider Hände in sein Fleisch. Maik zog sie so fest an sich heran, wie er konnte. Den Schmerz empfand er nicht als solchen.

»Was war das? War jemand hier?«

»Das war ein Hubschrauberballett.«

Shula gähnte sich in die Gegenwart zurück, huschte in eine Ecke und kam mit zwei Äpfeln wieder. Sie setzten sich voreinander in den Schneidersitz, aßen die Äpfel, schauten sich an, schnitten Grimassen und lachten. Am Morgen hatte Maik das Gefühl gehabt, eine Tonne zu wiegen. Später am Tag empfand er sich als so schwer, wie er war. Und endlich um so vieles leichter, daß er kaum noch gegen den Boden drückte. Er schritt das im Vordämmerlicht liegende Gärtchen ab. Hin und wieder drehte er sich zu Shula um und beobachtete, wie sie sich gedankenverloren zurechtmachte. Die Farben der Blumen waren frühabendblaß, Shula aber, die sich in ihre engen Jeans gezwängt hatte und nun, zur Seite gebeugt, ihre Mähne durchbürstete, leuchtete. Ihm hatte lange schon die Erfahrung gefehlt und das Bild, wie es war, die Frau anzuschauen, die er gerade glücklich gemacht hatte. Er erinnerte sich, wie gern er früher die Frau, mit der er kurz zuvor noch zusammengewesen war, angeschaut hatte, wenn sie ganz für sich und in eine Tätigkeit versunken gewesen war. Er blickte auf ein Geschenk, das er gegeben, und auf eines, das er bekommen hatte.

»Du bist die Blume hier.«

»Wie bitte?«

»Ach nichts.«

Shula ging mit zwei Gießkannen umher und verabschiedete sich von ihren Pflanzen. Einige sprach sie mit Namen an, die Maik noch nie gehört hatte. Er zwängte sich durch den Schlauch zwischen Haus und Zaun und öffnete die vier Türen seines Autos. Suchte im Autoradio eine helle Musik. Fand keine. Streckte sich. Hörte Shulas Stimme vom Garten her. Als gebe sie der Umgebung einen Ton, an dem diese sich orientieren könne, einen tiefen Ton, ja, als singe sie ihren Blumen ein Schlaflied, dachte Maik. Das andere Geräusch war ein laufender Automotor, der aber weit, weit weg stand. Kinderstimmen in mehreren Kilometern Entfernung. Und irgendein Buchenblatt machte ein Geräusch, als sei es auf das Hausdach gedonnert. Maik setzte sich ins Auto, wo die Autouhr Rhythmusmaschine spielte. Da man Shula auch am anderen Ende der Talsiedlung hören konnte, sang sie dem ganzen Dorf ein Abendlied. Maik schloß die Augen. Er hatte das Gefühl, wieder schwer zu werden. Seine Fingerspitzen füllten sich mit warmem Blut.

»Fährst du mich nach Hause?«

»Wo geht's hin?«

»Ich sag dir den Weg.«

Als sie neben ihm im Auto saß, war irgend etwas an ihr verändert. Maik hätte nicht sagen können, was. Es war nicht nur der Glanz, der sie umflimmerte. Sie sah jünger aus. Verboten jung. Die junge Frau hatte sich abgeschminkt zu einem Mädchen. Sie war zuvor jedoch nicht geschminkt gewesen. Maik dachte an Huisheim, wo er hinwollte, und beschloß, sich für diesen Tag nichts weiter vorzunehmen, als mit Shula zusammenzubleiben. Ihre Hände trafen sich über der Handbremse. Er wollte bei ihr bleiben. Er wollte wieder mit ihr schlafen. Er war nicht mehr müde. Er sah sicherlich nicht unglücklich aus. Und er hatte ein paar Stunden lang nicht an Koks gedacht. Sie verließen das Tal und fuhren ins durchschnittliche Tageslicht zurück, das etwas heller war.

»Herr Steiner, zwei Uhr achtundfünfzig, Herr Steiner, zwei Uhr achtundfünfzig«, krächzte es aus irgendeinem Lautsprecher an der Decke.

Maik sprang von seinem Sitz. Er schnappte sich die Papiere, die ihm die Mitarbeiterin soeben auf den Tisch gelegt hatte: Er blätterte sie durch und zog eines aus dem Stapel hervor.

»Kennst du dich im Tennis aus?«

»Kaum, warum?«

»Sind zwei Spanier im Finale von Philadelphia … Aber zwei unaussprechliche … Schau mal.«

»Keine Ahnung, wie man die ausspricht. Sieht nach Außenseitersiegen aus.«

»Zwei Uhr neunundfünfzig«, hallte es, da die Tür offen war, nun auch vom Flur herein.

»Wie sprechen Sie den«, fragte er dort den Leiter vom Dienst.

»Etsche, etsche … und dann die vorletzte Silbe betonen.«

Der Leiter vom Dienst schüttelte den Kopf und schaute in Maiks Raum, als wolle er an den Äußerlichkeiten überprüfen, was wir darin getrieben hatten. Ich drehte mich im selben Moment aus der Tür, ging zum Getränkeautomaten und zog ein Bier. Ich mochte die nächtliche Stille im Radiohaus. Wie jede bemerkenswerte Stille war sie voll. Höchste Schallabdichtung schien höchste Turbulenzen hervorzurufen. Und das Summen der Lampen. Kleine, kaum hörbare Klicks in einem metallenen Schaltkasten, in die Wand eingelassen. Ganz weit hinten und gedämpft: Maiks Stimme.

Im Innenhof, eine Etage tiefer, war noch Licht an, kein großes grelles, sondern Punktlampen, auf Bandmaschinen gerichtet. An einer machte sich eine Cutterin zu schaffen. Sie schob das Band immer wieder durch den Tonkopf, um die millimeterkurze Stelle zu erwischen, an der sie schneiden konnte. Sie legte das Band beiseite. Sie nahm eines von denen, die ihr wie eine Kette um den Hals hingen, und zog es durch den Tonkopf. Im Hintergrund rauchten zwei schwach beleuchtete Gestalten Zigaretten und schauten der Handarbeiterin zu. Abwechselnd und synchron blickten sie zu ihr oder zu den Lautsprechern, die rechts und links der Scheibe zum Sprecherraum an die Wände montiert waren. Dann nickten sie alle. Die Cutterin klebte zwei Bänder zusammen. Sie rollte auf ihrem Stuhl zum Mischpult hinüber. Ein paar Sekunden schauten sie zu den Lautsprechern hoch. Noch einmal nickten alle drei. Ein grelles Raumlicht ging an. Die beiden Männer packten ihre Sachen, zogen sich Jacken über. Die Schlägerei zwischen Nazis und Türken hatte sich vom Alexanderplatz nach Kreuzberg verlagert. Nun sollte man Kreuzberg *weiträumig umfahren.* Ich hörte das leise, aber durchdringende elektronische Signal, mit dem die Verkehrsdurchsagen beendet wurden.

»Herr Steiner, das ist nicht die vorletzte Silbe gewesen.«

»Was? Hab' ich sie nicht getroffen?«

»Das *i* steht für eine Silbe, und das *a* auch. Das *a* ist die letzte Silbe, das *i* die vorletzte. ›Ber-*ri*-a‹, nicht ›*Berr*-ja‹.«

»Danke. Nächstes Mal.«

»Das wäre gut.«

Shula dirigierte ihn über Feldwege und stellte ihm Fragen. Ob er wirklich Schauspieler sei. Ob im Kino oder im Fernsehen. Wie man als Schauspieler lebe. Er streifte mit der rechten Hand über die linke Schulter und verspürte einen brennenden Schmerz dort, wo es vorher nur gejuckt hatte. Er sagte ihr die Titel seiner Kinofilme und mancher Theaterstücke. Sie wiederholte die Titel, als müsse sie sie sich merken für einen späteren Moment. Er hielt das Lenkrad mit der Rechten und streifte mit der linken Hand über die rechte Schulter. Der gleiche Schmerz. Auch am Hals juckte ihn etwas. Er betastete Schorf und spürte einen Schmerz. Er zog sich den Ärmel seines T-Shirts hoch und sah kleine blutende und nicht mehr blutende Risse. Unter dem anderen Ärmel dasselbe Bild. Wieviel ein Schauspieler verdient, wollte sie wissen. Er stellte den Rückspiegel tiefer und rutschte mit seinem Hals heran. Da war ein regelrechtes Mal an seinem Hals, und es war so gut wie nicht zu verdecken. Er betrachtete ihre Fingernägel. Sie war von den Hubschraubern geweckt worden und hatte sich an ihm festgehalten und -gekrallt, so doll sie konnte. Auf seinen Oberarmen waren immer zwei Einrisse nebeneinander zu sehen. Ich sehe aus wie gestempelt, dachte er.

»Hab ich dir weh getan?«

»Es kitzelt.«

»Jemand denkt an dich.«

Sie schlossen auf zu einem vollbeladenen Viehtransporter mit Anhänger von Trommel und folgten ihm einige Kurven lang. Maik schloß die Fenster und das Gebläse und überholte das Hindernis bei der erstbesten Gelegenheit. Er wollte nicht den Angstschweiß der Tiere, der manchmal über ganzen Dörfern lag, sich im Auto ausbreiten lassen. Als sie auf gleicher Höhe waren, schaute Shula zum Fahrer des Viehtransporters hoch. Er hielt am nächsten Parkplatz, bestrich in der Hocke vor dem Rückspiegel die Wunden an den Oberarmen und am Hals mit einer Salbe und zog ein anderes T-Shirt an. Er roch an dem getragenen Shirt und versank in Shulas Duft. Auch sie stieg aus, ging in die Büsche und hockte sich hin. Der Viehtransporter von Trommel fuhr an ihnen vorbei. Sie rauchten eine Zigarette, da sie nicht der Schweinewolke folgen wollten.

»In meinen Augen«, sagte Maik zu mir, »wurde sie von Stunde zu Stunde jünger, ich wußte schon nicht mehr, worüber ich mich mit ihr unterhalten konnte. Ich habe sie gefragt, wo sie wohnt, und sie hat gesagt, sie wohnt bei ihrem Stiefvater. Also frage ich sie, wo ihr richtiger Vater ist, und sie sagt, ihr richtiger Vater wohnt schon immer in Berlin, den kennt sie gar nicht. Na toll, denke ich, jetzt werde ich möglicherweise gleich ihren Stiefvater kennenlernen, mit diesem Stempel am Hals.«

Er hatte Angst, in eine Gesellschaft zu geraten. Ohne eine Line fühlte er sich schon lange nicht mehr fit für Gesellschaften. Er hatte Angst, sich zu blamieren mit dem jungen Ding. Draußen wurde die Dämmerung abgelöst durch die Nacht. Je dunkler es wurde, desto mehr fiel die Anspannung von ihm ab. Jetzt nahm er kein Koks mehr, sagte er sich, jetzt machte er auch andere Dinge anders.

»Du denkst schon wieder.«

»Und du denkst, daß ich denke. Was ist da der Unterschied?«

»Wieviel verdient man nun als Schauspieler?«

»Das hängt davon ab, was man macht, und wie oft.«

»Und wie oft machst du was?«

»Kleine Sachen öfter, große Sachen seltener.«

»Also nicht so viel.«

»Kommt drauf an, wieviel man braucht.«

»Brauchst du viel?«

»Je nachdem.«

»Wenn du mehr brauchst, kannst du auch mehr verdienen.«

»So ist das.«

»Fahr hier rechts.«

Ein Schleichweg folgte auf den anderen. Keiner war beleuchtet. Wie in einem Rallyeteam beschrieb sie ihm die Winkel der jeweils nächsten Kurve, wenn er sie nicht einsehen konnte, und was ihn gleich danach erwartete. Er verließ sich auf sie. Sie konnte das. Sie kannte jeden Baum. So kamen sie auch nicht an einem Ortseingangsschild vorbei, sondern waren, durch einen Seitenweg hineingeschlüpft, auf einmal in dem Ort. In der Dunkelheit unterschied er sich von keinem anderen. Die Menschen waren bereits in den Häusern, die Läden geschlossen. Sie fuhren durch die Dorfmitte, wo an der einzigen beleuchteten Kreuzung zwei Gaststätten einander gegenüberlagen. Er bog in die Hauptstraße (er versuchte sich nun alle Namen und Richtungsänderungen zu merken. Den Straßennamen hatte er an der Hauswand der einen Kneipe entdeckt) und bewegte sich wieder in die Dunkelheit hinein. Lichter sah er nur noch in den Rückspiegeln. Noch vor dem Ortsende bog er nach links und fuhr auf einen Zaun zu.

»Wir müssen halb um das Gelände herum.«

»Sieht mehr nach einem Militärstützpunkt aus als nach einer Wohngegend.«

»So was war es auch mal. Immer am Zaun entlang.«

Auf der anderen Seite stand Wald. Auch nachdem Maik noch einmal abgebogen war. Der Eingang war angestrahlt und erinnerte ihn an innerdeutsche Übergänge nachts.

Auf dem Gelände neben der ehemaligen Kaserne lotste sie ihn zu einem Häuschen, vor dem er parkte. Beim Aussteigen sah er unter dem Schein einer Grenzpfahlleuchte hinter dem Zaun zwei kräftige Gestalten sitzen, Zigaretten rauchen und in Broschüren lesen. Shula führte ihn in das Haus, hinter dessen Fenstern er eben noch verschiedene Köpfe gesehen hatte. Sie gingen durch eine große Küche und betraten einen Saal mit kargen weißen Wänden und Schichten von Teppichen.

Am Fenster standen zwei Frauen in Shulas Alter und ein junger Mann. Zu ihren Füßen krabbelten drei Kleinkinder. Maik zog die Schuhe aus und setzte sich auf den Boden wie früher. Alle Ablagen waren vom Boden aus zu erreichen. Auf den meisten lagen zerlesene Bibeln. Der Junge öffnete eine Tür nach draußen, holte Holz herein, das er zum Anwärmen vor den Kamin legte, und versuchte ein Feuer zu entfachen. Shula stellte ein Tablett mit Teetassen auf den Boden. Sie trug nun einen roten Wollrock, eine weiße Strickjacke und hatte das Haar im Nacken zusammengebunden. Sie wirkte noch zierlicher als tagsüber in den Jeans und dem langen Pullover. Sie bewegte sich nicht mehr wie eine Frau, sondern wie eine Tochter. Der Junge lächelte Maik an. Er faßte die Gegenstände nicht nur mit allergrößter Sorgfalt an, sondern schien sie auch anzulächeln. Als könnten sie zerbrechen oder sich wehren, wenn sie nicht bei Laune gehalten wurden. Er war so leise, als wollte er ein Feuer entfachen, ohne ein Geräusch zu machen. Das Papier hatte das Holz entzündet. Es rauschte und flackerte. Der glückliche Junge goß Tee in die Tassen und verließ hüpfend den Raum in Richtung Küche. Shula schob ihr Sitzkissen nah an seines und lehnte ihren Kopf auf seine Wunde am Oberarm. Die jungen Frauen saßen ihnen gegenüber. Die Kinder waren auf die andere Seite des Saals gerobbt. Maik zog das T-Shirt am Ausschnitt hoch, um seinen Stempel am Hals zu verdecken. Gleichzeitig war ihm, als hätten alle das Mal längst entdeckt, als wüßten alle Bescheid. Shula erzählte ihnen, wo sie Maik getroffen hatte und was sie über ihn wußte. Die anderen lächelten pausenlos. Maik hatte das Gefühl, daß Shulas artiger Vortrag im Kern nur ihm galt.

»Welche Rolle würdest du denn am liebsten spielen?«

Er hatte erwartet, daß sie ihn nach der Schauspielerei fragten. Er antwortete, als sei er noch voll im Geschäft. Er versuchte sich zu erinnern, wann er zuletzt so wohlwollend angeschaut worden war, wann jemand so an seinen Lippen gehangen hatte wie die drei Mädchen. In ihren Augen war er jemand. In seinen eigenen Augen war er schon lange niemand Richtiges mehr. Also machte er ihnen einen vor, streichelte Shula und wartete auf das Eintreffen ihres Stiefvaters.

»Ich glaube, du bist unglücklich.«

Die beiden Mädchen waren blond und hatten ähnliche Münder, voll, mit wulstigen Unterlippen. Er konnte der Dunkelblonden keine Lieblingsrolle sagen, ihm fiel keine ein, er hatte daran jahrelang nicht mehr gedacht und überging die Frage. Nach dem Kommentar der Hellblonden stoppte Maik seinen Vortrag.

»Mit einemmal stand eine andere Luft im Raum«, sagte Maik zu mir.

Die eine fragte die andere, ob sie Schauspielerin werden wolle, ob sie sich vorstellen könne, beim Film oder beim Fernsehen zu arbeiten, die andere winkte ab, weder Schauspielerin wolle sie werden, noch wolle sie später einmal für den Film arbeiten. Shula legte ihren Kopf in Maiks Schoß, schloß die Augen und hörte zu. Ein Scheit zersprang und ließ ein Nachknistern folgen. Die eine sagte zur anderen, sie könne sich nicht vorstellen, mal diese, dann jene zu spielen, sie habe genug damit zu tun, herauszufinden, wer sie selber sei, und darauf komme es an. Ob nicht auch er das Gefühl habe ... Ob nicht auch ihm schon einmal aufgefallen sei ... Ob er denn wisse, wer er selber ... Wie er das durchhalte ... An der Oberfläche ... Im Schein ... Nur für die anderen ... Und immer nach außen ...

Die andere Luft im Zimmer hatte aus seinem Mund, den er in einer Scheibe gespiegelt sah, einen anderen gemacht. Wie ein Brett lag er über dem Kinn. Die Hand, mit der er sich abstützte, war in ein Kissen gekrallt. Die Mädchen kamen ihm unnatürlich sachlich und altklug vor. Oder waren sie viel älter, als sie aussahen? Sie trugen die gleichen Silberringe mit einem blauen Stein am Mittelfinger der rechten Hand.

»Früher habe ich das auch so gesehen.«

»Was ist heute anders?«

»Man gewöhnt sich daran, in andere Charaktere zu schlüpfen.«

»Du verlierst doch *dich* dabei.«

»Es ist eher eine Bereicherung.«

Maik hörte, daß er redete wie damals, und mußte beim Blick auf die Scheibe zur Kenntnis nehmen, daß er völlig anders aussah als damals, als er so geredet hatte. Ihm war klar, daß ihm nicht zu glauben war. Er streichelte Shulas Kopf, der sich auf seinem Schoß bewegte.

»Jedenfalls meistens.«

Die Kinder am anderen Ende des Raums hatten sich inzwischen ausgezogen und bemalten einander mit Farben. Sie juchzten und lachten nicht, sondern verteilten die Farben mit einem Ernst, der Maik unheimlich vorkam. Je müder Maik wurde, desto widerspruchsloser ließ er sich einreden, daß ihm etwas fehle. Die Mädchen wollten es hören, er sagte es ihnen. Als hätte er damit seine Pflicht erfüllt, verließen die Hell- und die Dunkelblonde den Saal und nahmen die Kinder mit. Shula schlug dort im Saal ein Lager für sich und Maik auf.

»Hast du kein Zimmer?«

»Das hier ist mein Zimmer heute nacht.«

*Alles ist mir erlaubt, aber nicht alles dient zum Guten. Alles ist mir erlaubt, aber es soll mich nichts gefangennehmen ...* Das stand neben ihrem Lager an der Wand, in einem Bilderrahmen. Der Spruch war nicht geschrieben, sondern gemalt, die Buchstaben aus winzigen Herzen zusammengesetzt. Er öffnete die Augen und verstand nichts. Wie hatte er bleiben können, da er doch nicht wußte, wo er sich überhaupt befand, begann seine Fragenfolge an sich selbst. Es war wie früher nach einer Erinnerungstrübung oder nach einem Filmriß, und ruhig atmete Shula neben ihm. *Jeder unter euch, der sich nicht lossagt von allem, was er hat, der kann nicht mein Jünger sein …* Die Buchstaben dieses Spruchs, ebenso eingerahmt und unter Glas, waren aus kleinen Tennisschlägerformen zusammengesetzt. Am Abend waren ihm diese Bilder nicht aufgefallen. Am Abend hatte er auch nicht gesehen, daß Shula am Mittelfinger der rechten Hand genau so einen Ring trug wie die beiden anderen Mädchen, silber, mit einem eingefaßten blauen Stein. Sie mußte ihn sich irgendwann in der Nacht aufgesteckt haben. Geweckt hatten ihn Geräusche von außerhalb, Hämmern und Nageln, Rufe und Pfiffe, Hunde und Kinder. Er blieb noch etwas liegen, auf dem Rücken, die Wunden an den Armen schmerzten. Shula stand kurz auf und kam mit einem Säugling zurück, den sie stillte. Die beiden Mädchen vom Vorabend saßen draußen auf einer Bank und gaben auch je einem Säugling ihre Milch. In der Nähe standen ähnliche Häuser wie dieses, vor ihnen werkelten kleine Gruppen an Gegenständen, die sie reparierten, oder sie gruben Löcher in den Boden oder schoben Handkarren hin und her. Da sie alle in ähnlichem Alter, knapp zwanzig, waren, sah es dort aus wie in einer Jugendherberge. Als Shula und Maik beim Tee saßen und Maik begann, sich daran zu gewöhnen, daß er dort und nicht in einem Hotelzimmer gelandet war, betrat ein Mann den Saal, älter als die Mädchen, jünger als Maik, vielleicht dreißig. Auch der Junge, der am Vorabend den Kamin angefacht hatte, hatte einmal in den Saal geschaut, da waren noch andere, die um die Ecke linsten, aber keiner von denen legte einen Auftritt hin wie dieser Mann, und keinem sonst wurde solch selbstverständliche Aufmerksamkeit entgegengebracht. Er hatte seine schwarzen Haare mit viel Fett nach hinten gewuchtet. Seine Autorität hatte ihn langsam gemacht, dachte Maik, oder seine Langsamkeit hatte ihm Autorität gegeben. Er tat nichts weiter von Bedeutung. Nur war er besonders langsam in allem. Ohne seinen Namen zu verraten, begrüßte er Maik und blieb neben ihnen, die auf dem Boden hockten und im Tee rührten, stehen.

»Was dann folgte, würde ich nicht als Gespräch bezeichnen«, sagte Maik zu mir, »es war wie eine Visite, wie ein Kontrollgang. Man kennt seine Patienten, ihre Geschichte, man schaut sie an und weiß Bescheid, ohne viel fragen zu müssen. Er warf einen Blick auf unser Lager, er musterte Shula, und er studierte meine Schorfstempel am Hals sowie die Wunden an den Oberarmen, als könne er dort etwas ablesen. Obwohl er sie nichts gefragt hatte, nickte Shula ihm zu. Ich wußte nicht mehr, wo ich hinschauen sollte, um mich herum wurde eine Sprache gesprochen, die ich nicht hören konnte. Der Mann ging umher, schaute sich genauer in einzelnen Ecken des Saals um, ohne etwas anzurühren, und verließ ihn so langsam und chefig, wie er ihn betreten hatte.«

Maik tat es ihm nach. Er hob sich vom Boden hoch und merkte, daß er nicht mehr ganz so schwer war wie nach dem Aufwachen. Er ging im Saal umher, kreuzte die Hände hinter dem Rücken und schaute in diese und jene Ecken. Er entsann sich wieder an das, was er vorhatte, weswegen er unterwegs war. Er rekapitulierte den Umweg, auf den es ihn am Vortag verschlagen hatte. Er versuchte auszurechnen, wie lange er nichts mehr genommen hatte. Warum hatte er überhaupt etwas genommen? Egal, wo er war, sagte er sich, er wußte, wo er hinwollte. Eine geöffnete Kiste unter dem Fenster war voller Holzpaddeln.

»War das dein Stiefvater?«

»Ja.«

»Ist hier ein See in der Nähe?«

»Nein.«

»Ist das dein Kind?«

»Ja.«

»Ist dein Stiefvater immer so still?«

»Er hat gebetet.«

»Wann gehst du wieder in den Garten, zu deinen Blumen?«

»Hol mich ab.«

»Wann?«

»Wann du willst.«

»Morgen.«

»Ja.«

Er ließ sich bei ihr nieder, preßte sie an sich und küßte sie überschwenglich. Sie drückte auf seine Wunden, und er ließ sie los.

»Ich hab jetzt zu tun«, sagte sie, »komm einfach vorbei.«

Durch die Küche verließen sie zusammen das Haus. Hinter der Haustür standen vier Paddeln in die Wandecke gelehnt. Shula ging zur Mitte des Geländes, wo an einem langen Tisch zehn, fünfzehn Personen saßen, alle in dem besagten Alter, und frühstückten. Er schaute ihr nach, sie drehte sich zweimal um, winkte ihm zu und setzte sich, von den meisten begrüßt, zu den anderen an den Tisch. Ganz in der Nähe waren drei ähnliche Häuser, und weiter hinten überragte ein Turm alles andere. Als er im Auto saß, blickte er direkt auf den mächtigen Zaun zum Nebengrundstück. Immer noch saßen auf der anderen Seite zwei Gestalten auf dem Boden und lasen in Broschüren. Sie sahen genauso aus wie die, die in der vergangenen Nacht dort gesessen hatten.

Maik hoppelte über das unebene Gelände auf die Straße und versuchte, am Waldsaum entlang, den Weg von vergangener Nacht zurückzufahren. Erst jetzt stieg die ganze Unwirklichkeit, in der er sich befunden hatte, in ihm auf. Wie ein Lüsterner, der nachher über seine Lust erschrickt, fragte er sich, warum er dies und das getan hatte – er wußte nicht, was es gewesen war. Ab und zu mußte er in seiner Autozelle einen Schrei ausstoßen. Er erreichte die Hauptstraße, die er sich merken wollte, und die Straßenkreuzung mit den zwei Gaststätten. Jedoch fand er den Seitenweg nicht wieder, durch den Shula ihn in den Ort gelotst hatte. Warum er es mit ihr getrieben hatte, fragte er sich, warum er das junge Ding haben wollte. Am Morgen, unter den Augen der anderen, war ihm seine Gegenwart dort nur noch peinlich gewesen. Er hämmerte aufs Lenkrad. Maik überlegte, ob er gleich nach Huisheim oder ob er erst nach Senkenfels zurückfahren und sich Shulas Garten und das dazugehörige Haus genauer anschauen sollte. Er war am Vortag nicht dazu gekommen, mit Fred im Fergengut zu reden. So in Gedanken, fuhr er dem Ortsende entgegen. Ein gelbes Schild zeigte ihm, wo er sich befand: *Huisheim*.

Obwohl er länger nichts genommen hatte, hatte er das Gefühl, so bedröhnt wie nie zu sein. Er kehrte um und hielt an der Kreuzung bei den Gaststätten. Er betrat einen der Läden und bestellte das erste Mittagessen, das an diesem Tag dort serviert wurde. Als er fertig war, betrat eine Frau in einer knallenganliegenden Hose und einer betont taillierten Lederjacke das Lokal. Sie trug ein schwarzes Basecap und nahm eine Sonnenbrille von der Nase. Gleichzeitig studierte sie am Tresen die Karte und schüttelte das aus dem Cap gefallene schwarze glatte lange Haar über die Schultern aus. Sie schaute einige Male zu Maik hinüber. Nachdem sie einander signalisiert hatten, daß sie sich wiedererkannt hatten, wischte Maria hastig an ihren Haaren herum, trat auf ihn zu und setzte sich an seinen Tisch.

Es war halb vier im Radiohaus. Der Verkehr draußen hatte immer noch nicht nachgelassen. Die Stadt schien durchzumachen. Es hatte abgekühlt und war immer noch so warm, daß wir bei offenen Fenstern saßen. Jede Viertelstunde wurden andere Straßen gesperrt, die Mitarbeiterin kam in das Sprecherzimmer und legte Maik die aktualisierten Listen auf den Tisch. Wir konnten daran ablesen, daß die Straßenschlacht sich von Kreuzberg zurück nach Mitte bewegte. Der Brand am Alexanderplatz war gelöscht. Maik hatte sich auf dem Sofa langgemacht, meine Füße lagen auf einem Stuhl. Nur zwei Tischlampen warfen ihre hellen Punkte ab. Wir rauchten viele Zigaretten, er trank Cola, ich Bier.

»Ich befand mich also längst in Huisheim.«

»Aber was wollte Maria da?«

»Das habe ich mich auch gefragt.«

»Kokst du immer noch?«

Maik wendete den Kopf gerade so, daß zwei Kerben in die Gesichtshälfte, die ich sah, hineingetackert zu sein schienen. Sein Gesicht war viel grauer als zu Beginn meines Besuches kurz nach Mitternacht. Strecken seiner Erzählung flüsterte er mit geschlossenen Augen. Dann wieder stand er auf, schaute aus dem Fenster und ratterte eine Passage in einem Tempo herunter, daß ich Mühe hatte, ihm zu folgen.

»Psst.« Er zeigte zu der Tür, die zum Büro des Leiters vom Dienst führte. »Diese Geschichte ist fast zwei Jahre her.«

»Du hast schon vor Jahren bei Tailer nach dem Zeug gefragt.«

»Ich erzähle sie dir erst zu Ende.«

Der Leiter vom Dienst stand in der Tür.

»Herr Steiner, machen Sie bitte eine Zwischendurchsage, das geht da hin und her heute nacht, jetzt sind beide Uferstraßen gesperrt, das muß sofort raus.«

Maik nahm den obersten der Zettel, die die Mitarbeiterin ihm hingelegt hatte, und las sich den Text auf dem Weg zum Studio halblaut vor. Die Musik wurde heruntergeblendet, und ich hörte ihm zu. Wie die meisten Nachrichtensprecher setzte er die Betonungen ausnahmslos an falschen Stellen. Wenn überhaupt, dann betonte er nichtssagende Füllwörter, betonte also nichts. Und er klang auch wie die meisten anderen. Die Musik wurde wieder hochgezogen.

»Kaffee?«

»Ja, Kaffee!«

Er griff in eine alte Keksdose, die aussah, als hätten Generationen von Sprechern ihre Münzen für den Getränkeautomat darin aufbewahrt.

»Ich habe nicht an einen Zufall geglaubt, als ich Maria wiedersah«, sagte Maik, als er mit zwei Bechern Kaffee vom Automat wiederkam.

»Woran hast du gedacht?«

»Wenn unsere Begegnung nichts mit einem Zufall zu tun hat, dann ist sie hinter mir her, habe ich gedacht. Denn ich war ja nicht hinter ihr her, ich war nicht einmal absichtlich in diesen Ort gefahren. Ich bin nur dem Schwanz des Schattens gefolgt.«

»Wie bitte?«

Er schlug Seite 374 des Buches auf, das er dabeihatte, und zeigte ihr die Stelle. Sie las sie.

»Das kann man so oder so verstehen.«

»Genau.«

Maik unterdrückte sein Verlangen aufzustehen, sie kurz in den Arm zu nehmen und ihr einen freundschaftlichen Kuß zu geben. Er hielt es kaum aus, meinte aber, mit einer gewissen Distanz operieren zu müssen. Maria setzte sich neben ihn, streifte kurz über seinen Oberschenkel, deutete ein mädchenhaftes Küßchen auf sein Ohr an und schaute genau wie er in die leere Gaststätte hinein. Dann das Übliche. Wie lange es her sei, daß sie sich zuletzt gesehen hatten. Ob er immer noch in Berlin wohne. Ja. Ob sie in Huisheim wohne. Nein. Was sie in Huisheim, was er in Huisheim tue. Schweigen. Daß er nicht angerufen habe. Sie auch nicht. Schweigen. Sie änderten ihre Sitzpositionen und rutschten etwas voneinander weg, um sich besser anschauen zu können. Nach und nach betraten Männer in Arbeitskleidung, mit Zollstöcken, mit Mützen und Blaumännern, auf denen die Namen ihrer Firmen standen, einzeln oder paarweise die Gaststätte. Sie verteilten sich im Raum und warteten aufs Mittagessen. Sie redeten kaum. Sie schauten hin und wieder zu Maik und Maria hinüber. Maria hatte sich ihrer Lederjacke entledigt. Maik hatte sich am Morgen aus dem Kofferraum ein frisches weißes Hemd gezogen, dessen Kragen seine Wunden am Hals verdecken sollte. Während Maik und Maria schwiegen, musterten sie einander in Momenten, da der andere es nicht bemerkte. Beide schienen etwas sagen zu wollen, und beide schienen sich nicht zu trauen. Beide hegten einen Verdacht, den sie für sich behielten. Beide fühlten sich verfolgt. Beide rauchten hastig und rieben ständig die Glut am Aschenbecherrand ab. Maria kam als erste aus der Lauerstellung.

»Warst du schon da oder gehst du noch hin?«

»Du meinst, wir suchen dasselbe?«

»Nicht unbedingt dasselbe, aber vielleicht denselben Ort.«

»Seit damals frage ich mich, warum du Günther das Notizheft abgenommen hast, als er bewußtlos war.«

»Günther wußte sehr viel, er hatte einen größeren Einblick als die meisten, aber er hat nicht über alles geredet.«

»Und? War es ergiebig?«

»Das kann man wohl sagen. Wir sehen uns nach sieben Jahren wieder, und du fragst mich, warum ich Günthers Notizen genommen habe. Findest du das nicht merkwürdig?«

»Ich fand es merkwürdig, daß sein Notizbuch auf einmal nicht mehr in seiner Brusttasche war.«

»Du mußt dich wohl damit abfinden, daß dich das nichts angeht.«

Er stand ohne ein Wort auf und ging zur Toilette. Er kühlte die Pulsadern und redete sich vor dem Spiegel gut zu.

»Warst *du* schon da, oder gehst du noch hin?«

»Ich weiß nicht, ob ich dir trauen kann. Was suchst du hier? Immer noch Vera und Sebastian?«

»Ich habe neue Informationen. Ringo hat mich angerufen. Ich hatte Zeit und bin los, erst zu ihm. Ich habe es schon seit langem aufgegeben, Vera und Sebastian zu suchen. Mich interessiert nur noch, was über all die Jahre mit ihnen geschehen ist. Und was mit Vera und mir geschehen ist, damals, als alles anfing, in Berlin noch. Oder, wie Ringo sagt: Wer ›dahintersteckt‹.«

»Ringo … Kluger Kerl. Leider ein bißchen irre inzwischen.«

Sie machten einen Versuch, sich milde anzulächeln, und er gelang.

»Du warst also auch bei Ringo.«

»Woher weißt du das?«

»Ich seh es dir an.«

»Ich habe keine Lust, lange drumrumzureden. Ich suche meine Tochter, ich suche sie schon länger, und alles spricht dafür, daß sie hier in Huisheim ist. Deswegen bin ich hier.«

»Ist Isabel abgehauen?«

»Das erzähl ich dir später. Laß uns hier rausgehen.«

Die Arbeiter bekamen ihre Mittagessen. Maik bezahlte. Maria setzte das Cap und die Sonnenbrille mit tropfenförmigen Gläsern auf und bat ihn, in ihr Auto einzusteigen, das vor der Gaststätte geparkt war.

»Ich möchte nicht, daß man uns zusammen sieht.«

Sie fuhr auf kürzestem Wege aus dem Ort hinaus und bog von der Bundesstraße in einen Feldweg ab. Sie hielt am Ufer eines kleinen Sees. Sie blieben im Auto sitzen, kurbelten die Seitenscheiben hinunter und rauchten wieder Zigaretten.

»Ich war gestern am alten Ziegelhof«, sagte Maik, »sieht jetzt völlig anders aus. Ich war auch an der Mühle. Sah aus wie liegengelassen. Als wenn die Bewohner geflüchtet sind. Und dann war ich beim Fährmann. Weißt du, wer jetzt den Fährmann macht?«

»Ja, ich weiß. Aber warum treffe ich dich in Huisheim?«

»Ringo hat mir gesagt, Vera ist in Huisheim.«

»Laß uns aussteigen. Hier stinkt's.«

Maik konnte nicht aussteigen, weil ihm alles bekannt vorkam. Er mußte sitzen bleiben, um den Augenblick zu erhaschen, in dem er schon einmal diese Bilderfolge erlebt hatte: Er saß in einem Auto gleichen Typs an einem See wie diesem, steckte dasselbe Zigarettenanzündermodell in die Basisstation zurück und sah sie, die Haare auf dem Hinterkopf zusammensteckend, zum Ufer gehen, wo sie sich auf einem halbierten Baumstamm niederließ, der als Bank diente. Er konnte den Augenblick nicht erhaschen, da er sich in ihm befand. Er mußte im Auto sitzen bleiben, bis er allein in der Jetztzeit zurück war. Erst dann konnte er die Beifahrertür öffnen, um sich neben sie zu setzen. Aber *sie*, das war eine andere.

»Ich habe damals Günthers Notizbuch genommen, weil ich den Verdacht hatte, daß jemand, den ich nicht bemerkte, in meinem Leben die Fäden hielt und an ihnen zog, wie es ihm beliebte. Daß Isabel und ich scheinbar spontan in Situationen gekommen sind, die von jemand anderem geplant waren. Ich weiß, was du denkst.«

»Was denn?«

»Paranoia, denkst du.«

»Stimmt.«

»Günthers Notizbuch hat mich auf die Spur von Isabels Vater gebracht. Der lebt in Berlin, ich weiß nicht, ob du dich daran erinnerst. Es hat lange gedauert, bis ich herausfand, daß Günther immer wieder Hermann erwähnte, der weder im Ziegelhof noch in der Mühle oder in Sommersell gewohnt hat.«

»Hermann? Hermann der Heilpraktiker? Vom Hagenplatz?«

»Ja, so hat er sich gern genannt. Wir kannten ihn damals alle. Bei Hermann hat man immer einen guten Fick bekommen, mit allem Drum und Dran. Ich dachte immer, er wäre schon jahrelang aus meinem Leben verschwunden. Aber es war ganz anders. Ich wollte zu ihm nach Berlin fahren. Brauchte ich aber nicht. Damals wohnte ich mit Isabel in Sommersell, bei *IDEE*. Eines Tages war da ein großes Chefgespräch, wir haben eine Woche lang nichts anderes getan, als das Gelände so ansehnlich wie möglich zu machen. Und wer fuhr vor, im schneeweißen Mercedes, mit Fahrer? Hermann. Und sein Bruder. Zu Gast bei Hedi und Matthias. Aber damals wußte ich noch nicht, wer Hermanns Bruder war. Obwohl ich es hätte wissen müssen. Ich war einfach nicht naiv genug. Viel zu lange habe ich nicht gemerkt, was da gespielt wird. Ich mußte aus Sommersell und von dieser Bande weg, aber Isabel wollte nicht mit. Ich wollte sie unbedingt da rausholen, gegen ihren Willen notfalls, aber dann war Isabel verschwunden, und alle haben behauptet, sie wüßten nicht, wo sie war. Bin ich ohne sie weg.«

»Dann bist du nach Berlin, zu Hermann?«

»Nein, ich bin zu seinem Bruder gefahren. Das ist der Herr des Fleisches aus dem Landkreis, der Herr des Frischfleischs.«

»Trommel?«

»Ja, aber der hat mich nur ausgelacht. Und er hat mir gedroht. Hat gesagt, ich soll mir vor Augen halten, wie es Günther und Fred ergangen ist … Was hast du da?«

Sie rückte mit dem kleinen Finger seinen Hemdkragen beiseite.

»Oh, ich hatte eine etwas heftigere Umarmung.«

Maik grinste breit und voller Absicht.

»Du bist mit einem von Udos Mädels zusammengewesen.«

»Udos Mädels?«

»Erzähl mir nichts.«

»Ich war in Sommersell bei *IDEE*, gestern, in der Lederwerkstatt, da hat einer die Klamotten, die sie produzieren, abgeholt und gesagt, daß er von Trommel kommt.«

»Lenk nicht ab.«

»*Du* lenkst ab.«

»Schweine-Trommel vertickt das ganze Zeug, das in den Kommunen und Wohngemeinschaften produziert wird ... Zeig mal ...«

»Und was ist Hermanns Job?«

»Es ist ungefähr so: Hermann ist für die Menschen, sein Bruder für die Waren zuständig. Das haben sie sich so aufgeteilt.«

»Wie bitte?«

»Es geht um Geld. Das Geld kommt durch die Waren rein, die sie herstellen. Dafür braucht man Menschen. Die besorgt Hermann.«

»Und wie lange geht das schon so?«

»Solange ich denken kann ... Ja, du warst mit einem von Udos Mädels zusammen. Stimmts? Sie hat dich markiert.«

»Versteh ich nicht. Was redest du hier?«

»Hat sie dir gesagt, daß du eigentlich ein armes Schwein bist, ein unglückliches Würmchen, das sich nach etwas sehnt, das es nicht bekommt? Hat sie dir dein Unglück vor Augen gehalten?«

»Naja ...«

»Warst du da? Warst du auf dem Gelände? Hier in Huisheim?«

»Ich glaube ja.«

»Was heißt das?«

»Ich wußte nicht, daß ich in Huisheim war. Es war dunkel. Ich habe sie nach Hause gefahren. Sie hat mich gelotst. Auf einmal waren wir auf einem Gelände hinten am Wald. Ist es da?«

»Ja ... Du hast mit ihr geschlafen.«

»Woher willst du das wissen?«

»Sie muß niemandem erzählen, was sie mit dir gemacht hat. Wer die Zeichensprache kennt, der sieht es.«

»Was soll sie mit mir gemacht haben?«

»Sie hat dich geangelt. Du bist in ihrem Netz. Wahrscheinlich denkt sie, du hast Geld.«

»Was erzählst du hier?«

»Du weißt wohl gar nicht, wo du warst. Wie heißt sie denn?«

»Shula.«

»Warte mal, ich komm gleich wieder.«

Maria zog die Lederjacke vor der Brust zusammen und machte sich auf, mit einer Zigarette im Mund, am Ufer entlang und, wie es aussah, um den kleinen See herum. Maik knöpfte sein Hemd zu. Ihm war kalt. Er zitterte. Maria war verschwunden. Erst ziemlich genau ihm gegenüber tauchte sie wieder auf und setzte sich auf einen Stein. Sie streifte die Sonnenbrille ab, nahm eine Zigarette und schlug ein Bein über das andere. Sie zündeten im selben Moment ihre Zigaretten an, rauchten und schauten sich aus über fünfzig Metern Entfernung an. Währenddessen fiel Maik eine Bemerkung ein, die Günther bei seinem ersten Besuch im Fergengut gemacht hatte. Günther hatte gesagt, es sei kein

Zufall gewesen, daß Udo, Vera und Maik früher in der Einflugschneise Besuch von Fred bekamen und daraufhin nach Sommersell fuhren. Fred sei geschickt worden. Hatte Günther gesagt, Fred sei damals von Hermann geschickt worden? Maria hatte Günther ernstgenommen, dachte Maik, nun wußte sie, wer dahintersteckte. Maria stand auf und machte sich daran, ihre Runde um den See zu beenden. Er dachte an Shula und erinnerte sich an die Merkwürdigkeiten in dem Saal dort: die gemalten Sprüche an den Wänden, die Paddeln in der Kiste und in der Flurecke, Shulas Ring, den sie erst am Morgen, nicht am Vortag trug. Am Morgen hatte jede der drei jungen Frauen einen Säugling im Arm. Der abwesende Stiefvater. Der glückliche Junge. Ja, Shula hatte ihn gefragt, wieviel er als Schauspieler verdiente. Das aufwendig abgesperrte und Tag und Nacht bewachte Nachbargelände. Maik hatte nun den Eindruck, daß dort überhaupt nichts normal war. Warum hatte ihm das nicht zu denken gegeben? Auf einmal wurde er mißtrauisch. Vielleicht war nichts an Marias Worten wahr, sie hatte ihm diese Dinge erzählt, um etwas, das sie noch nicht wußte, von ihm zu erfahren, ohne ihn fragen zu müssen. Er spürte, daß er weder die Kraft hatte, den Überblick zu bewahren, noch den Durchblick, um eine Haltung oder einen Plan aus seinen Gedanken abzuleiten. Er war fix und fertig, alle Glieder wurden schwer und heiß, Schweiß benetzte die Stirn, jede Sitzposition tat ihm weh, er stand auf, spürte einen Schwindel und setzte sich wieder hin. Die kurze Nacht. Der lange Entzug. Keine Minute allein. Das waren Sachen, die er sich sonst nicht zumutete. Maria trat irgendwo hinter ihm aus dem Wäldchen, legte eine Hand auf seine Wunde unter dem Hemd und kratzte daran. Maik legte sich auf die Bank, um ihrer Hand zu entkommen.

»Laß uns morgen weiterreden, Maria, oder heute abend. Ich bin total erledigt.«

»Hast du ein Zimmer hier?«

»Nein.«

»Die Gaststätte, in der wir vorhin waren, hat welche.«

»Ich nehm mir dort eines.«

»Ich fahr dich hin.«

Sie steckte die Haare unter ihr Cap und fuhr los. Sie behielt die Sonnenbrille auf. Maik setzte sich seitlich, ihr zugewandt hin, einen Arm über die Lehne, er wollte mit der schmerzenden Wunde auf dem Rücken nicht den Sitz berühren.

»Ist dir an Shula nichts aufgefallen? Irgendwas bekannt vorgekommen?«

Maria schaute ihn nicht an, selbst wenn sie redete. Sie schien auch erschöpft zu sein, mittags um eins. Ihre Stimme war leiser als zuvor.

»Du kennst sie?«

»Ich habe doch selbst mal bei *Sternfeld* gewohnt.«

»*Sternfeld*?«

»Ja, so nennen sie sich. Früher ein e. V., jetzt nicht mehr.«

»Dann ist Udo der Chef von *Sternfeld*, stimmt das? Und Ringo sagt, daß Vera dort wohnt.«

»Sie wohnen im Turm. Hast du den Turm gesehen?«

»Von weitem. Aber was ist das für ein Grundstück daneben, das eingezäunte und bewachte?«

»Das erzähl ich dir heute abend. Ich hol dich um acht Uhr ab.«

Acht Uhr. Warum nicht. Wenn sie es so wollte. Hauptsache, er konnte ein paar Stunden schlafen. Ein Thema hätten sie dann auch. Sebastian, dachte Maik. Sebastian sehen.

»Wieso nennst du Shula ›Udos Mädchen‹? Und was soll mir denn an Shula aufgefallen sein?«

»Ich weiß nicht.«

»Der Ring vielleicht, hab ich eben gedacht, den sie am Morgen anhatte, aber nicht am Tag davor. Er sah genauso aus wie die Ringe ihrer Freundinnen … Natürlich weißt du es.«

»Der mit dem blauen Stein?«

»Ja. Und ihren Stiefvater fand ich merkwürdig. Der sah völlig verreist aus.«

»Ihren Stiefvater?«

»Hat sie so gesagt.«

»Das kann doch nicht wahr sein!«

»Hat sie gesagt, ich bin mir sicher.«

Maria war viel zu schnell in den Ort hineingefahren und mußte vor einem Zebrastreifen, den ein von Anfang an kopfschüttelnder Mann mit geschwellter Brust überquerte, eine Vollbremsung hinlegen. Als der Wagen endgültig zum Stehen kam, prallte Maik mit der Rückenwunde gegen die Lehne.

»Was ist denn nun mit Shula?«

»Zum Glück sind wir schon da, und ich muß nicht mehr fahren. Ich wohne übrigens in der Pension genau gegenüber. Ich hol dich ab.«

»Sag schon.«

»Du willst doch schlafen.«

»Bitte.«

»Shula ist meine Tochter.«

»Du hast noch eine Tochter?«

»Ich habe nur eine Tochter, Maik.«

»Shula.«

»Ja.«

»Und Isabel?«
»Isabel nennt sich seit längerem Shula.«
»Wie geht *das* denn?«
»Um acht. Bitte.«

# SECHSTES KAPITEL

Mitten in der dunklen Nacht krachte der Leiter vom Dienst in unser stilles Zimmer.

Er blieb in der Tür stehen und sagte nichts. Maik sagte auch nichts mehr. Ich sowieso nicht. Er blieb so lange in der Tür stehen, ohne etwas zu tun, daß es schon komisch wirkte. Und das Aufreißen der Tür schien so gar nichts zu tun zu haben mit der künstlichen Ruhe danach. Er legte einen Stapel Blätter auf Maiks kleinen alten Schreibtisch. Er ging zum Fenster und öffnete es. Er rückte einen Stuhl gerade. Er schaute auf die Uhr über der Tür. Es war kurz vor vier. Er strich sich über die Glatze. Und verließ den Raum. Ließ die Tür offen und öffnete ein Fenster auf dem Flur, so daß es Durchzug gab. Ging davon, in Richtung Getränkeautomat. Nach und nach betraten Reinigungskräfte, nur Frauen, den Flur, auf dem Weg zu ihren Schränken, um sich für ihre Arbeit fertigzumachen. Zwischen vier und sechs Uhr morgens gehörte das Radiohaus ihnen.

»Übrigens ist unser LvD früher ein begabter und ziemlich bekannter Theaterregisseur gewesen«, sagte Maik.

»Wie heißt er denn?«

»Brinkohr.«

»Der Brinkohr von damals?«

»Es hat nur einen gegeben. Die Probentage bei ihm haben morgens mit Yoga-Übungen angefangen. Toll.«

Brinkohr hatte den Ruf, einen Klassiker nach dem anderen gegen den Strich zu bürsten. Er war der Schreck der Theaterabonnenten und der Liebling der *progressiven* Feuilletons. Maik machte sich auf ins Studio, um die Nachrichten vorzulesen. Ich blieb sitzen und hörte ihm zu. Zum ersten Mal nahm ich eine der Meldungen wahr, die er bereits zum vierten Mal in dieser Nacht vortrug und die nichts mit diesem prächtigen Tag in Deutschland zu tun hatte. Vor der westafrikanischen Küste war seit zehn Tagen ein Schiff unterwegs, das sich per Funk nicht mehr meldete. Das Schiff, in schlechtem technischem Zustand, hatte unbemerkt den Hafen von Cotonou in Benin verlassen. Sein Fehlen war erst bemerkt worden, als die Hafenmeistereien von Libreville in Gabun und von Douala in Kamerun dem Schiff die Genehmigung zum Einlaufen verweigert hatten. Sie verdächtigten die Besatzung des Handels mit Kindersklaven. Es werde vermutet, daß ungefähr 260 Kindersklaven ohne Trinkwasser und Nahrungsmittel unterwegs seien. Seit die Hafenmeisterei von Douala berichtete, auf dem Schiff seien weit weniger Passagiere gesichtet worden, werde befürchtet, der Kapitän habe die Kinder über Bord geworfen, um einer Verhaftung durch die Behörden von Benin zu entgehen. Auf Kindesentführung stehe in Benin die Todesstrafe. Ein Kind werde den Familien in der Regel für fünfzehn Dollar abgekauft und für 600 Dollar an Kaffeeplantagenbetreiber weitergegeben.

Während der Nachrichten klingelte das Telephon. Ich ging nicht dran, ich hörte Maik zu und betrachtete die ameisenhafte Kolonne von Polizeifahrzeugen, die ohne Blaulicht in gemäßigtem Tempo stadtauswärts vor dem Radiohaus vorbeifuhren, zurück zu ihren Kasernen. Am Alexanderplatz und in Kreuzberg hatte sich die Lage beruhigt, wie Maik in den Verkehrsmeldungen vorlas, er gab den Bewohnern keine aktuellen Verhaltensanweisungen. Die meisten schienen nun doch zu schlafen oder in ihren Kiezkneipen angekommen zu sein. Danach schloß Maik die Fenster im Flur und im Büro und nahm den Hörer ab. Nach der Sondermeldung um halb vier hatte Maik einen Pizzadienst angerufen. Der Lieferant stand seit einer Weile unten beim Pförtner und wurde nicht ins Haus gelassen. Ich holte die zwei lauwarmen Pappschachteln ab und trug sie durch leere Flure, auf einigen waren Reinigungswagen mit Lösungsmitteln, Lappen und Schrubbern geparkt, hoch zum Sprecherzimmer. Wir schnitten die Pizzen in Tortenstücke und nahmen sie auf die Hand.

»Ich habe mir in Huisheim also ein Zimmer gemietet, um mich bis zum Abend auszuschlafen«, sagte Maik zu mir. »Ich bin aufs Bett gefallen wie ein Stein, konnte aber nicht einschlafen. Die Straße unter meinem Zimmer war krachend laut, doch der Lärm in meinem Kopf überstieg den Lärm von draußen bei weitem. Wenn Lastwagen vorbeifuhren, dann waren es hinter meinen geschlossenen Augen Fahrzeuge von Trommel. Ich warf mich von einer Seite auf die andere, ich stand auf, nahm zwei Aspirin, ich legte mich hin und warf mich wieder von einer Seite auf die andere. Also ließ ich das mit dem Schlafen sein. Ich kreuzte die Hände unter dem Kopf, schaute an die Decke und dachte an all die Information, die mir Maria gegeben hatte und die neu für mich war. Hermann Trommel, dieser Name, ich konnte es nicht fassen. Manchmal hat man das gleichermaßen vage wie dringende Gefühl, man sollte sich hier oder da mal informieren, um einen Verdacht zu überprüfen oder eine andere Sache, an die man immer fragend denkt, zu klären, aus der Welt zu räumen. Dann tut man es nicht, es scheint ja nicht so wichtig zu sein, und alle fünf oder zehn Jahre fällt einem wieder ein, was man damals hatte regeln wollen, wo man sich erkundigen wollte. Dann sind zehn oder zwanzig oder dreißig Jahre vorbei, und dir wird nebenbei serviert, was du immer schon hättest in Erfahrung bringen können, wenn du deinen Arsch nur hochgekriegt, wenn du deinen Ahnungen nachgeforscht, wenn du dein seltsames Gefühl ernstgenommen hättest. Nun läßt sich das keinesfalls mehr aus der Welt räumen. Du hast vieles ernstgenommen und bei vielem nachgefragt, aber du hast es nicht getan bei einer Sache, die für deinen Lebensweg mitentscheidend war. Nach meiner ersten Reise auf die Dörfer, vor Jahren, hatte ich mir vorgenommen, einmal am Hagenplatz vorbeizuschauen, um mir Hermann anzusehen. Nun, ich habe es auch getan, aber nur in der Absicht, ein Schild eines Heilpraktikers zu finden. Ich hatte mich nie um Hermanns Nachnamen gekümmert. Wenn ich nur einmal jemanden danach gefragt hätte, dann wäre eine Verbindung zu den Schweine-Trommels doch von selbst entstanden! Und mir ging Marias Bemerkung nicht mehr aus dem Kopf, daß mancher sich wissentlich oder unwissentlich jahrelang, wenn nicht lebenslang, treiben läßt von jemand anderem, von hier nach da, von A nach B. Ich spürte, daß Marias Bemerkung etwas mit mir zu tun hatte. Ihr Satz hätte von mir sein können. Ich meine: So hätte auch ich über mich sprechen können … Jedenfalls lag ich da auf dem Bett und dachte an Lidia, an den Intendanten, an Karst, an Vera, Udo und Hermann und an andere Passagiere meines Lebens. Auf einmal tauchte am Horizont ein Schuldiger auf, einer, der damals jemanden geschickt hatte, um uns Berliner Pflanzen Sommersell und Huisheim zu zeigen, einer, der uns anfixen lassen wollte und der das geschafft hat, wenn auch in meinem Fall auf eine andere Weise. Einer, der es darauf abgesehen hat, andere dazu zu bringen, Sachen zu machen, die ihm nützen, ohne daß die Ausführenden merken, daß sie es für ihn tun. Maria war einmal um den See gegangen, nachdem sie erfahren hatte, daß ich mit Shula, also mit Isabel zusammengewesen war. Sie setzte sich auf den Stein und dachte darüber nach. Aber sie hat mich nicht zur Rede gestellt und mir nicht einen einzigen vorwurfsvollen Blick zugeworfen. Ich fragte mich, was mich jetzt wohl erwarten wird. Nickte dann doch für zwei halbe Stunden ein und wachte wenige Minuten, bevor der Wecker klingeln sollte, auf. Vor dem Zubettgehen fühlte ich mich müde. Danach zerschlagen. Jedoch auch erstaunlich leicht. Subjektiv wog ich längst keine Tonne mehr. Das Gröbste war vorüber. Als ich mich fertig machte, um Maria zu treffen, dachte ich überhaupt nicht mehr daran, irgend etwas einzunehmen, und konnte mir kaum noch vorstellen, es eine Zeitlang getan zu haben. Kurz bevor ich losgehen wollte, rief Maria an.«

Maik rammte die Pizzaschachteln in den Papierkorb, hielt die Hände über das Zimmerwaschbecken und trocknete sie ab. Er stellte sich ans Fenster und rauchte.

Sie sagte, sie wolle eine Begegnung in der Gaststätte vermeiden. Sie schlug Maik vor, er solle die Hauptstraße Richtung Ortsausgang gehen, sie würde neben ihm halten und ihn dann mitnehmen. Maik kam das verdächtig vor. Er sagte, er nehme sein eigenes Auto. Aus irgendeinem Grund war es für sie nicht möglich, bei ihm mitzufahren. So nahm jeder sein Auto. Maik wartete am Ortsausgang auf sie und folgte ihrem Wagen, einem unglaubwürdig roten Sonnenball entgegen, der auf dem Horizont zu stehen schien. Maik überholte sie und hielt vor ihr an. Er ging zu ihrem Wagen zurück, sie blieb sitzen. Sie hatte die Haare komplett hochgesteckt und trug eine Brille, keine Sonnenbrille. Vorüberfahrende hupten das Verkehrshindernis an.

»Wo fährst du eigentlich hin?«

»Ich kenne ein stilles Plätzchen.«

»Ich will kein stilles Plätzchen, nicht jetzt.«

»Ich will nicht, daß man uns zusammen sieht.«

»Uns kennt doch keiner hier.«

»Da bin ich mir nicht sicher.«

»Wir gehen in das größte öffentliche Lokal, an dem wir vorbeikommen.«

»Hast du Angst, allein mit mir?«

Maik drehte ab und setzte sich in seinen Wagen und wunderte sich über sich. Er fuhr langsam los. Sie folgte ihm. Wann, fragte er sich, warst du zum letzten Mal autoritär. Das Koks hatte ihn völlig weich gemacht, obwohl es einem ein Gefühl von Stärke gab. Der gelungene Betrug, dachte er. Ab und zu erschien zwischen den Bäumen ein Licht, das verschwand und wiederkam. Er steuerte in diese Richtung. Bloß ins Helle, dachte er.

Es war ein achtstöckiges Hotel, mitten in die Landschaft gesetzt, genauso wie der kleine Flughafen, zu dem es gehörte. Es standen genug Autos auf dem Parkplatz, so daß auch Maik dort anhielt. Er wartete vor Marias Wagenschlag, bis sie ausstieg.

»Hier gehen wir rein.«

Sie sagte nichts. Sie folgte ihm. Das Restaurant war gut besetzt, die Lobby gefüllt, als wartete man – darauf, daß eine Tür aufging, durch die man strömen konnte, oder darauf, daß ein Reisebus eintraf oder ein Flugzeug startbereit war, um sie alle abzuholen. Nach hinten ging die Lobby in eine zur Hälfte besetzte Bar über, die auf einem hohen Podest eingerichtet war. Maik ging voran, überquerte das Podest und rückte zwei Barhocker an der Theke zurecht. Er bot Maria den Hocker an, der so gestellt war, daß sie ihr Gesicht von den anderen abwenden konnte. Maik dagegen konnte von seinem Platz aus die Bar und die gesamte Lobby überblicken. Wirklich hatte sich eine Tür geöffnet, und die meisten aus dem Vorraum waren wie angesogen hinter ihr verschwunden. Maria öffnete ihr Haar, es fiel nach vorn auf ihre Wangen, einige Haare zappelten in den Augenlidern, so daß sie nur noch Maik und die Wand hinter ihm im Sichtfeld hatte. Sie nahm die Brille ab. Vorn in der Lobby saß ein dicklicher Vertretertyp, einen Lederkoffer neben sich, näher am Ausgang saßen zwei jüngere Männer in Wartestellung auf einem flachen Sitzmöbel, und in der anderen Ecke der Lobby saß ein einzelner Mann hinter einer Zeitung. Der Vertretertyp stand auf, sein mit einer Batterie Anstecknadeln versehenes dünnes Lederjäckchen wurde von schwerbeladenen Taschen tief hinabgezogen, er ging, ein Bein nachziehend, auf die beiden zu und nannte einen Namen. Einer mit Vokuhila-Haarschnitt stand auf, schüttelte dem Vertreter die Hand, folgte ihm an sein Tischchen und wurde so plaziert, daß er den Zeitungsleser im Rücken, den anderen Wartenden und den Hoteleingang vor sich hatte. Maik bestellte zwei *Daily Watch*.

»Ich habe dir gesagt, ich suche Isabel. Es ist etwas anders: Ich weiß, wo sie ist. Ich habe Kontakt mit ihr. Würdest du mir bei etwas helfen?«

»Kommt drauf an, was es ist.«

»Nein, sag: Würdest du mir helfen?«

»Maria, so geht das nicht.«

»Würdest du also nicht.«

»Du weißt, daß es so nicht geht. Wobei soll ich dir helfen?«

»Wann fährst du wieder zu Shula?«

»Morgen, denke ich.«

»Könntest du mir einen Gefallen tun?«

»Worum geht's, Maria?«

»Du gehst zu Shula und bringst mir etwas aus ihrem Haus mit. Sie hat es für dich bereitgelegt.«

»Was soll ich mitbringen?«

»Sie packt dir drei Kisten. Du legst die Kisten auf den Rücksitz, nicht in den Kofferraum, und bringst sie nach Senkenfels, du warst ja schon da.«

»Woher weißt du, daß ich in Senkenfels war?«

»Hat mir Isabel erzählt.«

»Du wußtest über alles Bescheid?«

»Hilfst du uns?«

»Was ist in den Kisten drin?«

Der Zeitungsleser trug ein auffallendes Einstecktuch im Jackett. Er faltete die Zeitung zusammen und schaute zu dem Vertreter und dem jungen Mann. Der Vertreter sammelte seine Papiere auf dem Tischchen ein, stauchte sie in den Lederkoffer und schaute über die Schulter des jungen Mannes hinweg zum Zeitungsleser. Der schüttelte kurz den Kopf und faltete die Zeitung wieder auf.

»Die Sache ist kompliziert. Ich werde Hermann bestrafen. Morgen hole ich sechs Bewohner aus *Sternfeld* raus, darum geht es. Die Mädchen dürfen das Gelände ja verlassen, aber sie dürfen es nicht mit ihren Babys zusammen verlassen. Hermann weiß, was er an denen einmal haben wird. Miriam, Nina und Isabel wollen ihre Kinder aber mitnehmen. Also muß das jemand anderes für sie machen. Ich selbst darf mich da nicht blicken lassen. Ich war im Linda-Lager.«

»Wo?«

»Ich sag ja, die Sache ist kompliziert.«

»Meinst du Veras Töchter, Miriam und Nina, die sie von Ringo und Günther hat?«

»Ja, aber Nina ist Hermanns Tochter.«

»Wie das?«

»Das hatte Günther sich auch gefragt, als er es rausbekam.«

Günther hatte Maik damals geraten, nicht weiter nach Sebastian zu forschen, fiel ihm ein. Es war eine Warnung. Günther meinte, Maik würde sich die Finger verbrennen. Vera hatte nie einen Pfennig Unterhalt von Günther verlangt. Aber sie hatte auch nie welchen von ihm, von Maik verlangt.

»War das der Grund, weswegen sie Günther mißhandelt haben?«

»Ja, Günther gab keine Ruhe mehr, nachdem er es rausbekommen hatte.«

Der Vertretertyp stand auf und schüttelte dem jungen Mann die Hand.

»Dann bis morgen. Und ziehen Sie sich bitte fein an, mit Schlips natürlich«, sagte er und begleitete ihn die paar Schritte zur Tür hin, die er brauchte, um bei dem tiefen Sofa anzukommen. Dort wartete der andere junge Mann darauf, von ihm aufgerufen zu werden. Sie begaben sich an den Aktenkofferplatz und begannen ihr Gespräch, als ein weiterer junger Mann mit Vokuhila-Schnitt und lila Blouson die Lobby betrat. Der Zeitungsleser hielt die Hände über seiner Zeitung auf dem Schoß gefaltet und betrachtete die Gäste an der Bar.

»Hat Hermann noch mehr Kinder?«

»Hermann hat zahllose Kinder. Genau wie Udo. Kinder sind Pflicht. Kinder sind Kapital. Wer Hermann oder Udo schaden will, muß ihnen die Kinder wegnehmen.«

»Ich frage mich, warum ich dir das alles glauben soll. Jedesmal erzählst du mir was anderes.«

»Ich muß vorsichtig sein.«

»Was hat das für eine Bedeutung mit den Kratzern und den Wunden, die Isabel mir verpaßt hat? Was soll denn das Linda-Lager sein?«

»Hast du nicht die Baracke hinter dem dicken Zaun gesehen in Huisheim, gleich neben dem Häuschen, in dem die Mädchen wohnen?«

»Wo die beiden Typen Wache schieben?«

»Das ist ein Straflager. Für die, die nicht spuren.«

»Warum heißt das Linda-Lager?«

»Dreimal darfst du raten.«

»Linda etwa?«

»Udos Adjutantin. Die Frau für die besonders harten Fälle.«

»Und warum haben sie dich da reingesteckt?«

»Hilfst du uns nun, oder nicht?«

»Warum hat Isabel mir den Rücken und die Arme zerkratzt? Zu welchem Zweck? Wer hat etwas davon? Ich versteh kein Wort.«

»Ja oder nein?«

»Und daß ich Isabel gestern kennengelernt habe, als Shula undsoweiter, ist das euer Plan gewesen?«

Sie drehte sich zu dem Zeitungsleser um, dessen Gesicht hinter der Zeitung verschwunden war, dann zu Maik hin und legte einen Zeigefinger auf die gespitzten Lippen. Sie nippte am *Daily Watch*, und als sie das Getränk zurück auf die Theke stellte, senkte sie den Kopf auf eine Weise, als sagte sie sich: Na gut, wenn es nicht anders geht ... Sie sah nicht aus, als wäre sie in einem Straflager gewesen, dachte Maik. Die Linien, die ihr Mienenspiel hervorbrachte, bewogen Maik immer noch dazu, sich in ihr Gesicht zu vertiefen und es schön zu finden.

»Was willst du zuerst wissen?«

»Die Reihenfolge ist mir egal.«

»Hermann hat sich nie um Isabel gekümmert. Ein paar Jahre nach ihrer Geburt hat er mich in Berlin besucht und von der Mühle und von Sommersell erzählt. Wie gut es sich da lebt, weit weg von der Zivilisation. Zu dieser Zeit wollte ich weg aus Berlin. Ich vermute, jemand hat es ihm gesteckt. Hermann hatte immer schon seine Informanten. An Zufälle glaub ich nicht mehr. Wenn jemand reif für die Insel ist, dann kreuzt Hermann auf und redet einem den Mund wäßrig vom besseren Leben. Ich habe ihm geglaubt. So hat es mit uns ja auch angefangen, damals, ich völlig fertig, zu ihm hin, weil es hieß, wenn du bei Hermann in den schönen, hellen Räumen gewesen bist, geht es dir besser. Wir haben Sitzungen gemacht, er brachte mir das Meditieren bei, er begeisterte mich, ich wollte mit ihm schlafen, so bekam ich Isabel. Hermann ließ sich zwar nicht mehr bei mir blicken, aber er zahlte regelmäßig, jedenfalls ein paar Jahre lang. Seine Zahlungen kamen dann nicht mehr, ich schrieb ihm Briefe, er antwortete nicht, ich drohte ihm, einmal, zweimal, dreimal, dann kreuzte er bei mir auf und machte unglaublich auf Schönwetter; ich solle das nicht so verbissen sehen, er habe Möglichkeiten für unsere Tochter und für mich, du weißt schon, Sommersell und die Mühle, er stellte mir ein Leben in Aussicht, in dem ich Isabel in Ruhe erziehen könnte und nicht arbeiten müßte, die Höfe würden sich selbst tragen, ein solches Angebot sei er mir schuldig. Ich habe ihm geglaubt. Ich habe mit ihm geschlafen. Ich dachte, der Mann rettet mich jetzt, und bin mit Isabel zur Mühle gezogen. In der Mühle hat es uns auch gefallen. Hermann ließ sich nicht mehr blicken, Fred und Günther haben den Laden geschmissen, und ich hatte mit der

Gruppe gar nicht viel zu tun. Dachte ich. Dann gab es Krach, ich wußte nicht genau, warum, nur merkte jeder, daß zwischen Günther und Fred und Freds Bossen Krieg ausgebrochen war. Günther war dahintergekommen, daß Nina Hermanns und nicht seine Tochter war, oder, besser gesagt: Hermann war der Erzeuger. Und Günther ist nur benutzt worden. Von Hermann. Hermann braucht Menschen. Menschen und nichts als Menschen. Männer zum Arbeiten, Frauen zum Kinderkriegen und für die Erziehung, und er braucht Kinder, die die Arbeit machen. Und wenn sie nicht arbeiten wollen, dann werden sie gedrillt.«

»Du hast mir damals was ganz anderes erzählt: Günther hätten sie das Gehirn gewaschen und ins Fergengut abgeschoben, weil er gegen Freds Regime aufgemuckt hätte.«

»Jeder dort wußte Sachen, die er nicht sagte, weil er erlebt hatte, wie Leute, die etwas wußten und erzählten, fertiggemacht wurden. Als Günther rausbekam, daß Nina nicht *seine* Nina war, da durchschaute er auf einen Schlag die wirkliche Struktur der ganzen Höfe, und das ging natürlich nicht. In seinem Notizbuch stand drin, was er wirklich wußte. Was wirklich vorgefallen war, davon hatte von uns damals keiner einen blassen Schimmer. Hermann hat mich ein Leben lang an der Nase herumgeführt. Die Entscheidungen, die für mein Leben bestimmend waren, hat er getroffen, ohne daß ich die Spur einer Ahnung davon hatte. Es war Hermann, der uns von Berlin zur Mühle gelockt hat, Hermann hat dann dafür gesorgt, daß wir zum Ziegelhof umgezogen sind, später nach Sommersell, noch später nach Huisheim. Ihm ist es aber gar nicht so sehr um mich gegangen, sondern um Isabel. Jedes Mädchen, das Kinder kriegen kann, bedeutet für ihn Zukunft, der Rest ist Vergangenheit. Ich war seine Vergangenheit, Isabel sollte seine Zukunft werden. Mit seiner Zukunft hätte ich nur etwas zu tun gehabt, wenn ich noch mehr Kinder bekommen hätte. Pläne wurden ausgearbeitet, wie viele Kinder man noch brauchte und wer sie kriegen könnte, es gab ein Plenum nach dem anderen, in dem die gebärfähigen Frauen, die keine Kinder mehr wollten, sich vor der ganzen Gruppe rechtfertigen mußten, was heißt rechtfertigen, es ist keiner gelungen. Nur eine Frau, die gebiert, ist in Hermanns Augen eine nützliche Frau. Was meinst du, warum Vera so weit gekommen ist in der Hierarchie? Weil sie ein Balg nach dem anderen auf die Welt warf. Das ist natürlich ganz nach Hermanns Wunsch. Er hat es auch von mir verlangt. Aber ich habe zu der Zeit schon geahnt, worum es eigentlich ging. Udo redete in Hermanns Worten, Udo tat das, was Hermann von ihm verlangte. Udo war Hermanns Sprachrohr.«

»Udo ist in Huisheim. Du hast mir aber erzählt, du wärest aus Sommersell weggegangen und hättest Isabel dagelassen.«

»Welche Mutter macht denn so was?«

»Hast du mir erzählt.«

»Ich weiß.«

»Und jetzt? Wie war es dann wirklich?«

»Ich bin mit Isabel von Sommersell nach Huisheim gezogen. War Hermanns Idee. Udo hatte in Huisheim mit *Sternfeld* Hermanns Masterprojekt aufgebaut. Hermanns ganzer Stolz. Was sie immer brauchten, das war Geld, und das waren Arbeitskräfte, die man nicht bezahlen mußte. So ist Huisheim angelegt. Hermanns Plan war, daß alle Mädchen, die nach Huisheim kamen, selber Kinder kriegen sollten. Außerdem sollten sie Leute ranschaffen, die Geld hatten und sich von den Mädchen einlullen ließen. Du kannst dir denken, was passiert ist: Isabel wurde schwanger. Sie haben sie weggeschickt, als es soweit war, und sie kam erst mit einem kleinen Baby auf dem Arm wieder. Knapp sechzehn Jahre alt und Mutter. Und weißt du, wer der Erzeuger war? Udo, der Drecksack. Udo hatte ein Vorrecht. Das ist *Sternfeld*. Udo hat ungefähr zur gleichen Zeit auch Nina und Miriam geschwängert. Er wollte auch an mich ran. Er wollte mir einreden, daß es mir besser gehen würde, wenn ich noch ein paar Kinder mehr hätte. Auch Vera hat mir das einzureden versucht. Linda sowieso. Ich bin ausgeflippt. Ich habe zwei Plenen aufgemischt und in meinem Wahn Sachen erzählt, die ich gar nicht hätte wissen dürfen. Sie haben kapiert, ich stellte eine Gefahr für sie dar, und mich ins Lager gesperrt. Da kommen Unzuverlässige hin, oder, wie Udo sagt: Faules Obst. Madige Menschen. Das ist wie ein Gefängnis. Wie ein Arbeitslager. Da ist es so, wie es bei *Sternfeld* auch ist, aber in Lindas Lager wird nichts mehr kaschiert. Wenn du mitmachst, ist alles o.k., wenn du nicht mitmachst, wird nicht lange gefackelt oder diskutiert, sondern sofort weggesperrt.«

»Wie lange warst du da?«

»Ein halbes Jahr. Ich weiß nicht mehr, wie ich das ausgehalten habe ... Doch, ich weiß. Ich habe an meine Befreiung geglaubt. Ohne Gehirnwäsche.«

»Und wie bist du rausgekommen?«

»Ich habe mich verliebt, in einen Jungen, der auch in *Sternfeld* lebt, nicht im Lager, sondern im normalen Betrieb, in der Produktion. Wir haben uns nachts am Zaun getroffen und Stück für Stück meine Befreiung vorbereitet. Als wir es geschafft hatten, konnte er natürlich nicht mehr zurück. Seitdem wird das Lager durch die zwei Bullen bewacht, die Linda aus Berlin engagiert hat. Seit ich draußen bin, bereiten wir die Befreiung von Isabel und den anderen

Mädchen und ihren Babies vor. Morgen früh ist es endlich soweit.«

»Und dabei soll ich dir helfen.«

Der Zeitungsleser war aufgestanden und an die Rezeption gegangen, wo er schon seit einiger Zeit mit Blick auf den Vertretertyp und seinen jungen Gesprächspartner telephonierte. Der Vertretertyp sammelte die Papiere ein, die er vor sich ausgebreitet hatte, schlug sie mit den Seitenkanten auf dem Glastischchen auf und stopfte sie in seinen Lederkoffer, wobei sich seine Seidenkrawatte mehrmals am Kofferverschluß verhakte. Er stand auf, der Jüngere tat es ihm sofort nach, reichte ihm die Hand und wurde verabschiedet mit dem Hinweis, daß er sich am nächsten Tag anständig anziehen solle, am besten mit Schlips.

»Ab heute gibt es keine Ausrede mehr. Ab heute können Sie nicht mehr sagen, Sie hätten es nicht versucht.«

Der telephonierende Zeitungsleser betrachtete den Abgang des Jungen, als befände der sich auf einem Laufsteg, und nickte dem Vertretertyp zu. Der humpelte an den in dem niedrigen Polster wartenden Mann heran, zog ihn händeschüttelnd aus dem Sitz und schickte ihn vor sich her zu dem Tischchen und seinem Lederkoffer, wo er ihm wahrscheinlich das gleiche erzählte wie den anderen. Der Zeitungsleser schlenderte zu seinem Stuhl zurück, schaute sich währenddessen in der gesamten Lobby um, als suche er jemanden, und schlug in seiner Ecke seine Zeitung wieder auf. Maik winkte die Barfrau heran und orderte zwei weitere *Daily Watch*.

»Erzähl weiter.«

»Ich glaub, der zweite macht mich betrunken.«

»Was hat das mit dem Gekratze und den Wunden zu bedeuten? Was ist das für eine Geheimsprache?«

»Noch nie was über *Sternfeld* gelesen?«

»Wie denn, sind die berühmt?«

»Sie sind dabei, es zu werden.«

Maik öffnete zwei Hemdknöpfe, schob den Kragen beiseite und klopfte auf eine verschorfte Stelle.

»Wie gesagt, Kinder sind das Kapital.«

»Geht es etwas deutlicher?«

»Noch deutlicher? ... Es ist so festgelegt ... Die Mädchen sind Prostituierte Gottes, hat Udo einmal geschrieben ...«

Maik merkte, daß Maria Schwierigkeiten hatte, diese Geschichte weiterzuerzählen, und Maria merkte, daß Maik ein Schreck in die Glieder gefahren war. Gleichzeitig nippten sie an ihren Getränken.

»Die Mädchen haben es so gelernt.«

»Wieso fängt Isabel zwei Tage, bevor sie da abhauen will, noch einen Kerl ein?«

»Das hab ich auch nicht verstanden. Ich hab sie heute nachmittag gefragt, was das mit dir sollte.«

»Das war nicht abgesprochen zwischen euch?«

»Ich bin zuerst selbst nicht darauf gekommen: Sie will sich noch einmal beliebt machen bei Udo und den anderen, sie will alles vermeiden, irgendeinen Verdacht zu erregen, bevor sie flieht. Deshalb.«

»Deshalb ich?«

»Oder einer wie du.«

»Und die Kratzer?«

»Ist einfach zu erklären. Die eigenen Leute wissen, was los ist, und man muß kein Wort darüber verlieren.«

»Aber ich könnte ihr Vater sein.«

»Um so besser ... um so besser, daß dir das auch schon aufgefallen ist.«

»Es tut mir leid.«

»Wirklich?«

»Einerseits ... Ich bin also ihre Trophäe gewesen, die sie vorgezeigt hat?«

»Du glaubst nicht, wie viele Typen schon an den Mädchen klebengeblieben sind und ein Vermögen dafür ausgegeben haben. Die Mädchen wollen morgen früh abhauen. Sie haben jetzt bessere Karten, weil Isabel dich, du weißt ja ... Stimmt schon. Kluge Mädchen. Du kannst ihnen morgen früh helfen. Hilfst du uns?«

Maik stand seit einiger Zeit vor einer Kaffeemaschine und betrachtete die dünne Linie, die in die Kanne tropfte, als ginge das unter seinen Blicken schneller. Als die letzten Tropfen durchliefen, röhrte und spuckte das Gerät und beendete seinen Dienst mit einem Tusch.

»Man tut viele Dinge, die man nicht tun will. Und man unterläßt einiges von dem, das man eigentlich zu tun hat. Aber man weiß das nie zur rechten Zeit. Solche Sachen weiß man erst hinterher. Wer etwas zu entscheiden hat und nur von seinen Zweifeln spricht, dem nehmen wir nichts ab. Glaubwürdig ist jemand, der weiß, was er will. Das ist doch irre.«

Der Kaffee schmeckte grauenhaft. Ich zog mir aus dem Automaten ein Bier. Es war halb fünf. Als ich wiederkam, sagte Maik, er bemerke mein inneres Kopfschütteln. Ich schüttelte den Kopf. Es sei ihm nicht entgangen, daß meine Distanz zu ihm und dem, was er erzählte, von Stunde zu Stunde größer geworden sei. Ich widersprach ihm. Er bestand auf seiner Beobachtung. Ich widersprach ihm nicht mehr.

»*Überzeugen ist unfruchtbar*, habe ich einmal irgendwo gelesen«, sagte ich. »Genauso trifft das aber auch auf den zu, der zu wissen meint, daß Überzeugen unfruchtbar ist.«

»Du glaubst mir nicht.«

»Ich hör dir zu.«

Nachdem die Vokuhilas die Hotelhalle verlassen hatten und keine neuen eingetroffen waren, räumte der Vertretertyp seine Papiere in den Lederkoffer und hinkte zu dem Zeitungsleser. Dort ließ er sich nieder und winkte der Bedienung. Sie bestellten Bier. Der Zeitungsleser hielt dem Vertretertyp seine Zeitung hin, deren Rand vollgeschrieben war. Es redete nur der Zeitungsleser, als sei er der Chef des anderen. Sie stürzten die Biere hinunter und begaben sich langsam zur Rezeption. Maik machte sich auf den Weg zur Toilette, der ihn an der Rezeption vorbeiführte. Die Hotelangestellte und die beiden Männer beugten sich über einen auf der Theke ausgebreiteten Plan mit den Versammlungsräumen. Im Vorübergehen schnappte Maik zwar nicht den Namen des Raums auf, in dem sie das Treffen durchführen wollten, auch nicht den Tag, wohl aber die Uhrzeit. Den einen Raum, so hörte er, könnten sie um neunzehn Uhr haben, den anderen eine Stunde später. Die Krawattennadel des Zeitungslesers funkelte nur so vor Brillanten.

Als er aus der Toilette trat, saß Maria nicht mehr auf dem Barhocker. Maik stürmte nach draußen. Der Zeitungsleser öffnete seine Autotür. Der Vertretertyp hinkte zu seinem nagelneuen Van, kramte in der tiefhängenden Jackentasche nach dem Schlüssel und rief dem Zeitungsleser zu, ein Auto dürfe nicht mehr als ein Monatsgehalt kosten. War Marias Wagen dunkelgrau oder schwarz, fragte er sich. Seit Jahren sahen die neueren Autos in seinen Augen ziemlich gleich aus. Er prüfte, ob jemand in einem der geparkten Wagen saß. Er ging ins Hotel zurück. Hinten in der Ecke hob Maria sich, als wäre sie im Keller verschwunden gewesen, aus der Tiefe hoch. Mit Sonnenbrille. Die Bedienung beobachtete sie. Maria kramte in ihrer Handtasche.

»Ich hab's doch gewußt!«

»Wo bist du gewesen?«

»Sind viel zu viele Leute hier!«

»Ich hab dich gesucht.«

»Sind die beiden Kerle weg?«

»Was ist los? Ja, sie sind draußen.«

»Was haben die die ganze Zeit gemacht?«

»Einstellungsgespräche geführt oder so was.«

»Haben sie uns beobachtet?«

»Was ist los mit dir?«

»Der eine, das war Pedro. Wir müssen hier raus.«

Maria wartete hinter dem Glas der Eingangstür auf seinen Wink, sie folgte ihm und stieg in seinen Wagen ein. Es konnte ihr nicht schnell genug gehen.

»Ich faß es nicht! Pedro im Anzug! Da muß ich was versäumt haben.«

»Die Einstellungsgespräche hat der andere geführt. Pedro hat von weiter hinten die Kandidaten genauer angeguckt. Er hat dich nicht sehen können. Er saß zu tief. Ich habe ihn beobachtet. Er mich, glaube ich, nicht.«

»Die brauchen wieder Leute. Waren's junge Männer?«

»Ja. Wovor hast du Angst?«

»Ich hatte nichts mehr falsch zu machen«, sagte Maik zu mir, »nach allem, was konnte da noch falsch sein? Mir blieb nur noch die Frage, ob meine Teilnahme an der Aktion nicht ungeschickt war, da Udo oder Vera mich immerhin wiedererkennen könnten. Maria winkte ab und sagte, Udo oder Vera würden dort, wo ich hinzugehen hätte, nicht aufkreuzen. Ich habe sie zu ihrem Auto auf dem Parkplatz vor dem Hotel zurückgebracht, und wir sind hintereinander nach Huisheim hineingefahren. Jeder ist in seine Pension gegangen. Ich legte mich aufs Bett, kreuzte die Hände unter dem Kopf, starrte an die Decke und nahm mir vor, herauszufinden, warum ich ja gesagt hatte.«

Er wollte sich noch müdetrinken, schlief jedoch in der Rückenlage ein und erwachte eine Stunde, bevor der Wekker klingelte. Lange nicht mehr hatte er sich morgens so erholt gefühlt. Er streckte sich. Er hatte jahrelang morgens nicht mehr das Bedürfnis gehabt, sich zu strecken. Im Vergleich zum Vortag ging er so aufrecht, daß er mit dem Scheitel gegen einen Türrahmen stieß. Er kaufte beim Bäkker ein Baguette und verzehrte es mit Blick auf die Hauptstraße. Nicht nur die morgendliche Schwere war von ihm gefallen, verflogen war auch das nervöse Nichtstun des Schnupfers, die ewige Abgelenktheit zu nichts Besonderem hin. Er war langsamer geworden, und so war er sich gerade recht. Endlich bin ich synchronisiert, dachte er. Hinter der Scheibe quietschte sehr langsam ein leerer Viehtransporter von Trommel vorüber. Das Banner dieses Tages, dachte Maik, wie ein Morgenbefehl. Alles schien so klar. Wegen der Zimmerrechnung schickte der Wirt seine minderjährige Tochter.

Maria hatte ihm geraten, an diesem Morgen einfach so zu sein wie immer. Ihr Rat hatte sich in seinen Ohren angehört wie die Aufforderung, an etwas Bestimmtes nicht zu denken. Wie denkt man an etwas Bestimmtes nicht? Er konnte nicht sein wie immer. Es war sein leichtester Morgen seit Jahren. Er solle alles machen wie beim letzten Mal, hatte sie ihm aufgetragen, aufs Gelände fahren, den Wagen an der gleichen Stelle parken, durch dieselbe Tür in das Haus der Mädchen treten und nach Shula fragen, falls sie nicht auf ihn warte. Den Rücksitz freihalten. Nicht den eigenen Wagen nehmen, sondern ihren, der unter dem dortigen Kennzeichen gemeldet war und den sie am Vorabend noch bereitgestellt hatte. Um ihm nach Senkenfels zu folgen, würde sie sein Auto nehmen. Er fuhr langsam. »Als chauffierte ich jemand Wichtiges«, sagte er zu sich selbst. Eingezäunt war nur Lindas Lager. Darin zwei alte farblose Häuser. Alle Türen und Fenster verschlossen. Eine Schulklasse auf Wandertag wollte die Straße überqueren. Maik sah es ihnen an und stoppte, ohne daß sie ein Zeichen gaben. Die Kinder taten ein, zwei verzagte Schritte auf den Asphalt; dann rannten sie auf die andere Seite und verschwanden in dem Wäldchen.

Am Tor saß ein junger Mann, blickte müde auf und nickte Maik zu. Bei den Werkstätten, die einige Meter lang den Ausschnitt der Windschutzscheibe füllten, bevor er nach rechts abbog, saßen junge Arbeitskräfte in Blaumännern auf Schemeln und aßen Brote. Sie nahmen keine Notiz von ihm. Er wußte nicht, ob es Männer oder Frauen waren. Als nächstes kam der Zaun von Lindas Lager in der Windschutzscheibe immer näher. Auch auf dieser Seite waren alle Türen und Fenster geschlossen. Kurz bevor er nach links zu dem Haus der Mädchen abbog, sah er einen der Wachmänner im Schatten sitzen und ein Magazin lesen. Er war noch nicht ganz aus dem Auto gestiegen, als Shula ihm um den Hals fiel. Er hob sie hoch und zog sie fest an sich. Er biß auf die Zähne. Einige verschorfte Stellen auf seiner Schulter waren aufgerissen. Sie lächelten, kraulten in den Haaren des anderen und sagten kein Wort. Sie glichen ihre Atemstöße aneinander an. Sie legte ihre Hand in seine, er nahm sie, und wie ein Paar betraten sie das Haus. Küche und Saal waren leer; ihm voran stieg Shula eine Treppe hoch; sie durchquerten ein Bastkorblager und nahmen eine weitere Stiege, die im Dachgeschoß endete. Maik ging sogleich an ein Fenster. Du kommst in einen Raum, dachte er, und trittst an ein Fenster, um nach draußen zu schauen, so ist das immer schon gewesen, anders wird das nicht mehr werden. Eher wechsle ich eine Produktmarke. Die Bäume waren in früher Blüte und ließen einen Blick bis ans Ende des Geländes zu. Zwischen diesem und dem Haupthaus mit dem Turm war eine kleine Arena ins Erdreich gegraben. Treppen und Sitzreihen, zehn übereinander, mit Holzbohlen befestigt. An der Haupttreppe ein Schaukasten, vor dem nacheinander zwei etwas lasen und sich mit Blick auf die Uhr vondannen machten. Wieder konnte Maik nicht erkennen, ob es Männer oder Frauen waren. Sie waren allesamt sehr schlank, hatten kurze Haare, einige waren kahl, und offenbar ließen ihre blaugrauen Arbeitsklamotten nur eine ununterscheidbar ähnliche Art von Gehen, Stehen und Sitzen zu. Shula wühlte in einem Kleiderschrank, zog nach und nach Hosen, Hemden und Jacken hervor und ließ sie auf den Boden fallen.

»Wann geht's los?«

»Willst du einen Tee?«

»Ist er fertig?«

»Wir haben dir eine Zeichnung gemacht, wie du am besten nach Senkenfels kommst, außerdem eine Liste, welche Auf- und Abfahrten du nehmen mußt.«

Sie legte die Blätter auf einen Tisch, stellte einen Teebecher dazu, schenkte ein und machte sich wieder über die Klamotten im Schrank her. Maik überflog den in Kinderschönschrift verfaßten Plan und schaute auf den Fleck

Wand, von dem er sich beobachtet fühlte – Udos Porträt. Beleibt. Ein stechender, offenbar nachbearbeiteter überheller Blick. Der Fransenvollbart verdeckte die Mundwinkel.

»Ist alles so weit?«

»Miriam und Nina machen gerade die Babies fertig. Dann kann es losgehen.«

»Läuft mir vielleicht noch jemand über den Weg, den ich jetzt nicht auf der Rechnung habe?«

»Und wenn schon ... Du hast mit keinem was zu tun.«

»Was ist mit dem Kerl, der in der Einfahrt sitzt?«

»Mit dem hab ich mich gestern abend beschäftigt. Der spurt.«

Spure ich auch? Nein, er hatte es zum Glück nicht laut gesagt. Er ging wieder zum Fenster. Er hatte nichts mehr falsch zu machen, nach allem, soviel wußte er. Er *hatte* es gesagt, nur nicht laut. Es konnte sein, daß er Tag für Tag spurte; daß er vorgestern gespurt hatte, als Shula ihm über den Weg lief, und daß er gestern und heute auf Marias Hilfsansinnen hin spurte. Einer schritt anders daher als die anderen. Dachte Maik im ersten Moment. Einer war vom ersten Blick an als Mann zu identifizieren. Jemand, der eine andere Zeit hatte. Vom Haupthaus her, an der Arena vorbei, in hellerem Stoff als die anderen, hinkte er näher. Udo in seinem Reich. Auf mich zukommend, dachte Maik. Danach bemerkte Maik, daß er sich eine Zigarette angezündet hatte. Nichts war egal. Einer von Udos Armen schlug beim Gehen einen völlig anderen Bogen als der andere. Wie ein Ertrinkender, der noch nicht ins Wasser gefallen ist, dachte Maik.

»Ist es normal, daß Udo über das Gelände, sagen wir mal, geht?«

»Zeig ... Wenn er nichts weiß, tut er uns nichts.«

Shula hockte sich wieder vor ihren Schrank. Sie versenkte die aussortierten Klamotten in einer Plastikschüssel und half mit dem Knie nach, um sie hineinzuquetschen. Unten im Haus knallte eine Tür zu. Holz und Metall der Stiege zum Dachgeschoß quietschten.

»Hast du einen Aschenbecher?«

»Eigentlich nicht.«

Vera, keine Frage. So ist sie immer gegangen, wenn sie schnell sein, aber nicht rennen wollte: Die Unterschenkel vom Knie aus nach außen gedreht. Sie war aus dem Turmhaus weit hinten gelaufen und Udo gefolgt, an der Arena vorbei, zu einem Punkt außerhalb Maiks Sichtweite.

»Ich bastel mir einen.«

»Mach die Zigarette bitte aus. Hier wird nicht geraucht. Und heute muß ein Tag wie jeder andere sein.«

Miriam und Nina hüpften die Stiege herauf. Sie boxten sich. Dann nahmen sie sich Becher, füllten sie gleichzeitig in ähnlicher Haltung mit Tee, stemmten beim Trinken eine Faust in die Hüfte, atmeten nach dem Trinken zischend aus und lächelten wie aus einem Mund.

»Die Kleinen sind jetzt ruhig.«

»Die Körbe sind fertig.«

»Wir könnten jetzt rübergehen zu den anderen.«

Zwischen den Werkstätten und der Arena wurde eine Versammlung vorbereitet, in Zweierreihe Stühle aufgestellt, davor ein altes Holzstehpult plaziert. Udo stand mit Händen auf dem Rücken am Rand und unterhielt sich mit jemandem, der die Anweisungen gab. Er hielt die Hände auf dem Rücken, um sich zu zwingen, ruhig zu stehen. Aber es gelang ihm nicht. In Maiks Augen bewegte er sich wie ein Kokser, der mit den Extremitäten hampelt, weil ihm die Mitte abhanden gekommen ist.

»Bleibt bitte noch hier«, sagte Isabel, »und geht erst runter, kurz bevor Maik losfährt, ich komme nach.«

Die Anweisungen unten gab Linda. Mit Glatze. Er hätte sie nicht erkannt. Er erkannte ihre Stimme wieder. Sie sagte kaum ein Wort ohne den Versuch, eine Melodie darauf zu spielen. Eine völlig ungeeignete, unfreiwillig komische Tonlage für Befehle, fand Maik.

»Worauf warten wir?«

»Auf die korrekte Uhrzeit«, sagte Isabel, »zwei Minuten noch ... Die Körbe und die Kleinen sind fertig?«

Die beiden Mädchen kauten Nüsse und nickten. Unten im Haus ging eine Tür auf. Linda sah gut aus. Besser als Udo und Vera, fand Maik. Ihm schien, sie war gut im Training.

»Ist das normal, daß die alle hier unten rumstehen?«

»Nein, das ist nicht normal.«

Udo drehte sich um und lächelte jemandem zu, der nah beim Haus stand und den Maik nicht sah. Udos Lächeln. Damit hatte er versucht, mächtig zu werden, dachte Maik.

»Shula? Miriam?«

»Ja?«

»Plenum.«

»Ja.«

Vera kam die Stiege hoch. Sie war außer Atem, hielt sich am Geländer fest und legte kurz die Stirn auf das Knie des Beins, das zwei Stufen höher war.

»Es gibt einen Vortrag, nur für Bewohner.«

Maik zwang sich, vor dem Fenster stehen zu bleiben und nach draußen zu schauen. Am liebsten wäre er in diesem Moment nur ein Handtuch gewesen.

»Noch nie seit damals in Tiergarten bin ich Vera so nah gewesen wie in diesem Augenblick«, sagte Maik zu mir. »Nicht zu ihr hinzuschauen war am schwersten, als sie alle nichts sagten. Als ich Vera auf der Treppe keuchen, Miriam und Nina Nüsse aufbeißen und Shula eine Hose glattstreichen hörte, ohne daß ich eine von ihnen sehen konnte. Ich schaute auf den offenbar betrunkenen, merkwürdig zerfahren lachenden Udo da unten, aber ich nahm auch ihn überhaupt nicht wahr. Ich versuchte mir vorzustellen, was die drei Menschen in dem Raum hinter mir gerade taten. Wer von ihnen wen anschaute. Und mit welchem Blick. Ob die Mädchen die Nerven bewahrten. Sich an den Plan hielten. Oder ob sie Vera zunickten und auf mich zeigten. Ob am Ende ich der Angeschmierte wäre. Ob ich es vielleicht sogar gewollt hatte. Wahrscheinlich waren es nur ein paar Sekunden, in denen ich Veras Atem wie einen altvertrauten hörte und immer mehr vergaß, wer ich war und welche Antworten ich zu geben hätte für den Fall, daß ich angesprochen würde. Sekunden wie Minuten. Ich fühlte mich ausgeblendet – ungeachtet der Tatsache, daß ich weiterhin physisch anwesend war. Damals hab ich wirklich nicht das Beste von mir gedacht.«

»Und heute?«

»Wir kommen gleich.«

»Wer hält einen Vortrag?«

»Matthias.«

»Matthias von *IDEE*?«

»Ja. Ihr kennt ihn. Es geht gleich los.«

Und endlich hörte Maik Schritte, die die Stiege hinabführten. Er studierte den handgeschriebenen Streckenplan.

»Wie soll ich hier rausfahren, wenn die alle da unten stehen?«

»Dein Auto ist auf der anderen Seite geparkt. Sie sehen dich nicht.«

Vera trottete allein zum Haupthaus zurück, an dem provisorischen Plenumsaufbau neben der Arena vorbei.

»Wir legen jetzt unten die Babys in ihre Körbe«, sagte Shula. »Ich pfeife, wenn wir fertig sind. Dann kommst du runter, gehst an dein Auto und öffnest die hintere Tür. Du gehst in die Küche und nimmst immer einen Korb und stellst ihn auf den Rücksitz. Immer nur einen. Dann setzt du dich ins Auto und fährst langsam los.«

»Und wenn was dazwischenkommt?«

»Da kommt nichts dazwischen.«

»Und wenn doch?«

»Dann gibst du Vollgas.«

Das war wie mit der Unterlippe gesprochen. Mit ihrem stechenden Blick unter einer dünnen Gardine aus Haaren ließ Shula keinen Zweifel, daß sie es genau so meinte, wie sie es gesagt hatte. Vera war am Haupthaus angekommen. Wenn ich hiermit fertig bin, rede ich mit ihr, dachte er. Es kann nicht sein, daß wir in einem Raum stehen, ich könnte ihr erstmals meine Fragen stellen, und ich gebe mich nicht zu erkennen. Shula pfiff. Er ging die Stiege hinab.

Miriam und Nina waren bereits gegangen, um auf lieb Kind zu machen. Shula stellte sich neben den Körben auf. Sie zog die Schultern hoch, preßte die Lippen zusammen und zeigte ihm, daß sie beide Daumen drückte. Draußen war es ein paar Grad wärmer geworden. Nicht auszudenken, wenn das Plenum auf dieser Seite stattfinden würde, dachte er. Der Zaun zu Lindas Lager war höchstens zwanzig Meter entfernt. Der Wärter saß nicht mehr im Schatten, sondern stöberte ein paar Meter hinter dem Zaun mit einem Stock im Unterholz herum. Eine eigenartige Haltung, dachte Maik. Wie einer, der sich einmal einen Bruch gehoben hatte und seitdem mit zwar bärenstarken, aber hängenden Schultern geschlagen war. Das hatte er schon einmal gesehen, ganz von nahem. Wo? Er holte den ersten Korb aus der Küche. Er hatte sich ihn nicht so leicht vorgestellt, und stellte ihn auf den Rücksitz. Maik ging in die Küche, um den zweiten Korb zu holen. Der Bär, dachte er. Der Bär, der so aussah, als hätte er sich nie davon erholt, einmal zu schwer gehoben zu haben. Maik kannte ihn nur von Tailer. Er ging mit dem zweiten Korb raus. Der Wärter war mit seinem Stock ein Stückchen näher gekommen. Als er den Korb absetzte, versuchte Maik ihn in Ruhe durch die Heckscheibe zu betrachten. Die Ähnlichkeit war verblüffend. Der Wärter schaute sich das Auto an. Das *war* der Bär. Maria hatte von *zwei Bullen aus Berlin* gesprochen. Von hinten kam ein anderer Wächter näher, nicht so ein Brokken, schlanker und größer. Maik verschwand in der Küche. Sofort merkte Shula, daß etwas nicht stimmte. Er hockte sich ans Küchenfenster und blickte zum Zaun. Der andere Wärter, das war Toto. Zeigte der Bär auf die Tür, die nicht weit von Maiks Wagen in den Zaun eingelassen war?

»Die tun dir nichts, die passen auf die drüben auf.«

»Einmal Türsteher, immer Türsteher. Logisch.«

»Wie?«

Irgendwann kamen sie nicht mehr zu Tailer. Irgendwann gab es kein Backgammonbrett mehr dort. Es fiel einem kaum auf, wenn einer nicht mehr kam. Zuletzt war eigentlich nur Petra immer da, wenn er zu Tailer kam, dachte er. Er küßte Shulas kalte Stirn und nahm den dritten Korb. Toto und der Bär standen mit verschränkten Armen, kauten Kaugummi und schauten sich Maik mit gnadenlos musternden Blicken an, die nur darauf zu warten schienen, daß ihm eine Ungeschicklichkeit unterlief. Sie standen näher bei der in den Zaun eingelassenen Tür als vorher. Grinsten die beiden über den blöden Kerl mit dem Scheißauto, oder grinsten sie speziell über Maik Steiner, das hätte er gern gewußt. Vermutlich war er leichter wiederzuerkennen als sie, im Gegensatz zu ihnen hatte er noch Haar auf dem Kopf, wenn auch nicht mehr so volles wie damals.

»Doktor Wolke ... dreh doch mal einen!«

Das war Toto. Sie standen nun direkt am Zaun, zwei Meter neben der Tür. Maik schlug die hintere Tür zu und setzte eine Sonnenbrille auf. Shula stand knapp hinter der Tür, machte sich an einem Fahrrad zu schaffen und gab ihm Zeichen, loszufahren. Hatte Tailer etwas mit Hermann zu tun gehabt? Was hatten die Großstadtpflanzen Harri, Bär und Toto, die früher nie im *Marrakesch* gewesen, aber von morgens bis nachts bekifft waren, mit den Esoterikern auf dem Flachland zu tun? Maik beschloß, sich an nichts zu erinnern. Mit einem fragenden Seitenblick zu den beiden, warum sie ihn anquatschten, öffnete er die Fahrertür und startete den Motor. Schrittgeschwindigkeit, nahm er sich vor. Fast alle Stühle hinter der rechten Seitenscheibe waren besetzt. Der Vortrag hatte noch nicht begonnen. Zwei Dutzend Köpfe drehten sich zu ihm. Er ließ die Seitenscheibe hinunter, um zu hören, ob der Bär und Toto den anderen etwas zuriefen. Er sah sie nicht mehr im Ausschnitt des Rückspiegels. Miriam und Nina winkten ihm aus dem Plenum heraus zu. Wo waren der Bär und Toto? Was wäre, wenn jetzt jemand das Fehlen der Babies feststellen würde? Er bog nach links, Schrittgeschwindigkeit, nahm er sich wieder vor. Der Junge am Tor schaute von seinen Blättern zu ihm auf. Maik versuchte ein Lächeln zustande zu bringen. Du hast keine Wahl, flüsterte er sich zu, du läßt mich hier durch.

Das Dorf sah am Mittag ganz anders aus als am Abend, hell und gar nicht so verwunschen. Abends schien die Sonne durch eine Senke knapp ins Tal, genau auf Shulas Garten, und das Dorf ringsum wirkte wie schwarz. Nun war es umgekehrt: Senkenfels leuchtete in hellstem Sonnenschein; das Grundstück am Ende der Straße verschwand fast im Schatten. Beim Anbremsen lösten die Reifen auf dem Kies einen akustischen Sturm aus. Es blieb ganz ruhig. Jeden seiner Schritte auf den Kieselsteinen, dachte er, mußte man doch in ganz Senkenfels hören. Er duckte sich und watschelte in den schmalen Spalt zwischen morscher Hauswand und rostigem Zaun, um zum Garten zu gelangen. Er schaute auf und stand vor einem jungen Mann, der ihm seine Hand reichte, ihm jedoch im selben Moment ein Bein stellte und seinem Körper eine solche Drehung verpaßte, daß Maik sich an der Hauswand abstützen mußte, was er sofort tat, auch wenn es ihm nicht gesagt worden wäre: Hände an die Wand!, Beine auseinander! Er müsse nur mal schnell etwas überprüfen, sagte der Mann und griff die Socken, die Hosentaschen, Jackentaschen, den Gürtel, die Brust und den Rücken des völlig Verdutzten ab. Es sei alles schon vorbei, sagte er und reichte Maik ein zweites Mal die Hand. Er wirkte gar nicht so stark, wie er sich gebärdete. Dünn und muskulös. Hohe Stiefel, schwarze Jeans, ein zum Muscle-Shirt aufgekrempeltes fastnochschwarzes Kordhemd mit prall gefüllten Brusttaschen. Der junge Mann war sichtlich nicht in bester Verfassung. Typ *Auf der Flucht*. Neben ihm ein Baseballschläger, an den Zaun gelehnt.

»Du bist Maik?«

»Was soll das hier werden?«

»Reine Routine ... Ist alles gutgegangen? Hast du alle an Bord?«

»Vielleicht findest du noch einen im Kofferraum, der dir ans Hemd will! ... Arbeiten wir zusammen?«

»Davon gehe ich aus.«

»Dann laß den Scheiß. Wer bist du überhaupt?«

»'ne Macke von mir. Fühl mich einfach sicherer so. Ich bin Sebastian. Kenn ich dich nicht? Ach, du bist das.«

Maik zog sich die Klamotten zurecht. Er hatte ein Gefühl, jedes Kleidungsstück falsch herum zu tragen.

»Wo lernt man so was? Bei der Bundeswehr warst du noch nicht.«

»Das haben mir die zwei Gorillas vom Lager beigebracht.«

»Ich sage dir«, sagte Maik zu mir, »ich habe mich sofort völlig anders bewegt, ich habe anders gedacht, ich habe, wie von was weiß ich für einem Naturrecht übermannt, gedacht: Ich bin Maik, er ist Sebastian. Das war die natürliche Ordnung, unabhängig davon, wie der Kerl mich begrüßt hatte. Gut, vielleicht eine Minute lang habe ich mich ein bißchen geschämt, ihm in die Augen zu schauen, ich war mir nicht sicher, wie er auf mich zu sprechen war. Aber dann war diese Verunsicherung weg, wie niemals dagewesen. Verstehst du, was ich meine? Ich meine: Ich hatte mit diesem Jungen noch nie in meinem Leben etwas zu tun gehabt, er hatte mir noch nie in die Augen geschaut, außer im Alter von wenigen Monaten in der versifften Tiergartener Küche, aber da hat er, glaube ich, an mir vorbeigeschaut, er konnte den Blick noch gar nicht halten. Und trotzdem empfand ich sofort eine unabänderliche Nähe zu ihm. Ich war besessen davon, seine Hände anzuschauen, die ziemlich groß wirkten, ich sah, er würde noch wachsen. Seinen Mund. Gestik. Gebärden. Der Haaransatz. Ähnlichkeiten. Ich spiegelte mich in der Fensterscheibe und schaute meine Ohrläppchen an. Dann seine. Ich fühlte mich auch sofort wieder sicher, dort hinter dem Haus mit ihm allein, seit er mir seinen Namen gesagt hatte. Und auch er signalisierte, daß er die Ordnung verstanden hatte. Er hörte auf mit seiner Powershow, beschäftigte sich mit einem Adapter für seinen tragbaren CD-Player und die Boxen, die es im Haus gab. Nachdem er sein Problem gelöst hatte, legte er eine CD auf. Die Boxen klirrten. Kurz bevor es zu Ende war, habe ich eine Melodie wiedererkannt und ihm gesagt, ich fände das Stück ganz gut. Ich wollte ihn nicht verletzen. Ich überlegte, wann es zum letzten Mal mein Bedürfnis war, jemanden bloß nicht zu verletzen. Mir fiel nichts ein.«

»Dann schauen wir doch mal, was du uns mitgebracht hast.«

Sebastian stemmte eine ewig nicht geöffnete Tür auf der anderen Seite des Hauses auf, sie blickten auf Marias Auto und das helle Dorf dahinter; und von oberhalb des Türrahmens rieselte Putz auf den Boden. Sebastian nahm die Körbe vorsichtig aus dem Wagen und stellte sie im Wohnraum auf einen Tisch. Er beugte sich tief über jeden Korb und diagnostizierte den Zustand der Kleinen. Maik merkte, daß Sebastian mit Kindern großgeworden war. Er wußte nur, daß er im Moment etwas erlebte, an das er sich immer wieder erinnern würde. Eines war aufgewacht und fing an zu schreien. Sebastian nahm es auf den Arm und ging mit ihm hinaus in den Garten. Maik folgte ihm.

»Daß wir uns hier treffen … Warum hat Maria mir das nicht gesagt? Wollte sie mich überraschen?«

»Maria erzählt nur soviel wie nötig.«

Sebastian wandte ihm den Rücken zu. Seine Unsicherheit, dachte Maik.

»Ich frag mich, wie du das ausgehalten hast.«

»Wieso?«

»Wieso was?«

»Was soll ich nicht ausgehalten haben?«

»Ist es dir etwa gutgegangen da?«

»Zum Schluß haben die Alten genervt, die sind am Ende. Blicken nicht mehr durch. Da wird sich jetzt einiges verändern. So kann es ja nicht weitergehen.«

»Wann bist du weggegangen?«

»Seit ich Maria rausgeholt habe. Zwei Wochen her.«

»Und wo hast du gewohnt?«

»Na hier.«

»Die letzten zwei Wochen?«

»Ja. Sag ich doch. Ich hab dich schon mal gesehen.«

»Vorgestern?«

»Kann sein. Ich merk mir so was nicht.«

Maik ging um den das Kind wiegenden Sebastian herum und stellte sich vor ihm auf, um ihm in die Augen zu schauen.

»Und wer hat dich hier versorgt?«

»Ist das wichtig?«

»Ja, ich will es wissen.«

»Maria ist ab und zu vorbeigekommen und hat sich um den Kühlschrank gekümmert. Was willst du noch wissen?«

»Ob ich was für dich tun kann. Ich weiß, ich komme spät.«

»Was bist denn du für einer?«

Sebastian wollte ihm nicht in die Augen schauen. Er

wandte sich mit dem schlafenden Kind im Arm, den Kopf zu ihm hinunter neigend, wieder ab. Er wirkt unglaublich zäh, dachte Maik. Ihm fiel auf, daß sie gleich groß waren. Die Nase-Mund-Partien und die Augenbrauen waren der Beweis, dachte er. Die Ähnlichkeiten waren nicht zu übersehen.

»Hat dir Vera nicht von mir erzählt?«

»Was soll sie gesagt haben?«

»Kein Wort von Maik, der in Berlin wohnt?«

»Kein Wort. Ich hab früher auch in Berlin gewohnt.«

Maria rollte mit Maiks Wagen auf das Gelände und hielt neben ihrem eigenen. Miriam schubste Nina aus dem Auto und sprang hinterher. Shula stieg vorn aus. Auch Maria stieg aus; doch setzte sie sich sogleich in ihr eigenes Auto und fuhr zügig los.

»Wo in Berlin?«

»In Mariendorf.«

»Bei Hedi und Matthias?«

»Du kennst dich ja aus.«

Denkst *du*, dachte Maik.

Sebastian legte das Kind behutsam in den Korb neben den anderen Körben zurück. Er ging den Mädchen ein Stück entgegen. Sebastians Schwestern, dachte Maik. Und Veras Kinder. Eins, zwei, drei. Was sie waren, was sie wurden. Nur Shula war grußlos aus dem Auto gehüpft und durch die Flügeltür auf der einen Seite ins Haus, auf der anderen wieder hinaus in den Garten gelaufen.

»Jetzt fehlt ja bloß noch Mario in der Runde«, sagte Maik in die Begrüßungen der drei hinein. »Wo ist der eigentlich?«

»Wir haben ihn eben gesehen«, sagte Nina, »in der Nähe der Mühle, er hat auf einer Bank gesessen. Maria versucht ihn gerade zu finden. Sie will ihn überreden, daß er mit uns mitkommt. Er ist vor ein paar Tagen abgehauen. Auf eigene Faust. Er hat nichts von unserem Plan gewußt.«

Sebastian legte einen Zeigefinger mit der Spitze nach oben auf die Lippen und schaute Nina finster an, mit Augenbrauen wie Strichen. Miriam wollte ihr gegen das Schienbein treten, doch Nina sprang rechtzeitig beiseite, und Miriam verlor einen Schuh.

»Und wir haben ihm unseren Plan nicht verraten«, sagte Miriam mit Schmollmund und einem mutwillig hergerichteten traurigen Blick.

»Das wäre zu riskant gewesen«, sagte Sebastian, »aber Mario gehört zu uns.«

Mit jedem Schritt auf die Körbe zu wurden ihre Stimmen leiser. Ein Korb war leer. Shula hatte ihr Baby mit hinaus in den Garten genommen.

»Ist Vera damals ohne dich aufs Land gezogen, gleich nach deiner Geburt?«

»Woher kennst du Mario?«

»Vor ein paar Jahren habe ich Vera wiedergesehen. Hier in der Nähe. Auf dem Land. Damals ist Mario bei ihr gewesen. Du nicht.«

Wir befanden uns in der Nachtstunde, in der die Körpertemperatur, unabhängig von der Außentemperatur, auf dem niedrigsten Stand ist. Es war soweit. Seit einer halben Stunde befanden sich auf dem Gang die Reinigungswagen. LvD Brinkohr hatte es so eingerichtet, daß die Reinigungskräfte kurz vor fünf Uhr in den Büroräumen und kurz nach fünf Uhr im Studio den Abfall der Nacht beseitigten. Von fünf bis sechs, während seiner letzten Arbeitsstunde, wollte Brinkohr nicht gestört werden. Meistens telephonierte er dann. Sagte mir Maik, während wir leere Pappbecher und Coladosen zu den Pizzaschachteln in den überfüllten Papierkorb stauchten und uns auf den Flur verzogen und dort ein paar Schritte taten, Maik mit den Fünf-Uhr-Nachrichten in der Hand, die sich, wie gewöhnlich, nicht von den Vier-Uhr-Nachrichten unterschieden; nur wurde die zweite Meldung diesmal als erste verlesen und umgekehrt.

Um drei oder um vier Uhr hatte ich mich gefragt, warum ich mir das antue, wieso ich auf einen Anruf hin kurz nach Mitternacht ins glücklicherweise nicht weit von meiner Wohnung gelegene Radiohaus gehe, um mir ein weiteres Kapitel aus Maiks Lebensgeschichte anzuhören. Aber so sind unsere beiden Leben wohl; derart scheinen unsere Existenzen zusammenzupassen. Auch wenn wir sonst gar nicht viel miteinander getan haben: Er weiß, daß er in mir einen Zuhörer hat. Ich weiß, daß ich in ihm einen Erzähler habe. Wir standen vor einem Paternoster, der nicht in Betrieb war. Eine rote Kordel schwang so heftig hin und her, als habe soeben noch jemand den Paternoster verlassen. Die Reinigungskräfte machten mit ihrer Lautstärke klar, daß sie das Kommando innehatten. Ihr Wagen stand in der Tür zu Maiks Büro. Auch Brinkohr war vor ihnen geflüchtet. Er kam unsicheren Schritts mit einer Dose in der Hand vom anderen Ende des Gangs auf uns zu und schaute, auf unserer Höhe angekommen, nur stumm zur Uhr über der Tür, die zwei Minuten vor fünf anzeigte. Er verschwand im Regieraum.

Ich wußte nicht, ob ich lachen oder weinen sollte über Brinkohrs und Maiks Erscheinungen. Machten sich nicht sogar die Reinigungskräfte über Maik lustig, als sie unter dem Türrahmen standen, um die Ecke lugten und sich etwas zuflüsterten? Maiks Hosensaum endete fünf Zentimeter über den Schuhen. Das dünne Jackett war über dem Gesäß völlig zerknittert, das Revers voller Schuppen. Genauso viele Tage, wie er sich nicht rasiert hatte, schien er seine Haare weder gewaschen noch gekämmt, sondern lediglich mit den Fingern nach hinten gestrichen zu haben. Er ging den Gang entlang, von mir fort, aber seine Arme schienen nicht mitzugehen, nichts mit dem übrigen Körper zu tun zu haben; steif wie zwei Stöcke hingen sie an ihm hinunter. Er nahm die Tür zur Sprecherkabine.

Fünf nach fünf drückten die Reinigungsfrauen ihre Zigaretten in den in die Flurwand geschraubten Aschenbechern aus, eine halbe Minute später hastete Brinkohr aus dem Regieraum, und kurz darauf stolperte Maik aus der Sprecherkabine. Die Frauen entsicherten daraufhin ihren Reinigungswagen, schoben ihn aus der Tür von Maiks Sprecherraum und zogen ihn hinter sich her in den Regieraum, wo sie ihn genau unter der Tür parkten. Danach schalteten sie ein mitgebrachtes Radio ein und hörten die weitaus flottere Musik eines der ersten Privatsender.

»Sag mal, gibt es eigentlich einen noch mieseren Sprecherjob als diesen?«

»Nein, gibt es nicht. Ich mache den absolut miesesten Sprecherjob in diesem Haus.«

Maik arbeitete beim Staatsrundfunk. Bei einem der ersten Privatfernsehsender hatte er einige Monate lang den Wetterbericht präsentiert. Aber die Leute beim Privatfernsehen waren seine Sache nicht. Den früher einmal vorhandenen Ehrgeiz, Fernsehen zu machen, hatte er verloren, oder, wie Maik sagte, »unterwegs liegengelassen«. Blieb der Staatsrundfunk.

Wir öffneten sofort die Fenster, um den dumpfen Geruch zu vertreiben, den der Staubsauger hinterlassen hatte.

»Ich hatte keine andere Wahl. Aber ich bin im Gespräch über eine halbstündige Jazzsendung, hier im Haus.«

Als er das sagte, schaute er ins Leere. Er rutschte in seinen Bürostuhl. Er nutzte den Schwung des Zurücksinkens in die Lehne aus, um die Füße auf die Schreibtischkante zu heben, wo er sie gekreuzt aufsetzte. Ich legte eine Decke um die Hüften und fläzte mich aufs Sofa. Beide zündeten wir Zigaretten an. Brinkohr nebenan telephonierte.

»Shula war mit ihrem Baby im Garten verschwunden«, sagte Maik. »Ich habe sie weit hinten in allerhöchsten Lagen singen gehört. Ich durfte sie nicht stören. Sebastian, Nina und Miriam hatten sich mit den zwei Körben in eine Ecke neben dem Kamin verzogen. Ich setzte mich zu ihnen, ich fand es normal, mich zu Sebastian zu setzen. Aber ich störte ihr Gespräch. Also stand ich auf, ging ziellos hin und her und setzte mich nach einiger Zeit dann doch wieder zu ihnen. Ich habe mich völlig dusselig benommen, ich weiß, aber mir war eben so, und nicht anders. Und dann nahm Sebastian mich bei der Hand; sein Griff war so, daß wir gemeinsam aufstanden und ein paar Schritte gingen – bis an die Tür, wo uns ein bißchen frische Luft um die Nase wehte. Und Sebastian umfaßte mich und sagte, ich solle ihm einmal zuhören.

›Du hast uns einen großen Gefallen getan, Maik. Der Angsthase, der den Transport eigentlich machen sollte, ist nämlich in letzter Sekunde abgesprungen. Wir haben dir wirklich viel zu verdanken. Aber wir haben noch ein paar Kleinigkeiten zu besprechen. Verstehst du? Wir sind noch nicht fertig. Wir warten jetzt nur noch auf Maria und Mario. Du willst doch auch, daß das alles gut ausgeht.‹

Natürlich wollte ich das. Wir gingen draußen auf dem

Kies umher, schauten beide auf den Boden und nahmen die Zigarettenzüge gleichzeitig zu uns.

›Also laß uns das noch in Ruhe zu Ende besprechen. Erst wenn Maria kommt, gibt es neue Information. Sie checkt gerade noch was anderes aus. Wir müssen heute hier noch weg. Darum geht es. Aber sei bitte nicht nervöser als wir. Das macht mich nämlich völlig nervös, und das kann ich jetzt nicht gebrauchen.‹

Ich habe nichts dazu gesagt, so ergriffen war ich von den erwachsenen Worten meines Sohnes. Er hatte ja recht. Ich habe ein Gefühl dafür bekommen, wie es ist, alt zu sein und so behandelt zu werden, als blicke man nicht mehr richtig durch. Ich würde mir das eigentlich nicht bieten lassen. Von niemandem. Von ihm aber habe ich es mir gefallen lassen. Gern sogar. Sebastian ging nicht gleich zu den Mädchen zurück. Als wollte er unsere besondere Beziehung dokumentieren, blieb er, obwohl er mir mehr nicht zu sagen hatte, neben mir auf dem Kotflügel meines Wagens sitzen, bis er seine Zigarette zu Ende geraucht und sie, genau wie ich, in den Kiesboden getreten hatte.«

Maik knüllte seine leere Zigarettenschachtel zusammen, warf sie auf den Rücksitz und schlenderte in Richtung Dorf, um sich neue zu kaufen. Er dachte nicht mehr an die Einzelheiten der letzten zwei Stunden, sondern an die Zukunft. Es dauert nur noch ein, zwei Stunden, bis sie mir sagen, wo sie heute abend hinfahren. Und es dauert nicht mehr lange, bis von mir selbst oder den anderen die Frage kommt, ob ich mit ihnen mitgehe. Ob ich endlich etwas anders, ganz anders mache. Drei Männer in einem viertürigen Auto hatten nichts Gutes zu bedeuten, besonders dann nicht, wenn sie langsam unterwegs waren und sich aufmerksam in der Gegend umschauten. Er zog eine Schachtel

Zigaretten aus dem Automaten der Dorfgaststätte, gleich neben einer kleinen Kapelle, und ging langsam zurück. Der viertürige Wagen überholte ihn, er fuhr in Richtung Dorfende, in Richtung Sackgasse mit Wendekreis. Sie würden ihm auf ihrem Rückweg gleich wieder begegnen, dachte er, oder sie würden am Ende des Dorfes auf ihn warten. Er überlegte, was er zu verlieren hatte in Berlin. Erst muß ich Sebastian fragen, wo es ihn hinzieht, dachte er. Die drei Männer kamen ihm wieder entgegen, diesmal in rasendem Tempo. Hatten sie sich verfahren und Zeit verloren, die aufgeholt werden mußte? Oder holten sie gerade Verstärkung? Maik wagte nicht, sich nach ihnen umzudrehen. Ein Band immer schwärzer werdender Wolken schwebte darüber hinweg. War die Sonne verdeckt, wurde es herbstkühl in der Senke.

Von hinten kam ein Auto. Wieder wollte er sich nicht umdrehen. Keinen Verdacht erregen. Unbeteiligt bleiben. Es war Marias Wagen, der an ihm vorbeifuhr. Warum hatte sie nicht gehupt? In Marias Wagen saßen zwei Personen. Maik sah noch einen anderen Kopf. Jedoch nicht ordentlich auf dem Rücksitz, sondern genau zwischen den Sitzen, sehr nah bei Maria. Maik vergrößerte und beschleunigte seine Schritte. Etwas hatte an diesem Bild nicht gestimmt. Maria und ein schlanker kräftiger, ziemlich verwahrlost wirkender Junge standen neben dem Auto. Es war der Junge, dem Maik zwei Tage zuvor auf dem Grundstück der Mühle begegnet war. Der Junge hatte Maria die Arme auf dem Rücken zusammengeschnürt und ihr ein Messer an den Hals gelegt.

»Ich will erst die Beweise sehen«, brüllte der Junge in Richtung des Hauses.

»Hör auf mit dem Scheiß«, rief Sebastian.

»Erst die Beweise«, wiederholte der Junge.

Als er bemerkte, daß Maik um ihn herumging, schrie er ihn an, er solle um das Auto herum in das Haus gehen und dort bleiben. Maik folgte seiner Anweisung.

Sebastian, Miriam und Nina, die Mädchen mit ihren Babys in den Bastkörben, verließen zögernd das Haus und bewegten sich in die Nähe von Marias Auto. Sie stellten die Körbe, in denen ihre Kinder gebettet waren, wie von dem wilden Jungen befohlen, auf die Motorhaube.

»Was soll das? Das sind nicht drei, sondern zwei. Was erzählt ihr mir hier? Und wo ist Shula? Und was will dieser Kerl hier? Den hab ich doch vor ein paar Tagen erst gesehen. Wollt ihr mich verarschen?«

Mit einem Kopfnicken zeigte er, daß er Maik meinte, der immer noch hinten in der Flügeltür stand.

»Shula und ihr Baby sind im Garten.«

»Hol sie.«

Sebastian machte sich auf den Weg. Maik merkte, daß die beiden sich kannten. Der Junge versuchte von seinem Platz aus in die Körbe hineinzuschauen. Er ging mit Maria vorsichtig einen Schritt heran und legte eine Decke in einem der Körbe beiseite.

»Nimm deine Finger da weg«, rief Miriam.

»Na also ... Geht doch.«

Weit hinten im Garten schrien Sebastian und Shula sich an. Dann wurde es still. Nicht nur im Garten und auf dem Gelände. Ringsum. Im ganzen Dorf schien es still geworden zu sein. Sebastian führte Shula an einer Hand hinter sich her. In ihrer anderen Hand hielt sie den Korb mit dem Kind. Mit zerzausten Haaren begaben sie sich in der von dem Jungen befohlenen Geschwindigkeit zu dem Auto und legten ihren Korb auf die Motorhaube. Der Junge ging mit Maria einen weiteren Schritt vor und schaute auch in diesen Korb hinein. Shula verneigte sich vor dem Wilden.

»Und ich dachte schon, ihr wollt mich reinlegen.«

Er steckte das Messer weg und ließ Maria los, die sich sofort ein paar Schritte entfernt in Sicherheit brachte. Im Gefühl seiner Überlegenheit grinste er die anderen an.

»Bist du jetzt zufrieden?«

Sebastian löste Marias Handfesseln und schaute ihn ohne einen Wimpernschlag an.

»Mich legt keiner mehr rein.«

»Gut, Mario, dann kannst du ja deine Sachen aus dem Kofferraum holen«, sagte Maria, die sich mit den freigewordenen Händen an den Hals faßte.

»Warum ich?«

Mario drehte sich, als er antwortete, kurz zu dem Auto um. Diesen Augenblick nutzte Sebastian. Er sprang ihn, mit den Füßen voran, an und zerrte ihn auf den Boden. Mario wollte sich aus Sebastians Armgriffen drehen, so daß sie sich mehrere Male überschlugen, bis sie fast am Zaun angekommen waren. Mario versuchte in seiner Gesäßtasche nach dem Messer zu fassen, Sebastian riß an seinem Arm und versuchte selbst, das Messer an sich zu bringen. Es gelang ihm nicht. Er konzentrierte sich darauf, Marios Arme unter Kontrolle zu halten. Mario strampelte und trat mit den Füßen nach ihm. Sebastian zerrte ihn immer näher an den Zaun heran. Maik rannte zu den beiden, um Sebastian zu helfen. Er nahm Marios Füße. Mario stieß ihn auf die Erde. Maik drehte sich vom Boden hoch und ging wie automatisiert zurück, um Sebastian beizustehen.

»Nimm nur einen Fuß, und dreh ihn rum, das geht besser«, sagte Sebastian.

»Das sagst du so.«

Sebastian schlug Mario mit der Faust in den Nacken.

»Mach's jetzt!«

Maik kam nicht an ihn heran. Mario zappelte, als wolle er Hände und Füße von sich werfen. Endlich erwischte Maik einen seiner Füße und konzentrierte sich sofort darauf, von dem anderen nicht getroffen zu werden. Er drehte den Fuß herum. Mario schrie auf. Einige Sekunden vergingen, bis Sebastian den Zappelnden an den Zaun geschleift hatte und ihm den Mund zuhielt. Marios Gegenwehr: erloschen. Sebastian winkte Maik auf seine Seite.

»Pack ihn hier. Halt ihn fest. So fest es geht. Ich komm gleich wieder.«

Maik hielt ihn an den Armen. Sebastian quetschte sich in die Lücke zwischen Zaun und Haus und ging zu dem angelehnten Baseballschläger. Er löste die Handschellen, die gleich daneben in den Zaun eingeschnappt hingen, pirschte zurück und kettete Marios Arme an den Zaun. Mario verpaßte ihm dabei einen Tritt ins Gesicht. Sebastian krümmte sich, Kopf und Hände auf den Knien. Er stand auf, ging einen Schritt zurück und rammte seine Faust gegen Marios Brust. Etwas knackte. Seine Schwestern schrien und wandten sich ab. Der Junge sackte am Zaun zusammen, die noch angeschnallten Hände in die Höhe gereckt; wie aufgehängt. Sebastian nahm ihm das Messer ab, steckte es ein, spuckte aus und ging Richtung Haus. Alle schauten zu Sebastian. Shula kümmerte sich um Mario. Sie löste die Handschellen, Maik wunderte sich, daß sie das beherrschte, sie kniete sich zu ihm auf den Boden, tastete die Schlagadern ab und legte seinen Kopf seitlich.

Sebastian und Maik schlurften nebeneinander zum Haus. Maik legte seinen Arm um Sebastians Schultern. Er meinte, sich und ihn im selben Rhythmus atmen zu hören. Sebastian hielt sich die schmerzende Hand. Die Mädchen nahmen ihre Körbe von der Motorhaube und folgten den beiden. Maria fuhr ihr Auto so nah an ein Gebüsch heran, daß man es von der Straße aus nicht sehen konnte. Shula blieb bei Mario.

»Wie kannst du nur so doll zuschlagen«, rief sie laut in Sebastians Richtung, »er ist dein Bruder.«

Mario regte sich wieder. Sebastian nahm das Messer, die Klinge nach außen gerichtet, genau wie Mario es gehalten hatte, als er Maria bedrohte, und ging auf Shula zu.

»Steck das Scheißding weg!«

»Deswegen, Schwesterherz!«

Sebastian steckte das Ding in die Messertasche seiner Jeans und ging ins Haus zurück, zu Maria. Sie nahm ihn in den Arm. Sie küßten sich.

»Das war mir entgangen«, sagte Maik zu mir, »das mit dem Schwesterherz. Das ist mir erst später wieder eingefallen. Ich hatte es nur als Witz verstanden, als Zuspitzung, als Spiel mit Shulas Bemerkung, Mario sei sein Bruder. Ich war außer Atem, immer noch angekratzt von der körperlichen Anstrengung, Sebastian auch, Wörter waren etwas, das aus einem herauspurzelte, damit man besser atmen und klarer denken konnte.«

Ich sagte ihm, ich verstehe kein Wort.

»Gleich verstehst du es.«

Es kam Maik unheimlich ruhig vor, dort hinten ganz am Ende der Ortschaft Senkenfels. Von der Bergseite zog ein tiefliegendes dunkles Wolkenband heran. Miriam und Nina setzten ihre Besprechung in dem dunklen Saal fort, Shula kniete bei Mario, der wieder ruhig und besonnen wirkte. Sie pflegte seine Wunden und redete mit ihm. Maik blickte durch die offenen Türen des dunklen Hauses in den Garten dahinter. Dort ging Maria mit gesenktem Blick auf und ab und schien über etwas nachzugrübeln. Sebastian seifte sich über einem Bottich die zerkratzten Hände und Unterarme ein. Maik stand mit erhobenen Armen in der Nähe seines Autos und genoß es, wie der Wind die Innenseiten kühlte und trocknete. Wir haben es geschafft, dachte er. Aber was haben wir geschafft, fragte er sich. Veras Kinder sind vor Vera weggelaufen, rekapitulierte er. Sebastian, Mario, Miriam und Nina würden nicht mehr zu Vera zurückkehren, sondern noch heute das Weite suchen. Maria hatte ihre Isabel wieder. Und er hatte Sebastian getroffen. Er würde nicht zu Vera zurückgehen. Was hatte er mit Vera zu schaffen? Endlich war Sebastian bei ihm. Das Leben geht weiter. Aber wie sollte das Leben weitergehen? Er hatte keinen blassen Schimmer.

Er meinte, die bedrohliche Bewölkung ziehe vorüber, gleich werde es hell. Doch mit einem Schlag und einem Blitz brachen die Wolken, und ein Wasserschwall, dem man nicht mehr ansah, daß er aus Tropfen bestand, knallte, von einem plötzlich peitschenden Wind unterstützt, schräg in die Senke hinein. Shula eilte mit Mario im Arm ins Haus zurück. Sebastian, Maria und Maik liefen hinterher. Die Türen zum Garten und zum Vorplatz blieben offen. Miriam und Nina beendeten ihr Gespräch.

»Maik, ich muß dir was erzählen«, sagte Maria.

Der Regen war zu laut, um miteinander zu reden. Sie schauten die auf dem Kieselsteinvorplatz sich ausbreitenden Seen an. Maiks und Sebastians Blicke gingen nach oben. Sie fragten sich, ob es schon reinregnete. In dem Haus konnten sie nicht bleiben, dachte Maik. Daß Sebastian sich zuletzt in dieser Bruchbude aufgehalten hatte …

Er stellte sich neben Sebastian und betrachtete, wie der, die Wolkenwand.

»Warum macht Mario so einen Aufstand?«

»Er hat uns nicht geglaubt. Er dachte, wir legen ihn rein und wollen ihn nur zu *Sternfeld* zurückholen. Er weiß, daß er da sofort ins Lager kommen würde. Niemand will da rein. Jetzt glaubt er uns.«

»Warum habt ihr ihm nichts gesagt?«

»Als alles spruchreif war, war er schon abgehauen. Er hatte Ware unterschlagen.«

»Was für Ware?«

»Er kennt ein paar Leute aus der Gothic- und Dark-Wave-Szene. Bei *Sternfeld* wird das ganze Zeug hergestellt, das die brauchen, die umgedrehten Kreuze, Anhänger, Aufkleber, alles. Bei *Sternfeld* sind sie so geldgeil, wir haben sogar illegale Drucke von The-Cure-T-Shirts produziert. Mario wollte eine Mark für sich machen, am Betrieb vorbei. Ich habe ihn noch gewarnt, als ich erfahren habe, daß es rausgekommen ist. Schon deswegen wollten sie ihn ins Lager stecken. Er hatte keine Wahl. Er mußte abhauen.«

Maria trat an die beiden von hinten heran, stellte sich zwischen sie und umschlang die Schultern von Maik und Sebastian.

»Ich danke dir, Maik. Danke noch mal.«

»Ich hab mich auch bei dir zu bedanken, Maria.«

»Wofür denn?«

»Daß ich endlich Sebastian getroffen habe. Warum hast du es mir nicht vorher gesagt?«

»Oh ... Ich bin so im Streß gewesen, ich hatte das völlig vergessen.«

»Wo fahrt ihr denn nun alle hin miteinander? Hier könnt ihr ja wohl nicht bleiben.«

»Worauf tippst du?«

»Vielleicht zu Ringo?«

»Spinnst du? Das Haus gehört doch Hermann. Das ist sein Edelendlager.«

»Oh, das habe ich nicht gewußt.«

»Wir können nicht hier in der Gegend bleiben.«

»Habt ihr einen Ort, an den ihr könnt? Ist das vorbereitet?«

Maria nahm ihren Arm von Maiks Schulter, nicht aber von Sebastians. Maik löste sich ein paar Schritte, um eine Zigarette hinauszuschnipsen. Ihr Freund, dämmerte ihm, nachdem er sich umgedreht und die beiden, Arm in Arm, betrachtet hatte. Maria ging mit Sebastian im Arm in eine Ecke des Saals. Sie unterhielten sich leise, Maik verstand kaum ein Wort. Sie hatte ihm erzählt, erinnerte er sich, daß sie sich bei *Sternfeld* in einen Jungen verliebt hatte, der sie aus dem Lager herausholte und deswegen türmen mußte. Maik schaute in ihre Ecke. Sebastian hätte ihr Sohn sein können.

»Sag du es ihm«, zischte Sebastian, schnappte Maik auf und sah Sebastians entnervten Blick. Er faßte sich an die Stirn. »Ich hab damit nichts zu tun.«

Maik hatte das Gefühl, es sei so still geworden, weil alle ihn anschauten und an dasselbe dachten. Dann bemerkte er, daß das Prasseln des Regens nachgelassen hatte und draußen schon wieder die Sonne schien. Und sie schauten nicht ihn an, sondern an ihm vorbei ins Freie. Alle bis auf Sebastian und Maria, die immer noch etwas zu besprechen hatten. Nina kommandierte Miriam zur Abwechslung einmal nicht herum, sondern hielt sie im Schwitzkasten, und die schien sich das gefallen zu lassen. Shula pflegte Marios Wunden nicht mehr, sondern hatte sich an ihn angelehnt.

Eines der Babys schrie kurz, nur einmal; als habe es im Traum geschrien.

»Ist das ein Geheimnis, wohin ihr fahrt, oder wißt ihr es selbst noch nicht«, fragte Maik in den Raum hinein.

Bis auf Sebastian und Maria schauten alle – als würde er gar nicht dort stehen, wo er stand – weiterhin ungerührt an ihm vorbei. Was für eine Bruchbude, dachte er. Was für eine verkorkste Gesellschaft. Prostituierte Gottes, Messerattentäter, die undurchsichtige Maria, die beiden Mädchen, die sich den ganzen Tag lang quälten. Und die Babys in den Körben. Udos Kinder, wenn Maik es richtig verstanden hatte ... Er wollte nicht weiter über die sonstigen verwandtschaftlichen Verhältnisse der Anwesenden nachdenken. Er würde sich einmal extra Zeit nehmen müssen, um sich das alles vor Augen zu halten, um es sich überhaupt vorstellen zu können ... Und mittendrin Sebastian, dachte er ... Maik wollte etwas für sich unternehmen, ein paar Schritte tun, ein paar andere, wenn es ging normale Leute sehen. Sein Einsatz war vorüber.

»Wie geht es weiter jetzt?« fragte er in den Raum hinein; es schauten ja sowieso alle in seine Richtung.

Miriam, in Ninas Schwitzkastengriff, war ganz bleich geworden. Shula und Mario küßten sich. Das Wasser stand noch hoch, aber das Licht draußen verriet nicht mehr, daß es diesen Wolkenbruch gegeben hatte. Sebastian löste sich aus der Besprechung mit Maria und ging in den Garten.

»Was geht den das an«, sagte er.

Maria ging auf Maik zu.

»Oder anders gefragt: Wie lange seid ihr noch hier auf dem Grundstück? Ich muß mal kurz weg.«

»Maik, es hat dir noch keiner gesagt«, sagte Maria.

»Habt ihr alle die Sprache verloren? Oder was ist mit euch los?«

»Komm, wir gehen mal raus.«

»Wann fahrt ihr los? Wo fahrt ihr hin? Dieses Nichtstun macht mich völlig nervös.«

Einige Regenwasserseen auf dem Vorplatz waren versikkert. Maria hakte sich in Maiks Arm ein und ging mit ihm in Richtung Straße; am niedergetrampelten Zaun blieben sie stehen.

»Ich weiß nicht, wie ich es dir sagen soll, aber ich muß es dir sagen, und du wirst es wahrscheinlich nicht glauben wollen: Sebastian ist nicht dein Sohn. Er will nicht mit dir mitgehen. Er will nicht, daß du mit ihm mitgehst. Er kennt dich nicht. Er versteht überhaupt nicht, was du von ihm willst.«

Er öffnete seinen angewinkelten Arm, so daß sie sich nicht mehr einhaken konnte.

»Sein Vater ist Hermann. Sagt er.«

Sie standen sich gegenüber.

»Sagt er ... Sebastian!«

Maik rief – und hörte aus dem Garten:

»Laß mich in Ruhe, du Wichser.«

Maik faßte sie fest bei den Schultern.

»Wir haben es doch hier mit Veras Sebastian zu tun, oder?«

Sie schüttelte sich frei.

»Ja, schon. Aber er sagt, sein Vater ist Hermann.«

»Das gibt's doch nicht.«

»Was willst du machen?«

»Warum sagst du mir das nicht früher? Warum hast du mir nicht vorher gesagt, daß ich Sebastian hier treffen würde, wenn ich mit den Babys ankomme? Was soll das?«

Sie ging in Richtung Haus, fuhr sich mit den Händen durch die Haare. Maik folgte ihr.

»Ich habe dich gestern gefragt, ob du uns einen Gefallen tun kannst. Der Plan wäre beinahe geplatzt, wenn du nicht eingesprungen wärst. Ich kann nicht an alles gleichzeitig denken.«

Maik überholte sie und blieb vor ihr stehen.

»Du kannst die Flucht von sechs Leuten organisieren, aber du kannst nicht an zwei, drei Dinge gleichzeitig denken, ja? Du verarschst mich. Du hast mich mit Shula verarscht, und jetzt mit Sebastian.«

»Ich sag dir nur das, was Sebastian dir nicht selber sagen will. Du bist ein Fremder für ihn.«

»Da kann ja jeder kommen und so eine Show abziehen«, rief Sebastian, der vom Garten durch den Saal zur Flügeltür gegangen war, »und sich hier hinstellen und einfach behaupten, er ist mein Vater. Was weiß ich, wer du bist oder wer dich schickt und was du für Schweinereien im Kopf hast.«

»Was redest du? Ich hab Maria schon vor sieben Jahren erzählt, daß ich Vera und Sebastian suche.«

»Was willst du von mir? Ich kenn dich nicht.«

Sebastian drehte sich ab und ging ins Haus. Maik ihm nach.

»Ich kenne dich auch nicht, das ist doch genau die Sache!«

Sebastian stellte sich ihm in den Weg und pumpte seinen Oberkörper auf. Er sprach ganz leise.

»Hör mal, wenn du kein Unglück erleben willst, dann hör jetzt auf mit dem Scheiß. Wir haben genug Streß. Siehst du doch. Mein Vater ist ein Arschloch und heißt Hermann. Meine Mutter ist Vera, und die hat 'ne Macke. Noch'n Verrückter ist mir jetzt echt zuviel.«

Maik schüttelte den Kopf und ging zurück zu Maria.

»Sag mir bitte eine Adresse, unter der ich euch erreichen kann, wenn ihr wieder Nerven habt.«

»Ich kann dich heute abend oder morgen in der Pension anrufen und dir die Telephonnummer sagen.«

»Also, ruf mich an. Ich will dich wiedersehen. Ja, dich, Maria.«

Er küßte sie. Alle schauten ihn an, und für ihn waren alle unendlich weit weg. Er war sich selber weit weg. Er glaubte es nicht. Er packte seine rechte mit der linken Hand, um zu spüren, daß er wirklich dort war, wo er war. Alle schauten ihm nach. Keiner verzog das Gesicht. Sie schauten, als verstünden auch sie nicht, worum es ging oder was Maik von ihnen wollte. Maria biß sich auf die Lippen. Ihre Knie berührten sich. Maik schüttelte den Kopf und stieg ein. Dann kamen die Tränen.

»Ich bin in meine Pension nach Huisheim gefahren«, sagte Maik zu mir, »ich habe geduscht und mir ein sauberes Hemd angezogen. Ich bin hinunter zum Wirt und habe ihn gefragt, ob er mir einen Abend lang eine Krawatte leiht. Dann mußte ich ihm gestehen, daß ich keinen Krawattenknoten kann, und er machte mir einen. Was ich anhatte, paßte nicht sonderlich zusammen, aber ich dachte, das wäre gerade recht so, schließlich würde ich mich unter Leuten befinden, die auch nicht alle Tage einen Schlips umbinden und Schuhe tragen, die zum Gürtel passen. Es war ungefähr sechs. Ich fuhr den Weg, den ich mit Maria am Vorabend genommen hatte. Die Lobby war schon gefüllt mit jungen Männern und ihrer spürbaren Nervosität. Alle schauten sie zur Tür oder zur Rezeption. Sie rauchten, schwitzten, sie musterten ihresgleichen. Und sie wollten vor allem die sehen, mit denen sie es gleich zu tun haben, die ihnen zeigen würden, wie man es macht. An der Rezeption standen kräftige Männer mit ungesund wirkender Gesichtsfarbe, die meisten trugen einen Schnauzer. Sie trugen feine Dreiteiler mit Einstecktüchern. Seidenkrawatten. Auf den Krawattenhaltern blitzten einzelne Brillanten, bei zweien eine ganze Brillantenreihe. Es sah aus, als hätten sie das Hotel übernommen. Die Damen von der Rezeption saßen im Hintergrund auf niedrigen Stühlen. Ich habe versucht, mich unsichtbar zu machen, und mich auf einen freien Platz neben so einem Vokuhila gesetzt. Bis auf die Damen an der Rezeption waren nur Männer in der Lobby. Zwei, die sich kannten, redeten fränkisch miteinander, ich habe kein Wort verstanden. Nur daß ich in der Fremde war, das habe ich verstanden. Die Blicke der meisten um mich herum zielten zum hinteren Ende der Lobby, wo der Übergang zur Bar war. Ich ging ein bißchen umher. Und wirklich, da wehte eine andere Luft. Andere Leute, anders angezogen, etwas älter. Lange graue Haare. In ein Gespräch vertieft. Zwei kamen mir bekannt vor. Nach kurzer Zeit hatte ich es raus: Matthias Welke und Hedi Finckenstein. Ich hatte keinen Zweifel. Sie waren ähnlich etwas zu absichtsvoll gut drauf wie auf dem Photo in dem *IDEE*-Prospekt. Und mit ihnen zusammen in der Ecke saß Pedro, der Zeitungsleser vom Tag zuvor. Allerdings nicht im Anzug, sondern in leger hängenden Klamotten, ähnlich wie Matthias und Hedi sie trugen. Sie würdigten die schlipstragenden Neulinge keines Blicks. Es sah aus, als hätten sie mit denen gar nichts zu tun. Ich bewegte mich wieder zum operativen Geschehen in der Nähe der Rezeption. Das Ganze erinnerte mich an den Abend davor.«

Maik ging im Zimmer umher und löschte die drei Punktlampen. Es war hell geworden, wir brauchten sie nicht mehr, die Nacht war vorüber, und so gut wie vorüber war Maiks Arbeitszeit. Brinkohr hatte seine Sachen gepackt und war gegangen. Nachdem er mit dem Telephonieren fertig war, hatte er wortlos durch die Tür gewunken, was bereits wie eine besondere Freundlichkeit wirkte.

»Dann ging die Tür auf, ein schlanker Mann im weißen Anzug und ein korpulenter in dunkler Hose mit rotem Schlips und roten Hosenträgern bogen im Gleichschritt um die Ecke und stellten sich an der Rezeption auf, nicht weit von meinem Platz. Sie stellten sich den dort wachenden Anzugträgern vor, die die ganze Zeit vor Listen standen, in die sich niemand eingetragen hatte. Einige der Wartenden standen von ihren Plätzen auf. Sie spürten, gleich würde es losgehen. Und ich sage dir, es trommelte nur so. Der im weißen Anzug: Trommel. Der mit den Hosenträgern: Trommel. Die anderen Namen habe ich nicht verstanden. Was ich verstanden habe, war das Wort *Indianertreffen*. Sie schauten die Listen an. Zählten etwas durch. Ziemlich klar, wer wer war. Hermann der schlanke mit halblangen, an den Schläfen ergrauten Haaren und unglaublich flinken Augen. Ich glaube, er hat sofort gemerkt, daß ich nicht zu den anderen gehöre. Seinen kahlköpfigen, etwas träge wirkenden Bruder hatte ich schon in dem Bürofenster im ersten Stockwerk gesehen, als ich mir das Fleischfabrikgelände angeschaut hatte. Die beiden Anzugträger gingen durch eine Doppeltür und öffneten sie dann stilgerecht von innen, indem sie gleichzeitig die Flügel öffneten. Die Indianer sprangen aus ihren Sitzen, zogen weiße Karten aus ihren Taschen und wedelten damit in der Schlange vor dem Eingang. Im Nu waren sie hinter der Tür verschwunden. Matthias, Hedi und die Trommels betraten den Saal als letzte. Dann wurde die Tür geschlossen. Und ich stand immer noch da.«

Die Lobby war fast leer, die beiden gut trainierten Anzugträger hielten sich weiterhin in der Nähe der von ihnen verschlossenen Tür gleich bei der Rezeption auf. Maik ließ sich in eine der vielen freigewordenen Sitzgelegenheiten plumpsen und schloß die Augen. Versuchte auf die Reihe zu kriegen, was den ganzen Tag über passiert war. Hinter der Tür entlud sich ein stürmischer Beifall. Irgend etwas machte ihn nervös. Benetzte seine Finger mit Schweiß. Verursachte ein taubes Gefühl in der Rachengegend. Die Unruhe ging von den beiden Anzugträgern an der Rezeption aus. Sie taten gar nicht viel, aber alles gleichzeitig. Sie waren nacheinander auf die Toilette gegangen und, wiedergekommen, auf eine andere Weise als vorher präsent.

Manchmal und unverhofft erkannte Maik die Aufgeladenen, die weder ein noch aus wissen, jene, die sich selbst zuviel sind, da eine chemische Lösung sie rasen und tigern läßt, ihnen jeden Einklang zwischen innerer und äußerer Geschwindigkeit verunmöglicht. Hochkatapultierte, die mit Händen und Füßen fuchteln, um sich greifen und etwas fassen wollen, doch es ist nichts da. Sie sind zu weit weg, hin- und hergerissen zwischen nichts und niemand. Maik erinnerte sich und wandte seinen Blick ab. Es war ihm widerwärtig, Zugekokste anzuschauen.

»Ja!«

»Ich höre euch nicht.«

»Ja!«

Maik begann an den Fingern abzuzählen, wie viele Tage er clean war. Gehörte der Daumen dazu oder nicht? Er hatte kein Zeitgefühl für Tage mehr. Es war alles so lange her. Trotzdem erinnerte er sich Bild für Bild. Er wollte die Bedingungen verbessern und verschlechterte sie. Brachte sich in Form und verlor sie dadurch. Ein Anruf genügte. Kurze Zeit danach saß er in der versifften Wohnung des Nachtmenschen, umgeben von anderen. Jemand nahm einen Spiegel oder eine Kachel oder einen Aschenbecher, in dem noch niemals Asche war. Nachdem das Zeug in die Nasen gejagt war, hatte jeder etwas zu erzählen und keiner die Zeit, den anderen vorzulassen. Die Themen waren nicht dringlicher als zuvor, aber die Dringlichkeit, etwas zu sagen, sich zu äußern, war ungleich größer. Maik verlor dort meistens das Zeitgefühl und blieb länger, als er vorhatte. Alle waren erhitzt, manche schwitzten.

»Ja!«

»Ich versteh euch nicht!«

»Ja!«

»Ich versteh euch immer noch nicht!«

»Ja-a!«

Die Jas waren vielstimmig und mindestens hundert Jas lang. Im Anschluß daran war ein massenhaftes Trampeln zu hören, das unmöglich von Schuhen kommen konnte, die auf den Boden traten. Maik schaute auf die Bilder an den Wänden, um zu sehen, ob sie sich bewegten. Um so ein Geräusch zu erzeugen, mußten sie auf den Stühlen stehen. Die beiden Anzugträger schauten sich groß an. Der eine wischte mit der Hand vor seiner Stirn hin und her. Er kombinierte seine Handbewegung mit dem Abwischen des Schweißes von der Stirn. Maik ging auf die Toilette und schaute in die freien Kabinen. Nur die letzte in der Reihe hatte ein gekacheltes Bord unter dem Fenster. Maik wischte einmal über die Kacheln und hatte einen ordentlichen weißen Ring auf der Fingerspitze. Er benetzte das Zahnfleisch damit. Wischte noch einmal über die Kacheln, leckte sich das Weiße vom Finger und schluckte es hinunter. Es schmeckte widerlich bitter. Er wusch sich die Hände und betrachtete sein erschöpftes Gesicht. Die Zungenspitze war taub geworden, und er mußte lächeln. Das Zeug schlug sofort an. Er war nichts mehr gewöhnt.

Was, wie immer, gleichzeitig damit kam, war der Durst. Er bestellte an der Bar ein Wasser, das er während des Bezahlens hinunterstürzte, und bestellte ein zweites, mit dem er sich wieder auf seinen Platz setzte. Jetzt schauten die Anzugträger auch ihn an. Sie gucken andauernd hierher, dachte Maik, und sie wissen nicht, warum sie es tun. Ich aber weiß es. Maik konnte nicht anders, als sie von oben herab zu betrachten, als habe er da zwei kleine Klokokser vor sich. Er wußte, wie ungerecht das war. Er wußte aber auch, wie lächerlich sie aussahen. Und er nun auch, dachte er. Er leerte das Wasserglas und ging nach draußen. Hinter dem Parkplatz knatterten zwei Sportmaschinen, die gerade gelandet waren, die Rollbahn entlang.

Auf dem Parkplatz standen Limousinen und einige Kabrioletts; schwarz, dunkelgrau oder silberfarben. Neben dem Van des Vertretertyps waren zwei Wagen der gleichen Baureihe geparkt.

»Ja!«

...

»Ja-a! Ja-a!«

Am Ende des Parkplatzes bog Maik um die Ecke und betrat einen schmalen Streifen; typisch Rückseite. Unter ihm ein ungepflegter Rasen, zur einen Seite der Zaun des Flughafens, zur anderen die Hotelwand. Davor kopfhohes Gesträuch. Dahinter Fenster. Von dort kamen die Rufe. Auf den meisten Scheiben spiegelte sich nur der Himmel, doch drei der Fenster im Erdgeschoß gehörten zu einem Raum, der grell ausgeleuchtet war. Ein kleines Oberfenster war aufgekippt. Sie standen wirklich auf den Stühlen. Und hatten die Augen geschlossen. Sie sollten sie nicht aufmachen, wurde ihnen gesagt. Maik näherte sich dem Fenster, durch das er die Zuhörer von hinten sehen konnte, so daß sie ihn nicht bemerkten, falls sie die Augen öffneten. Neben einem Stehpult vor ihnen wippte ein blendend gut aussehender und angezogener Redner von den Fersen auf die Ballen und zurück. Das Einstecktuch reichte fast bis zum Kinn, die Manschetten bis zu den Fingerknöcheln selbst dann, wenn er, wie in jenem Moment, beide Arme von sich weg streckte wie ein Prediger, sie anwinkelte und sie wieder streckte, während er auf seine Zuhörer einredete. Diesen Mann hatte Maik noch nie gesehen. Mit geschlossenen Augen sollten sie ihren Stuhlnachbarn die Hände reichen. Wer auf einem Stuhl am Ende der Reihe stand, mußte die Hand desjenigen vor oder hinter ihm berühren. Pedro und Matthias, die rechts und links des Redners standen, sowie Hermann, Hermanns Bruder und Hedi, die an den Seiten hin und her gingen, kontrollierten die ordnungsgemäße Ausführung der Prozedur.

Maik sah, daß der Redner weitererzählte; aber er verstand kein Wort, da er es ganz leise tat. Ein Grummeln. Ein Quietschen. Ein Rumoren wie aus einer anderen Atmosphäre. Eine Reihe bewegte sich. Eine Reihe versuchte eine Bewegung auszugleichen, die am anderen Ende geschah. Sie ließen nicht voneinander los. Und sprangen in einer Reihenreaktion nacheinander von den Stühlen, um nicht hinunterzufallen.

»Er hier ist es gewesen«, rief Hedi.

Sie beugte sich zu dem jungen Mann, der am anderen

Ende des Raums auf dem Boden lag. Er hatte das Gleichgewicht nicht halten können und die anderen von den Stühlen gezogen. Alles war dahin. Alle redeten durcheinander. Pedro forderte sie auf, ruhig zu bleiben. Matthias und Hermann eilten zu der Unfallstelle und schickten den Verursacher vor die Tür.

Drüben standen die überraschten Anzugträger in einen Spalt der Flügeltür geklemmt und ließen die, die gehen wollten, hinaus in die Lobby. Der Blick des einen war wie an die Fensterfront genagelt. Maik duckte sich, ging ein paar Schritte zur Seite, hinters Gesträuch, und lugte wieder in Richtung Seminarraum. Einer der beiden Zugekoksten ließ die Jalousien an der Fensterfront hinunter. Maik schwitzte am ganzen Körper.

»Da war ein Stein«, sagte Maik zu mir, »so ein Eckstein an der Parkplatzauffahrt, und auf den habe ich mich mit dem Rücken zum Hotel gesetzt, die Hände auf die Haare gelegt und nach unten auf meine Füße geschaut. Dann hab ich die Augen zugemacht. Inzwischen war es dunkel geworden. Nach einer Weile hat mich ein Geräusch aus den Bildern des Tages gerissen, die ich wieder einmal hinter den geschlossenen Augen ablaufen ließ. Ich hab aufgeschaut und ein Flugzeug gesehen, keine große Maschine, ein kleines Propellerungeheuer. Es ist direkt auf mich zugerast. Ich hab ihm ins Gesicht geschaut. Dann ist es abgehoben und hat mir seinen Bauch gezeigt.«

Maik nahm eine Zeitschrift und eine Gewerkschaftsbroschüre vom Schreibtisch, schob sie in seine speckige Aktentasche und rückte alle anderen Utensilien gerade, die nicht ihm, sondern dem Sender gehörten. Inzwischen war es hell geworden in der Stadt, und auf der Straße vor dem

Radiohaus strömte der Morgenverkehr stadteinwärts. Jemand stapfte pfeifend den Flur entlang, kam immer näher und betrat Maiks Dienstzimmer: Ein frisch geduschter und gegelter junger Mann, dessen Eau de toilette den seit kurzem verbreiteten Zitrus-Reinigungsduft überlagerte. Beide Gerüche zusammen, so kam es mir vor, ergaben den Duft eines Arbeitstages. Die beiden grüßten einander förmlich, sie kannten sich nur vom Schichtwechsel. Der Tagessprecher setzte sich sofort an seinen Platz, Maik gegenüber, und vertiefte sich in die Sechs-Uhr-Nachrichten. Im Nebenzimmer hatte ein anderer, ebenfalls jüngerer LvD Platz genommen. Ich ging in den Flur und rauchte eine Zigarette. Ein Vorbeikommender meinte, ich möge das Fenster öffnen. In einigen Tonstudios auf der anderen Seite des Innenhofes wurde die Deckenbeleuchtung angeschaltet. Wir schlenderten zum Paternoster.

»Ich hab mir den geborgten Schlips vom Hals gerissen und bin in meine Pension zurück. Das heißt, vorher bin ich in die Pension gegenüber gegangen, in der Maria ein Zimmer gemietet hatte. Bis zu diesem Tag, wie mir gesagt wurde. Ausgecheckt.«

Die Reinigungskräfte hatten den Studiotrakt verlassen und machten sich über die Zimmer im Redaktionstrakt her, den wir durchkreuzten, um den Hauptausgang zu erreichen. Maik hatte sich einen alten Trenchcoat übergezogen, dessen Ärmelsäume zerfranst waren. In seiner zerschlissenen Farblosigkeit paßte er ganz gut zu seiner Aktentasche.

»Ich hab's dann genauso gemacht. Hab ausgecheckt und bin nach Berlin zurück. Noch in der Nacht. Mit meinem betäubten Zahnfleisch hätte ich sowieso nicht schlafen können.«

Im Empfangskabuff tummelten sich vier dicke Pförtner und versuchten eine Ablösung zustande zu bringen; aber einer stand dem anderen im Weg, und keiner konnte die Bewegung ausführen, zu der er gerade angesetzt hatte. Sie stießen Stühle fort, rammten gegen die Schreibtische und rempelten sich an. Maik gab einen Schlüssel ab, der Vorgang mußte mit seiner Unterschrift bestätigt werden; in der Zwischenzeit hatten sie den vierten aus der engen Kabine herausgedrängt. Draußen war zu sehen, daß es ein schöner Tag werden würde. Der Himmel war noch klar grau. Wolkenlos. Drei Kleinwagen lieferten sich auf der dreispurigen Straße vor dem Rundfunkhaus ein Rennen. Wir hatten den gleichen Weg: bergab, stadteinwärts.

»Unverrichteter Dinge also sozusagen, die ganze schöne Reise.«

»Aber um einige Illusionen ärmer.«

»Hilft das?«

»Ich weiß, was du von mir denkst.«

»Hat dir die Reise was gebracht?«

»Und du hast recht.«

Sein Gang veränderte sich. Eben noch hatte ich es, wie auch früher, als besonders angenehm empfunden, daß wir gleich groß waren und wirklich auf einer Augenhöhe. Er ging nun schneller; senkte den Kopf, als würde er gezogen; und sackte prompt um einen halben Kopf ein.

»Wie ging es dir danach in Berlin?«

»Danke, daß du dir Zeit genommen hast heute nacht. Nur dir erzähle ich das. Frag mich nicht, warum.«

»Du bist eben mein Erzähler. Was machst du tagsüber?«

»Ja, doch, die Reise hat auch was gebracht. Ich habe mich nie wieder über eine Line gebeugt.«

»Wann erzählst du weiter?«

»Ich ruf dich an. Tagsüber schlafe ich, was sonst?«

Maik machte eine Bewegung, so als wolle er mich umarmen, und klopfte mir ungeschickt auf die Schulter. Er sagte nichts. Er preßte die Lippen aufeinander. Wie jemand, der im Moment nicht sprechen kann. Drehte sich ab und verschwand in einem Ubahnschacht. Zwei, drei Minuten blieb ich da stehen und wartete, ob er wiederkäme. Aber er kam nicht wieder. Sich so davonzumachen, ohne ein Abschiedswort, das war seine Art zu gehen.

# SIEBTES KAPITEL

## 1

Ich klingelte an seiner Tür, er öffnete nicht. Ich rief aus der nächsten Telephonzelle an. Niemand hob ab. Ich schaute in der Schäferhundkneipe gleich um die Ecke nach, wo ich ihn schon manchesmal nach dem Einkaufen mit randvollen Tüten gefunden hatte. Er war nicht da. Das konnte vorkommen. Das kam ab und zu vor. Ich fuhr nach Hause und rief noch einmal bei ihm an. Es war so ein Reflex. Der letzte Versuch. Einen letzten Versuch wollte ich nicht unterlassen haben. Er nahm den Hörer ab und stöhnte, ich könne kommen. Die Treppen zu ihm hinauf rannte ich nicht mehr. Gemächlich nahm ich jeweils zwei Stufen mit einem Schritt.

»Wieviel willst du? Mir geht die Ware aus.«

Er hielt sich die Ohren zu, als wolle er die Antwort gar nicht hören. Er zeigte sein Leidensgesicht. Katzenjammertag. Jedes überflüssige Wort, alles, was nicht sofort klar verständlich war, drückte auf seinen Schädel. Petra stand am geöffneten Fenster und schnitt sich die Zehnägel, die nach jedem Schnipsen eine Flugbahn nach außen beschrieben.

»Tag, mein Freund.«

»Hör auf zu quatschen. Für wieviel soll es sein?«

»Wie immer.«

»Wie immer, das ist o. k.«

Er war betrunken, hatte aber auch irgendeinen Stoff in sich, der ihn klar rechnen und mit dem Messer hantieren ließ, ohne daß ein Unfall geschah.

»Ab wann wird es denn eng?«

»Frag mich nicht so was«, schrie er. »Wenn ich das wüßte, dann wäre ich ganz ruhig. Ich weiß es aber nicht. Ich weiß überhaupt nichts im Moment. Siehst du das hier?«

Es handelte sich um eine Platte seines guten Haschischs, allerdings war sie nur ungefähr zehn mal fünfzehn mal zwei Zentimeter groß.

»Das ist alles, was ich noch habe. Das kann heute abend schon weg sein, oder auch erst übermorgen, ich weiß nicht.«

Er schlug die BZ auf.

»Hast du das gelesen? Ich faß es nicht!«

Er schlug die Seite auf und machte sich in seiner Ecke an die Arbeit mit dem Messer. Ein leitender Angestellter des Bundes der Steuerzahler hatte sich bereichert, las ich in der Zeitung. Eine sechsstellige Summe. Seinem Dienstgrad stand eine Schreibkraft zu. Allerdings war die Stelle seit Jahren nicht mehr besetzt. Trotzdem veranlaßte er, daß die Monatsgehälter ausbezahlt wurden, und zwar auf sein Konto. Nun stand er vor Gericht.

»Darüber könnte ich mich so was von aufregen«, rief Tailer aus seiner Arbeitsecke.

»Die nehmen es, wo sie können«, sagte Petra. »Völlig verkommen.«

»Was grinst du so?«

»Hast du mal zusammengezählt, wieviel Steuern du in deinem Leben nicht bezahlt hast?«

»Das ist doch was ganz anderes. Was redest du für einen schlauen Scheiß?«

»Wenn bei der Sache jemand ganz ruhig bleiben kann, dann doch du. *Du* hast ihn doch garantiert *nicht* bezahlt.«

Petra schien zu überlegen, ob ich eine Gemeinheit gesagt hatte, und betrachtete mein Spiegelbild im Fensterflügel. Ich lachte; aber allein. Tailer ließ das Stück über den Tisch zu mir hin rutschen und stöhnte, er sei gerade vom Einkaufen gekommen und habe mit Kochen begonnen; was für mich hieß, aufzustehen.

»Am nächsten Wochenende bin ich entweder noch hier, oder wir sind auf den Seychellen oder auf den Malediven. Wenn ich kein dope habe, habe ich hier nichts zu tun. Wenn ich kein dope habe, werde ich hier wahnsinnig.«

»Verstehe.«

»Ruf nächstesmal vorher an.«

Er bewegte sich zur Tür. Ich folgte ihm und setzte zu einer Frage an.

»Du rufst vorher an, klar?«

»Jetzt habe ich vergessen, was ich sagen wollte.«

»Da kann ich dir helfen. Du wolltest gar nichts sagen.«

»Aha, ich wollte gar nichts sagen, meinst du.«

»Ja, genau. Tschüs, mein Lieber.«

»Tschüs, meine Liebe.«

Er mußte nicht wegfahren. Die Verabredung war noch rechtzeitig für ihn und seine Kunden zustande gekommen. Er hatte wieder Ware. Er war wieder der, der er war. Paar Wochen später kreuzte ich bei ihm auf. Vorher ein Anruf. Das war klar. Gewisse Ansagen merkt man sich. Ich habe den Mann, der mir die Tür öffnete, zuerst gar nicht wiedererkannt. Armani-Anzug, frisch rasierte Glatze, und ohne Schnauzbärtchen ganz nackt im Gesicht: Tailer. Wie seriös ihn die Brille erscheinen ließ! Was war ich neugierig. Der soziale Aufstieg meines Dealers. Was war los? Handgenähte Schuhe, ein anderer Duft in der ganzen Wohnung. Petra im streng taillierten Zweireiher auf der Sofakante in Hockstellung, als sei sie bei einer Erzählung unterbrochen worden und habe, ganz anders als ich sie kannte, trotz der Störung die Kraft, dem Gast freundlich zuzulächeln. Welche Stabilität in diesem Raum, von dem manchmal so viel Zerbrechlichkeit ausging, dachte ich und freute mich mit den beiden. Ich hatte ein totales Hippie-Gefühl. So war das doch: Jemand kam zur Tür herein und hatte etwas zu erzählen, und zwar etwas Unwahrscheinliches. Der Berliner in mir legte los:

»Euch geht's gut?«

»Frag nicht so blöd«, sagte Tailer. »Das sieht man doch wohl ... Gut, daß du hier bist ... Weißt du ... Wir spielen jetzt sozusagen ... unter anderen Regeln weiter ... Hier, dreh mal einen.«

Er schob mir ein Piece herüber, als hätten wir 1976 und nicht 1992. Wir hatten schon jahrelang nicht mehr zusammen geraucht. Aber *Dreh mal einen*, das hatte bisher immer auch geheißen: *Ich hab dir was zu erzählen*.

»Mach richtig viel rein«, sagte er von der Küche her, wo er an einer Champagnerflasche herumschraubte. Dann klingelte das Telephon. Das gefiel ihm nicht. Er machte nicht gern zwei Sachen auf einmal, und schon gar nicht, wenn es nicht seine eigene Entscheidung war, zwei Sachen gleichzeitig zu tun. Er ließ die Flasche stehen, hob den Hörer ab und schaute Petra an, als telephoniere er mit *ihr*. Kopfschütteln, Augenrollen, Vor-die-Stirn-Schlagen – die andere Seite hatte es schwer. Tailer schrie in den Hörer, als würde er drüben nicht richtig verstanden. Petra sandte ihm einen gleichbleibend harten, skeptischen, manchmal bösen Blick, den er verbal – kopfschüttelnd, augenrollend, sich vor die Stirn schlagend – an seinen Gesprächspartner weitergab. Seine Stimme wurde immer lauter, und zum Abschluß des Kurztelephonats, nach wie vor durch Petras harte Blicke angefeuert, schrie er den anderen als allerletzten Depp an – und legte auf. Das alles paßte überhaupt nicht zu seinem schicken Anzug, fiel mir auf; das war Trainingshosentailer pur.

Ich bastelte einen Dreiblatt und fühlte mich in die Zeit versetzt, als ich es mühelos aushielt, einen Nachmittag lang bei ihm zu sitzen und mir die Sonne auf den Nacken scheinen zu lassen. Petra hatte sich lächelnd ins Schlafzimmer verzogen.

»Stör ich euch?«

»Du kommst gerade richtig. Dreh einen. Hör mir zu.«

Ich kurbelte und drehte, klebte, schüttelte, schob den Filter ein und fixierte ihn. Tailer öffnete die Champagnerflasche und sagte nichts. Er hatte einen neuen Teppich gekauft. Ich schaute ihn genauer an – ganz traditionelles Wohnzimmerzeug – und sah drei Brandflecken. Tailers neue Teppiche waren nach ein paar Monaten meistens von Brandflecken durchsiebt. Er füllte zwei Kelche. Ich zündete das Bauwerk an.

»Auf die neue Zeit«, sagte er, »cheers.«

»Cheers. Wo kommst du her?«

»Ich werde vierzig«, sagte er und rülpste, »Ende des Jahres werde ich vierzig, ich glaub es nicht. Wann wirst du vierzig?«

»Ich bin schon seit sechs Wochen vierzig.«

»Wir kommen aus dem Grand Hotel ... wenn du schon so fragst.«

Sein Glas war leer.

»Oh, Gratulation, mein Lieber, nachträglich ... Weißt du, neulich ist mir klargeworden, daß ich vierzig werde, und ich habe über meine Zukunft nachgedacht ... Was hast du gedacht, wo wir herkommen? ... Weißt du, ich habe mein Leben lang gearbeitet«, sagte er und grinste, »jeden Tag bin ich für euch dagewesen, stimmt's? ... Dabei habe ich doch nie richtig arbeiten wollen! Das ist wirklich nie mein Plan gewesen. Also hier wird sich einiges verändern. Ich werde ein bißchen kürzer treten. Mehr im Hintergrund arbeiten.«

Er hatte auch seine teure Uhr um. Ich wußte, daß er eine teure Uhr besaß, er zeigte sie einmal herum. Dieser Tag mußte wirklich ein besonderer für ihn sein.

»Dann gibt's keine Sprechstunde mehr bei dir?«

»Du hast es erfaßt. Das werden andere für mich tun. Weißt du, wie lange ich den Job schon mache? Weißt du, wie lange ich diesen Streß schon habe? Nach so vielen Berufsjahren rechnen andere sich längst ihre Frührente aus. Praktisch verändert sich für dich gar nichts. Demnächst kriegst du eine andere Telephonnummer und eine andere Adresse, und dann gehst du da hin. Verstehste? Ich bin zu alt fürs Tagesgeschäft. Ich laß das andere für mich machen.«

Ich hatte ein Glas getrunken, er drei. Er verteilte den Rest der Flasche in die Gläser. Er lehnte sich nach hinten. Die Hosenbeine waren bis über die Waden gerutscht. Während seiner Rede hatte er die Jackettärmel einmal hochgestreift, als wären es Pulloverärmel. Er rülpste und öffnete sein Hemd. Auf dem Tisch lagen Möbelkataloge.

»Ich kann dir nur gratulieren! Ich finde, das ist die beste Idee deines Lebens.«

»Die anderen nörgeln alle. Die haben sich an mich gewöhnt. Mensch, was sind wir bequem geworden.«

»Ich hab mich auch an dich gewöhnt. Aber ich frag mich schon lange, wie du den Job die ganze Zeit ausgehalten hast.«

»Ich kann nichts anderes, ich kann nur das … Ich hab nichts anderes gelernt … Das heißt … Kann sein, daß ich mir ein paar Kunden bewahre. Sonst hab ich ja keinen mehr, mit dem ich rauchen kann.«

Er mußte lachen, aber in Wirklichkeit mußte er husten. Der alte Tailerhusten röhrte durch die teilweise neu eingerichtete Wohnung. Er preßte sich ein Kissen vor den Kopf, um die Ausbrüche abzumildern, er stand auf und ging umher, im Stehen konnte er besser aushusten. Draußen spuckte er Schleim in ein Becken, und mit knallrotem Kopf und diebischem Grinsen kam er zurück.

»Kannst du dich noch an Harri erinnern?«

»Ihr seid ein perfektes Paar gewesen, damals.«

Tailer nahm einen tiefen Zug. Ich hatte Maik, meinen Freund, meinen Erzähler, ein paar Monate lang nicht mehr gesehen. Er hatte mich nach unserer Nacht im Radiohaus nicht angerufen. Ich ihn schon. Sein Anrufaufzeichner erzählte mir eine kurze Geschichte, ich gab meinen Senf dazu, jedoch folgte nichts. Aber ich konnte mir Harri bei *IDEE* in Sommersell noch so vorstellen, wie er mir aus Maiks nächtlicher Erzählung in Erinnerung geblieben war. Tailer gegenüber hatte ich nie etwas von Maiks Geschichte erwähnt.

»Harri war neulich hier. Er hat wiedermal fünf vor zwölf den Hals aus der Schlinge gezogen.«

Ich schluckte.

»Unser Harri hat sich genau auf den Verein eingelassen, über den jetzt alle Zeitungen schreiben, und zwar übelst schreiben.«

Ich lese durchaus Tageszeitungen. Und auch regelmäßig. Hin und wieder jedoch, entweder weil ich die vom vorletzten Tag noch nicht durch habe, oder weil mir der Sinn dieses Informationenfressens entgeht, schaffe ich es, diese Gewohnheit für ein zwei Wochen abzulegen. Ich wußte absolut nicht, was Tailer in den Zeitungen gelesen oder im Fernsehen gesehen haben könnte.

»Harri ist in so 'ner Sekte gelandet, weil er seine Schulden abarbeiten mußte. Vor ein paar Tagen haben sie die Chefs von dem Laden hochgenommen, einen Mann und eine Frau, wegen systematischer Kindesmißhandlung. Da haben sie Bilder gezeigt, ich sag dir ... Wieso haben wir nichts zu trinken?«

Er zog sein tolles Jackett aus, warf es auf eine Stuhllehne und machte sich an die nächste Flasche. Plopp. Schneller geht so was nicht.

»Hast du nichts von mitbekommen?«

»Nicht die Spur. Ist Harri wieder zurück, oder ist er hiergeblieben?«

»Er mußte noch mal hin. Weiß nicht, wo er steckt. Dann ist das weitergegangen, ich sag dir. Man merkt sich auf einmal Namen, die man nie gekannt hat, einfach weil es spannend ist. Kurz danach ist eine andere Landkommune durchgeknallt, in Huisheim, so heißt das Nest. Gehört zu den Leuten, bei denen Harri war. Die wollen jetzt freies Geleit haben, sagen sie, oder sie sprengen sich in die Luft. Wieso weißt du das alles nicht?«

»Freies Geleit wohin?«

»Weiß ich nicht. Die kommen da nie im Leben raus. Ist alles umstellt, mit Panzern, mit Feuerwehr, an den Rändern Scharfschützen und oben drüber Hubschrauber.

Tailer schaltete den Fernseher ein und zappte durch die Programme. Bei einem Nachrichtensender machte er halt. Ein Korrespondent sagte: »Die Polizei, soviel ist zu erkennen, spielt auf Zeit, um die Sektenführer zu zermürben.

Zurück ins Studio.« Im Hintergrund erkannte ich den Turm, von dem Maik erzählt hatte. Der Nachrichtensprecher wechselte das Thema.

»Die meisten sollen Berliner sein, hat Harri gesagt.«

»Ich weiß. Toto und der Bär sollen da auch gelandet sein.«

»Ach, erzähl mir nichts.«

»Wenn ich es dir sage.«

»Glaub ich nicht.«

»Wann hast du die beiden zum letzten Mal gesehen?«

»Ist ein paar Jahre her.«

»Tja. Dann werde ich mich mal informieren gehen. Gib mir doch gleich die neue Nummer.«

»Welche Nummer?«

»Oder die Adresse. Da, wo ich demnächst hingehen soll.«

»Halt mal, das ist noch nicht soweit, das ist nur schwer in Arbeit.«

Logisch, daß es auch Anlässe gibt, um mit dem Zeitungslesen und Fernsehnachrichtenschauen wieder zu beginnen. Ich rief Maik an. Er war nicht da. Als sein Anrufaufzeichner ansprang, legte ich auf. Ich versorgte mich mit Tages- und Wochenzeitungen und versuchte, mich auf den Stand der Dinge zu bringen.

Matthias Welke und Hedi Finckenstein, die Geschäftsführer von *IDEE* in Sommersell, waren »nach Hinweisen aus der Bevölkerung« angezeigt worden. Um Beweise zu sammeln, hatte die Polizei das *IDEE*-Gelände eines Morgens durchsucht. Matthias und Hedi waren verhaftet worden. Der Verdacht, daß in Sommersell Kinder mißhandelt worden seien, hatte sich nach der Durchsuchung erhärtet.

Eine Woche später wurden Landkommunen bei Bamberg, in der Nähe von Stuttgart und in Regensburg durchsucht. Auch dort war die Polizei fündig geworden und nahm die Anführercliquen in Haft. Nachrichtentechnisch war das eine ziemliche Saure-Gurken-Zeit, so daß Zeitschriften und Magazine längere Reportagen und Photostrecken über *Sekten in Deutschland* brachten. Die Schlafzellen der Arbeitskinder in Sommersell glichen übereinandergestapelten Hundehütten.

Dann muß Udo Panik bekommen haben. Oder Wind. Erst Wind, dann Panik. Er rechnete mit einer Durchsuchung in Huisheim, und damit lag er völlig richtig. Allerdings hatte die Polizei bei ihrer Morgengrauenaktion nicht damit gerechnet, auf eine bis an die Zähne bewaffnete Landkommune zu treffen. Sie schossen das Durchsuchungskommando in die Flucht.

Seitdem hielt Udo Funkverkehr mit der Polizei. Seitdem war das Huisheimgelände umstellt. Seitdem forderte Udo freien Abzug; wenn nicht, so seine Drohung, würde er das gesamte Gelände in die Luft jagen. Seitdem war das Örtchen Huisheim von Fernsehteams besetzt. Das zog sich schon drei Tage hin. Die Polizei fahndete nach dem Privatdozenten Hermann Trommel und dem Unternehmer Werner Trommel, den vermutlichen *Hintermännern*. Beide seien verschwunden. Ich hörte stündlich in einen Radionachrichtensender hinein. Die Situation blieb stabil. Die Polizei spielte auf Zeit und hoffte, Udos Leute zu zermürben.

*Das ist der Wahnsinnige!*

Einverstanden! dachte ich, so wie der Typ neben der Schlagzeile aussah. Als erstes fiel mir eine Ähnlichkeit mit

Charles Manson auf – Vollbart, lange Haare, wahnsinniger Blick. Aber dieser Wahnsinnige auf den Titelseiten aller Tageszeitungen war Udo. In diesen Tagen war es nicht möglich, ihn zu übersehen. Und ab sofort wollten jede Zeitung, jeder Sender in Deutschland wissen, wer Udo war, wo er herkam, was er für eine Kindheit hatte, mit wem er einmal Eis gegessen oder Bomben gebastelt hatte.

## 2

Drei Wochen später nahm ich die Stufen zu Tailers Wohnung. In der Zwischenzeit hatte er nicht mich und ich nicht ihn angerufen. Als ich den Besuch einer Freundin erwartete, die auch in der Fremde gern Gras rauchte, kam ich wieder auf ihn und wählte seine Nummer. War froh, ihn überhaupt erreicht zu haben. Ich war auf alle möglichen von ihm selbst angedeuteten Veränderungen vorbereitet – aber nicht darauf, daß er sich sofort und mißgelaunt wie immer meldete und auf meine Anfrage hin, ob ich ihn besuchen dürfe, völlig normal mit *Ja* antwortete.

Er empfing mich mit einem schmerzverzerrten Gesicht, als gingen von der Türklinke, die er hielt, Stromschläge aus. Mit der anderen Hand hielt er sich den Hinterkopf. Begrüßte mich mit schwächlicher Stimme. Drückte die Tür hinter mir geräuschlos ins Schloß.

»Nicht so laut … Bitte.«

»Ich hab doch gar nichts gesagt.«

»Doch, du hast was gesagt.«

»Was hab ich denn gesagt?«

»Leiser bitte.«

»Was ist los mit dir?«

»Ich hab einen Kopf … So einen Kopf hab ich noch nie gehabt … Setz dich.«

Es klingelte. Er schleppte sich zur Tür und kam mit einem jungen Mann wieder, der sich mir gegenüber auf einen Stuhl setzte. Tailer holte aus einer Schublade ein Backgammonbrett, klappte es auf und legte es zwischen sich und seinen Gast. Sie wirbelten die Steine in die richtigen Positionen und begannen sofort mit dem Steineschieben. Ich schaute dem ersten Spiel zu.

»Endlich wirken die Aspirin«, sagte Tailer.

»Was ist mit den Veränderungen, von denen du erzählt hast? Wann geht's los?«

»Was für Veränderungen?«

»Na, du hängst an irgendeinem Swimmingpool herum, schaukelst dir die Eier, und deine Kunden gehen zu deinem Lakaien, der die Arbeit für dich macht. So war's doch gedacht, oder?«

»Nee, das hat sich zerschlagen. Kannst auch in Zukunft zu mir kommen.«

Der junge Mann hatte auch das zweite und dritte Spiel gewonnen. Die Regel war, daß der Unterlegene, also Tailer einen Joint ausgeben mußte.

»Hier, dreh den mal«, sagte er zu seinem Gast, »ich hab keinen Bock drauf. Wenn ich einen Zweiblatt drehe, sehe ich heute einen Vierblatt.«

Der junge Mann begann mit dem Zerkrümeln.

»Was kann ich für dich tun?«

»Ich krieg Besuch. Sie raucht am liebsten Gras. Hast du welches?«

»Da muß ich ja meinen Giftschrank aufmachen.«

»Wieso hat sich das zerschlagen?«

»Ich entscheide so was nicht allein. Bin ja selber abhängig. Mein Chef, um es mal so zu sagen, mein Chef hatte einen, ich nenn es mal beruflichen Aufstieg in Aussicht. Er sollte den Job seines Chefs machen. Ich hätte dann seinen gemacht. Und jemand anderer meinen. So war das eigentlich gedacht. Alle gehen einen Schritt nach vorn. Aber sie haben einen von oben in die freie Stelle reingedrückt. Da war es dann aus mit der Vorstellung, daß wir alle schön nachrücken.«

Er hielt zwei Cellophantütchen gegen das Licht, er nahm eines an die Nase und verdrehte die Augen, er nahm das andere an die Nase und verdrehte die Augen noch mehr.

»Nimm dir eines.«

Nun ja, das Zeug roch eben wie Gras.

»Gib mir dieses. Wieviel kriegst du?«

»Ich kann dir dafür nichts abnehmen. Bin froh, daß ich es los bin.«

Sie spielten weiter.

»Törnt das denn auch?«

»Ja, es soll törnen. Probier's doch aus.«

Ich drehte schnell einen Ministick und kostete das vertrocknete Kraut. Die beiden spielten so schnell, daß ich ihren Handbewegungen nicht mehr folgen konnte. Das Zeug schmeckte widerlich, es schmeckte nach Balkon. Doch hielt der leichte Nebel im Kopf ziemlich lange an. Tailer verlor auch die nächsten drei Spiele.

»Du hast übrigens recht gehabt«, sagte er. »Hattest du nicht gesagt, Freund Toto wäre möglicherweise auch bei dieser durchgeknallten Sekte? Hast du die beiden Irren gestern im Fernsehen gesehen?«

»Toto und den Bärn?«

»Wen sonst … Erst haben sie sie ja festgenommen, nachdem sie sich ergeben haben. Nach einer Woche wieder freigelassen. Dann sind sie gleich von 'ner Talkshow abgegriffen worden. Haben sie mitgemacht. Sich da hingesetzt und auf blöd getan, als hätten sie von allem nichts gewußt. Ansonsten die Reuenummer, wie leid ihnen das alles tun würde, was da passiert ist undsoweiter. Die werden auch noch berühmt dafür!«

»Nur für eine Woche.«

3

Ich habe jedesmal eine Nachricht hinterlassen. Er hat nie zurückgerufen. Trotzdem haben wir hin und wieder telephoniert. Ab und zu ging er ganz normal an den Apparat. Manchmal telephonierten wir stundenlang, und manchmal schien er es besonders zu genießen, dem Zuhörer nicht gegenüberzusitzen. Mir kam es bald so vor, als verstünde ich ihn besser, wenn ich ihn nicht sah, sondern nur hörte. Uns konnte so gut wie nichts unterbrechen. Einmal pro Stunde schaute ich auf die in mein Telephon eingebaute Uhr und sagte ihm, wie lange wir schon redeten, und jedesmal staunten wir. Manchmal aber wollte auch ich ihn nicht treffen, ihn oder jemand anderen, niemanden. Doch meistens war er es, der zuerst sagte, heute bliebe er zu Hause, so daß ich das nicht mehr zu sagen hatte. Einmal prahlten wir mit der Höhe unserer Telephonrechnungen.

Ich fragte ihn, was er beruflich täte. Daß er nicht mehr die Nachrichten sprach, hatte ich mitbekommen. Wenn ich nachts an ihn dachte, schaltete ich das Radio ein, um seine Stimme zu hören. Aber schon wenige Monate nach unserem letzten Treffen im Radiohaus war er nicht mehr zu hören. Damals war es mir noch nicht möglich, ihn zu einem

Treffen zu überreden. Er sagte, er hätte viel zu tun, machte aber keine genaueren Angaben, was. Oft sagte er, er könne dieses oder jenes nicht tun, weil er regelmäßig diesen oder jenen Termin oder irgendeine strenge Angewohnheit, einen Vorsatz habe. Wenn ein Streß zu groß wurde, legitimierte eine Sommergrippe partielle Absenz. Er nahm sich diese Frühjahrs-, Sommer- und Herbstgrippen zweimal pro Jahreszeit. Maik zog sich zurück, ganz allmählich, so daß man es nicht bemerkte. Nur dem einen oder anderen, der ihn längere Zeit nicht gesehen hatte, ist eine Veränderung an ihm aufgefallen, die jedoch nicht eindeutig zu benennen war, denn in Gesellschaft war Maik Steiner durchaus gesellig. Nur daß er immer seltener in Gesellschaft war, das bekam niemand recht mit.

Er nahm sich auch Zwischengrippen und kleine Unwohlheiten; selbst nachdem er eben noch sein Wohlbefinden verkündet hatte. Dann schrieb er mir eine Postkarte, daß er zur Erholung erst einmal für ein paar Tage an die See fahren müsse. Er blieb länger, blieb immer länger als angekündigt, und kaum in Berlin angekommen, klagte er über die nächste Unpäßlichkeit, die ihn nicht aktiv werden lasse. So mußte er sich in der Stadt sofort wieder in seine Wohnung zurückziehen, bis ihm die Decke auf den Kopf fiel und er über Kopfschmerzen klagte, die er mit einer Spezialtherapie bekämpfen müsse – die ihn wieder für Wochen außer Gefecht setzte. Er tat nichts mehr.

»Zweimal in meinem Leben habe ich mich umgedreht«, sagte Maik zu mir. »Ich bin sogar ein paar Schritte zurückgegangen und habe versucht, die Spuren zu betrachten, die ich auf meinem Weg hinterlassen hatte. Aber als ich dann vorwärts weitergehen wollte, war vor mir der Weg verschwunden. Seitdem schaue ich nach hinten, wenn ich vorwärts, und nach vorn, wenn ich rückwärts gehe. Wenn ich mich auf Vergangenes konzentriere, muß ich zum Horizont schauen. Wenn ich etwas über die Zukunft wissen will, muß ich nur eine Zeitung vom Vortag aufschlagen.«

Maik sagte immer öfter merkwürdige Dinge, um seinen Zustand oder Stillstand zu beschreiben. Er saß in einem Zug und wartete und wartete. Dann fuhr der Bahnhof ab, und der Zug blieb stehen ... Maik sagte, er könne seit Jahren schon keinen Film mehr ohne Abspann sehen. Ich erwiderte, es gehe vielen so, man sehe es in den Kinos, wenn ein Großteil nach dem Ende des Films sitzen bleibe, um die Namen der Setfriseure und Fahrer zu lesen. Nein, sagte Maik, bei ihm sei das etwas anderes, und es geschehe ihm gar nicht im Kino, sondern zu Hause, vor dem Fernsehgerät, wo ein- bis zweimal in der Stunde ein Abspann laufe; wenn man zappe, noch öfter. Es sei ihm irgendwann zur Gewohnheit geworden, die Namenfließbänder anzuschauen, nicht weil er wissen wollte, wer das oder jenes in dem Film gemacht habe. Er habe die Namen anschauen müssen, um jemanden wiederzuerkennen, das heißt um den Namen von jemandem, den er zu kennen meinte, wiederzulesen. Von irgendwann an hatte er das Gefühl, niemanden mehr wirklich zu kennen. In seiner Erinnerung aber kannte er noch einige, und nicht wenige. Deren Namen suchte er wieder, überall. In der Zeitung studierte er das Impressum. Er las die Meldungen der Amtsgerichte, wer pleite war, wer ein Geschäft oder eine Firma eröffnet hatte, er achtete auf jede Namensliste, die er lesen oder sehen oder im Radio hören konnte. Jedesmal habe sich dabei sein Gefühl verstärkt, daß er wirklich niemanden mehr kenne, daß er allein sei.

»Wenn ich eine Straße entlangging und den Passanten in die Augen schaute, dann ist es mehrmals vorgekommen, daß die von mir Angeschauten davonrannten. So als wollten sie die Luft verlassen, die ich, der ihnen entgegengekommen war, an dieser Stelle verbreitet hatte.«

Man konnte sich mit ihm nur noch über Fernsehsendungen oder über Sport aus Fernsehsendungen unterhalten, anderes nahm er nicht zur Kenntnis. Herausgeschleudert aus allen Theorien und Versuchen, die Welt zu verstehen. Sie war, wie sie war. Sie war im Fernsehen. Er konnte sich genau an das elfte Spiel im vierten Satz erinnern, er machte sogar die Handbewegung des Tennisspielers nach, nachdem dessen Cross aus gegeben worden war. Er konnte nur noch die Sprache, die im Fernsehen gesprochen wurde, einschließlich der Fachsprachen für bestimmte Sportarten. Ab und zu schwante ihm, daß er genau so ein Stumpfkonsument geworden war, wie er sie früher als Wetterberichtmann verachtet hatte. Doch es wurde ihm nicht klar. Es war nur einer von vielen Gedanken, die unterscheidungslos durch seinen Kopf rauschten, so daß er wichtige von unwichtigen Gedanken nicht trennen konnte. Ein Unentschiedener in einer Welt der Unterscheidungen.

Manchmal verstand ich ihn überhaupt nicht, wenn wir telephonierten. Er sagte, er sei erleuchtet. Beim ersten Mal fragte ich nach. Er sprach ziemlich wirr von einem Treffen mit einem Meister, das ihm die Augen geöffnet habe. Und ich habe nicht nachgefragt, wenn ich etwas nicht verstanden habe. Wenn er später hin und wieder von seinem Meister erzählte, sah ich kein Bild vor mir, sondern ich dachte nur: Jetzt ist er durchgeknallt. Ich habe ihn zehnmal gefragt, was er arbeitet, womit er sein Geld verdient, und er hat nicht geantwortet. Und er hat mir zehnmal gesagt, daß er erleuchtet sei, obwohl ich nicht danach gefragt hatte.

»Bekommst du Arbeitslosengeld?«

»Nein. Ich habe immer alles auf Rechnung gemacht und nie einbezahlt.«

Dann mußte er zum Sozialamt. Widerwillig erzählte er davon. Ich merkte, daß er es eigentlich nicht erzählen wollte, daß er aber auch nicht mit einem anderen Thema anfangen konnte, als sei nichts gewesen.

»Ich hab mir meine besten Sachen angezogen. Aber keines der Teile war unbeschädigt. An der Hose kein Bundknopf. Ich bin kein Schneider. Die Jackettrevers bogen sich nach außen wie Eselsohren. Der Mantel an den Ärmeln ausgefranst. Ich stand vor dem Spiegel und sah einen, der sich mit teuren Sachen schlecht angezogen hatte. Die meisten, die in den Gängen des Sozialamts warteten, waren mit billigen Sachen gut angezogen.«

»Komm, gehen wir ein Bier trinken.«

»Wir gehen doch nie Bier trinken.«

»Dann schlag was anderes vor.«

»Laß uns zusammen zu Mittag essen.«

In der Mitte des Thekenhalbrunds die von allen Seiten einsehbare Kochstelle; riesige Abluftmaschinen darüber, die ein Dauergeräusch abgaben. Wenn ein Gast dem Koch etwas sagte, bekam der höchstens dessen Lippenbewegungen mit, weil er akustisch rettungslos verloren hinter dem Absaugwall und der zischenden Bratstelle stand. Wenn man von seinem Thekenplatz über die Brat- und Brutzelstelle hinaus in den Raum schaute, blickte man auf einen gutsortierten und meistens recht leeren Supermarkt: Das Erdgeschoß eines stadtbekannten Kaufhauses in der Mitte der

Weststadt. Die Atmosphäre von Wartehallen oder Abfluglounges, nur fehlte der Kerosin-Smell, und ein bißchen auch die Nervosität von Reisenden.

Warum sitzt man da so, wie man da sitzt? Auf Barhokkern an einer Theke. Warum nimmt man dort Nahrung zu sich? Warum bleibt man gern noch sitzen, lange nachdem man gegessen hat? Warum kommt man wieder, wenn man einmal dagewesen ist? Warum beginnt man von Anfang an sinnlos erscheinende Gespräche mit den Bedienungskräften? Warum entsteht nach einiger Zeit unweigerlich das Gespräch mit den Thekennachbarn, die sich ihrerseits im Gespräch mit dem Koch befinden?

Fragen, die ich mir stellte, weil ich etwas früher als Maik dort ankam. Der Halbkreis war halb besetzt, und ich hatte das Gefühl, der einzige zu sein, der nicht Stammgast war. Einige Hocker neben mir saßen zwei Angestellte des Hauses und unterhielten sich über die Theke hinweg mit einer Köchin. Wir würden kein Mittagessen haben. Es war bereits sechzehn Uhr. Nur wenige Gäste aßen. Aber jeder hatte ein Glas vor sich stehen.

»Genau meine Ecke, woher hast du das gewußt, hier sitze ich sonst auch immer.«

»Ich sitze meistens in dieser Ecke, wenn ich hier bin.«

»Hab dich hier noch nie gesehen.«

»Ich bin nicht jeden Tag hier. Früher öfter, jetzt kaum.«

Er hatte die Kleiderordnung der Angestellten und Anzugträger verlassen, der er jahrzehntelang gefolgt war, wenn auch auf abschüssiger Bahn, so daß er zuletzt kein Teil mehr trug, das nicht geflickt werden mußte. Aber nun: Kein Jakkett, kein Kragenhemd, keine Hose, die schon mal eine Bügelfalte kannte, keine Stadtschuhe. Nicht mal einen Scheitel hatte er mehr. Er war immer ein Scheiteltyp gewesen. Standen mehrere Gleichgroße beisammen und er mittendrin, so erkannte man ihn schon an seinem akkurat gezogenen Scheitel, von vorn, von jeder Seite, auch von hinten. Nun aber ganz in Kord, hellbraun und ocker, das feiner gerippte Hemd hing über der Hose. Selbst die Schlappen, die er mit Socken trug, waren aus Kord gearbeitet. Sein Haar war nie besonders dick gewesen. Er hatte es trotzdem wachsen lassen, so lang, daß er es zu einem Zopf zusammenbinden konnte. Während ich ihn beobachtete, war Maik immer noch damit beschäftigt, die letzten in der Runde, die noch nicht zu ihm hingeschaut hatten, mit einem grüßenden Blick zu versorgen. Seine Armgelenke waren mit Lederbändern umwickelt, die noch ziemlich neu aussahen. Die Köchin erzählte ihren Kolleginnen von ihrem Urlaub. Sie erzählte haarklein, erwähnte Stunde für Stunde, und selbst den nebensächlichsten Vorfall schien sie nicht auslassen zu können.

»Tag, Herr Doktor.«

Er gab erst Maik, dann mir die Hand.

»Aber vor dem Umbau.«

»Wie?«

Ich zögerte, ihm meine zu reichen. Er war schließlich der Koch; und er war im Dienst.

»Du bist hiergewesen, bevor sie die Etage umgebaut haben.«

»Ja, früher, als hier nicht nur zwei Stände waren, sondern zehn oder fünfzehn.«

»Da war es zu voll. Jetzt finde ich es besser.«

»Wie immer, Herr Doktor?«

»Wie immer.«

Der Koch schüttete vor seinen Augen einen südafrikanischen Cabernet ins Glas. Die Köchin unterbrach ihre Urlaubserzählung und schaute die beiden Angestellten fröhlich an.

»Und wann geht es los?«

»Morgen ganz früh. Um drei Uhr müssen wir schon am Flughafen sein.«

Sie hatte also ihre Urlaubsreise Stunde für Stunde und Kleinereignis für Kleinereignis nicht nacherzählt, sondern sie hatte beschrieben, wie es Minute für Minute werden würde am nächsten Tag, wenn sie mit ihrer Familie auf die Ferieninsel fliegen würde. Sie kannte ihren Urlaub bereits, und am nächsten Tag käme es wohl darauf an, daß ihr Urlaubswissen von der Urlaubswirklichkeit bestätigt würde.

»Wie siehst du denn aus«, fragte Maik.

»Wie sehe ich aus?«

»Bißchen erschöpft, würde ich sagen.«

*Wie siehst du denn aus?* Das habe ich mich jeweils aufs neue gefragt, wenn ich Maik nach Jahren wiedergetroffen hatte; aber ich hatte es ihm nie so ins Gesicht gesagt. Dies zu tun schien ihm vorbehalten zu bleiben. Ich wollte mich darüber amüsieren, aber ich merkte, daß ich schockiert war. Denn alles, was ich heraushörte, war: *Du siehst scheiße aus.*

Ich bemerkte, daß mich die ganze Zeit lang, die ich da saß, ein älteres Ehepaar beobachtete. Beider Blicke unterteilt: Er schaute auf die Klamotten, sie in die Augen. Ich fragte Maik, was das Sozialamt für ihn tun konnte. Er wollte davon nicht sprechen und schaute mich an, als hätte ich ihn mit einem anderen verwechselt. Aber ich wollte wissen, was er tat, arbeitete, wovon er lebte.

»Restjobs.«

»Was sind Restjobs?«

»Das ist so eine Art finaler Rettungsschuß.«

»Ich versteh kein Wort.«

»Man hat eine Arbeit, dann hat man einen Job. Dann hat man keinen Job mehr. Und dann übernimmt man einen Restjob. Man arbeitet jetzt nicht mehr für eine Firma, und es gibt keinen Arbeitsvertrag. Jemand braucht Hilfe und bezahlt sie. Prinzip der Restjobs: Jeder macht das, was er kann.«

»Zum Beispiel?«

»Frau, sechzig, Rentnerin. Hängt jede Stunde, die sie Zeit hat, im Internet, und sie hat viel Zeit. Am Internet interessieren sie die Chat-Räume. Ihr Ordnungssinn zwingt sie, zu notieren, wann sie mit wem gechattet hat, worüber, und welche Informationen der andere über sich gegeben hat. Sie hat bei diesem dauerhaften Beteiligtsein in ihren Lieblings-Chaträumen selten die Zeit, sich etwas zu notieren, sie muß agieren, Phantasie beflügeln und beflügeln lassen. Die virtuelle Lust führt ins reale Chaos. Also notiert sie nur knapp die Stichworte, und einmal in der Woche kommt ein Gehilfe, der die neuen Erkenntnisse in die Ordner überträgt. In irgendeiner trüben Stunde, zu der sie nicht ins Internet will, schaut die Frau sich an, mit wem sie sich in den vergangenen Wochen unterhalten hat, und versucht sich vorzustellen, was das für Leute sein mögen, mit denen sie ihre Zeit verbringt. Der Job des Gehilfen, der jeden Freitag die Dateien aktualisiert, ist ein Restjob. Sie könnte die Arbeit selbst erledigen, aber es ist nicht ihr Ding. Sie hat das Geld und die Lust, es jemandem zu geben, der es braucht.«

Inzwischen hatte sich ein junger Mann neben das ältere Ehepaar gesetzt und ein Rumpsteak bestellt. Die ganze geteilte und gebündelte Aufmerksamkeit des Paars galt nun diesem Nachbarn. Kein Zweifel: Er war soeben von ihnen adoptiert worden.

»Oder stell dir einen Stadtplaner vor, der von Grund auf schusselig ist. Das kommt öfter vor, als du denkst. Ein Genie, aber ohne Hilfe völlig aufgeschmissen. Er kann sich nichts merken. Er kann nichts übersichtlich notieren. Er findet nichts wieder. Er kann blendend organisieren, nur seinen eigenen Betrieb nicht. Die große Nummer, die sich schnell mal eine Sekretärin einstellt, die in einem hübschen teuren Büro herumsitzt, ist er nicht. Was er braucht, ist ein unauffälliger Berater. Einer, der ihm die aktuellen Unterlagen hinschiebt, ihn an Telephonate erinnert und sowieso alles abnimmt, was mit Behörden zu tun hat. Das ist nichts für Genies. Das Stadtplanergenie braucht einen, der nicht mit eigenen Ideen stört. Ich störe nicht mit eigenen Ideen.«

Er trank die Hälfte seines Glases mit einem Zug aus.

»Na, wie soll ich denn das verstehen«, sagte die Köchin mit einem Aufseherinnenton in der Stimme; eine Faust demonstrativ in die Taille gepreßt und mehr in als auf den Teller schauend, den sie einem dürren Mann weggezogen hatte.

»Das Essen war gut, kein Problem. Ist nur nicht mein Tag heute.«

»Na, dann ist ja gut«, sagte sie und versenkte die Speisereste in einem Beutel. Dann wandte sie sich wieder dem Kunden zu, mit dem sie sich vorher unterhalten hatte.

»Schon aufgegessen? Fein. Noch ein Bierchen?«

»Gern.«

»Ich sage dir«, sagte Maik zu mir, »wenn das so weitergeht, dann gibt es bald mehr Restjobs als wirkliche Jobs.«

Ich fragte mich, wie man dazu kommen kann, sich freiwillig so behandeln zu lassen, wie die Kunden es sich von dieser Köchin bieten ließen. Das ältere Ehepaar gab dem

Adoptierten einen Wein aus. Inzwischen hatte ein Paar fertig gegessen und begonnen, sich zu unterhalten in einer Lautstärke, daß alle in dem Halbrund ihnen zuhören konnten. Der Koch und die Köchin gingen ihre freien Tage durch. Der laut sprechende Mann hatte gerade ein Rumpsteak verdrückt und noch Hunger. Seine Frau versuchte ihn ebenso laut davon zu überzeugen, daß er satt sei, und er gab sich damit zufrieden.

»Genau wie mit dem Rauchen«, sagte er, »kann ich auch nie genug von bekommen.«

»Was sagst du dazu?«

Ich hörte nicht mehr hin, was Maik sagte. Ich weiß nicht, ob er überhaupt etwas sagte. Mich interessierten diese Gestalten an der Theke, die dasaßen wie eine zusammengewürfelte Selbstverständlichkeit. Zwei Männer in dunklen Anzügen ließen sich aus der Weinabteilung eine Flasche bringen und tranken davon zum Tatar. Entweder war das für uns kein Ort zum Reden, oder ich hatte vorübergehend das Interesse an Maik und seinen Geschichten verloren. Normalerweise tippte ich Maik in solchen Situationen mit einer Frage an, und sein Erzählfluß kam wieder in Gang.

»Mein Mann braucht einen Schnaps«, rief die laute.

Der Koch sprang hinter der Kochstelle vor und begann einen Schuhplattler zu tanzen. Bei jedem Schlag gegen den eigenen Hinterkopf zählte er eine der fünf Schnapssorten auf, die er im Angebot hatte.

»Einen Malteser«, sagte der Mann.

Maik fing mit dem Mann ein Gespräch über Schnapssorten an. Offenbar hatten sich zwei Kenner gefunden. Aber auch deren Fachsimpelei hörte ich nicht zu. Saß ich überhaupt neben Maik? Etwas war anders als sonst. Ich spürte, daß ich dort an der Theke nicht mehr sein Zuhörer war. Ja, ich saß dort neben Maik. Aber nicht mehr neben meinem Erzähler.

»Du weißt ja sicher, was aus Udo geworden ist.«

»Ich habe nicht viel Zeit. Habe noch einen Termin. Einen trinke ich noch. Du auch?«

»Hast du auch jeden Tag ferngeguckt?«

»Klar. Wer hat das nicht getan. Was für ein Ende.«

Alle Bewohner bis auf Udo und Vera hatten sich während der Belagerung durch die Polizei ergeben. Nur die beiden waren in ihrem Turm geblieben und hatten damit gedroht, das Gelände in die Luft zu sprengen. Die Polizei hatte schnell herausgefunden, daß die verschiedenen Häuser nicht mit Sprengsätzen versehen waren. Die Belagerung konzentrierte sich nur noch auf den Turm. Eines Morgens haben sie ihn gestürmt. Udo und Vera waren schon stundenlang nicht mehr am Leben. Vergiftet.

»Gut, daß sie die Trommels einkassiert haben.«

Hermann und sein Bruder, der auch wegen betrügerischer Immobiliengeschäfte gesucht wurde, fielen den Fahndern auf einem spanischen Flughafen in die Hände. Sie gaben an, auf dem Weg nach Portugal zu sein. Beim Überprüfen der portugiesischen Adresse stellte sich heraus, daß sich in der Villa eines World-Music-Produzenten eine als Ferienlager getarnte Arbeitsstätte für Kinder befand. Die Kinder, die aus den einschlägigen deutschen Kommunen dort hingebracht worden waren, taten nichts anderes als zuvor: Sie stellten den modischen Plunder her, den man am Rand von Szeneveranstaltungen oder auf den Boulevards der großen Städte kaufen konnte.

Ich hatte erwartet, daß Maik auf dieses Thema anspringen und mir noch mehr Information liefern würde. Aber er blieb einsilbig, fast gleichgültig gegenüber meinen Fragen um die Ereignisse in Huisheim, von denen das ganze Land wochenlang gesprochen hatte. Ich schaffte es nicht mehr, meinen Erzähler zum Reden zu bringen. Es hatte etwas von formaler Höflichkeit, als er sich nach mir erkundigte.

»Und du? Schreibst du immer noch?«

»Hast du Sebastian noch mal wiedergesehen?«

Er lächelte.

»Kannst du überhaupt was anderes?«

Er lachte mich aus. So kam es mir vor.

»Ich bin dabei, das alles aufzuschreiben, was du mir erzählt hast.«

»Das ist doch nicht dein Ernst!«

»Willst du es lesen, wenn es fertig ist?«

Er lächelte wieder, aber irgendwie nicht ganz echt. Oder auf eine Art, die ich an ihm nicht kannte. Er hatte sich verändert.

»Ich hab damit nichts mehr zu tun.«

»Du hast damals gewollt, daß ich es aufschreibe.«

»Schreib nur, schreib.«

Er schien wirklich nichts mehr damit zu tun zu haben. Er war nicht begeistert. Er war nicht beleidigt. Er war irgendwo anders.

»Ich muß gehen«, sagte er, »habe einen Termin. Wir telephonieren?«

Manche Situationen dieser Tage fielen mir nur deswegen auf, weil ich immer noch in Maiks Geschichte drin war. Und sie in mir. Ich bemerkte, was ich gewöhnlich übersah:

Ich habe noch Zeit und Hunger und esse auf die Schnelle eine Wurst. Stelle mich hinter einem Jungen an, zehn Jahre alt. Kein Deutscher; offenbar aus Südosteuropa. Der schaut mich an, als kennte er mich und überlegte nun, woher. Als er dran ist, fragt er die Verkäuferin fast ohne ein Wort, nur indem er die Münzen in seiner Hand zeigt, was er für zwei Mark bekommen könne. Sie gibt ihm eine in Stücke geschnittene Boulette mit Ketchup. Als ich mit einer Wiener an einem Stehtisch stehe, bemerke ich den Jungen ganz in meiner Nähe, fast gegenüber. Er piekt mit dem Pieker in die Boulettenstückchen und schiebt sie sich nach und nach in den Mund. Er sieht mir beim Essen zu. Er schaut sich um, als stimme etwas nicht, als sei er sich nicht ganz sicher. Wieder beobachtet er mich mit offenem Mund. Ich nehme die Wiener in die Hand und beiße hinein; lege das Restwurststück auf die Pappunterlage, knapp neben den Senfhaufen. Der Junge will es genauso machen wie ich, und nimmt seine in Ketchup getunkten Boulettenstückchen mit den Fingern von der Pappe und schiebt sie sich in den Mund. Währenddessen schaut er, ob ich es sehe. Befriedigt nimmt er meinen Blick zur Kenntnis. Er stützt nun die Hand in die Hüfte, ähnlich wie ich es tue, schaut mich an und nickt mir zu. Doch zerfällt diese Pose, als er merkt, daß seine Finger völlig verschmiert sind, und somit auch seine Hose an den Hüften. Ich wische mir mit der Serviette über den Mund. Auch er wischt sich mit der Serviette über den Mund. Dabei hat er sich an die Stirn gefaßt und etwas Ketchup in den Haaransatz geschmiert. Er nimmt die anderen Stücke auf, wischt sich wieder über Mund und Stirn und Hüfte und ist danach noch verschmierter als vorher. Ich lache. Er schaut mich grimmig an. Er kommt an meinen Stehtisch, greift in den Serviettenberg und wischt sich sauber, ohne mich aus den Augen zu lassen. Ich lupfe mit der Zunge zwischen zwei Zähnen, um einen Speiserest zu erwischen – er tut es mir nach. Er spuckt aus und begibt sich zu seinen Leuten, die auf dem Rasen im Schatten eines Baumes sitzen. Dauernd dreht er sich um. Dann setzt er sich zu seiner Mutter und drei Geschwistern, die Sonnenblumenkerne kauen.

Ich rief Maik an, ohne Erfolg, Ich hinterließ mehrere Nachrichten auf seinem Anrufaufzeichner. Er rief nicht zurück. Mein Erzähler schwieg. Er sagte einfach nichts mehr. Nach ein paar Wochen war sein Telephonanschluß abgestellt. Später, wenn sie verlebt ist, wird er mich anrufen und mir auch diese Geschichte erzählen?